El Libro de Soluciones Milagrosas DE LA COCINA de la abuela

Dedicado a nuestras abuelas, con un agradecimiento
por su eterno y amoroso consejo.

Nota del Editor

Este libro está destinado solamente a información general. No se trata de práctica o asesoramiento médico, legal o financiero. Los editores de FC&A han tomado medidas cuidadosas para asegurar la precisión y utilidad de la información contenida en este libro. Si bien se han hecho todos los intentos para estar seguros de la exactitud, pueden ocurrir errores. Algunos sitios web, direcciones y números telefónicos pueden haber cambiado desde la impresión. No podemos garantizar la seguridad o efectividad de ninguno de los consejos o tratamientos mencionados. Se insta a los lectores a consultar con sus consejeros profesionales de finanzas, abogados y profesionales de la salud antes de hacer cualquier cambio.

Cualquier información referente a temas de salud contenida en este libro es únicamente informativa y no está destinada a ser una guía médica para auto tratamiento. No constituye asesoría médica y no debe ser interpretada como tal o utilizada en lugar de la asesoría médica de su doctor. Se insta a los lectores a consultar con sus profesionales de la salud antes de llevar a cabo algunas de las terapias sugeridas por la información contenida en este libro, teniendo en cuenta que pueden existir errores en el texto como en todas las publicaciones y que nuevos hallazgos pueden reemplazar la información anterior.

La editorial y los editores rechazan toda responsabilidad (incluyendo cualquier tipo de lesiones, daños o pérdidas) que resulten del uso de la información contenida en este libro.

Dios es nuestro refugio y nuestra fuerza;
nuestra ayuda en momentos de angustia.
Por eso no tendremos miedo, aunque se deshaga la tierra
aunque se hundan los montes en el fondo del mar.
Salmo 46:2–3

FC&A Medical Publishing®
103 Clover Green
Peachtree City, GA 30269

Produced by the staff of FC&A

ISBN 978-1-935574-61-3

Tabla de Contenido

Cáncer: Súper alimentos que contienen un puñado de 51

Resfriados y gripe: Póngale fin a su sufrimiento con alimentos cotidianos 79

Fatiga: Mejores comidas para tener energía todo el día 87

Indigestión: Remedios naturales que apagan el fuego 155

Enfermedad inflamatoria intestinal: Planes de dieta que conquistan el dolor 169

Dolor en las articulaciones: Alimentos que combaten el dolor 179

Enfermedades de la piel y pérdida de cabello: 33 curas simples de la despensa 241

Trastornos del sueño: Coma algo en su camino a un dulce sueño 261

Accidente Cerebrovascular: Cambios en la dieta para reducir el riesgo 271

Control del azúcar en la sangre

Soluciones nutricionales que derrotan la diabetes

Cómo comer carbohidratos sin elevar su azúcar en la sangre

Usted puede hacer varias cosas a la vez, incluso comer sus macarrones con queso, incluso teniendo diabetes. Todo lo que necesita hacer es beber esto antes de una comida para mantener su azúcar en la sangre por el rumbo correcto. Vinagre - la bebida amarga con resultados dulces para aquellos que luchan contra la diabetes.

Un trago de vinagre frena el aumento de azúcar en la sangre evitando que su cuerpo absorba los carbohidratos en los alimentos ricos en carbohidratos, según demuestran estudios. Los investigadores han utilizado entre una y cuatro cucharadas de vinagre para estudiar sus efectos en animales y personas. Piensan que puede ser el ácido acético en vinagre lo que bloquea las enzimas de digestión del almidón.

Este líquido superestrella también bloquea los retortijones de hambre y puede ayudarle a comer menos durante el día, aumentar el control de peso y ayudarle a manejar su diabetes.

"El vinagre parece tener efectos similares a algunos de los más populares medicamentos para la diabetes", dice la Dra. Carol Johnston, Nutricionista de la Universidad Estatal de Arizona. "Existen estudios que sugieren que si las personas con prediabetes toman estos medicamentos, podrían reducir sus posibilidades de contraer diabetes".

El vinagre puede servir como una alternativa barata, pero efectiva, a la medicación. La última investigación del Dr. Johnston sugiere que una cucharada a la hora de la comida dos veces al día reduce los niveles de glucosa en sangre en las personas con riesgo de diabetes tipo 2 mejor que la metformina o la rosiglitazona, dos prescripciones populares. Pero beberlo puro podría dañar su s dientes y esófago. Lo mejor es añadir el vinagre a un vaso de agua grande y tomarlo con la comida, dice Johnston.

No piense en el vinagre como una cura para todo. Si tiene diabetes tipo 2 o está en riesgo de desarrollarla, hable con su médico y discuta acerca del vinagre como una opción.

COCÍNELO

Convierta el vinagre en un sabroso placer

¿La idea de beber vinagre le parece amarga? Haga vinagre saborizado casero - es una manera osada de agregar vinagre a su comida y su dieta. Así es cómo debe hacerlo.

Lave una o dos tazas de su baya favorita. Arándanos, moras, frambuesas y fresas todas funcionan. Colóquelas esto en un frasco desinfectado. Utilice la misma cantidad de vinagre de vino blanco o vinagre de sidra de manzana como de bayas. Por ejemplo, si usa una taza de bayas, use una taza de vinagre.

Caliente el vinagre, pero no lo deje hervir. Vierta el vinagre sobre las bayas. Para una sazón adicional, agregue hojas de tomillo o menta. Cubra y deje reposar en un lugar fresco y oscuro por al menos tres semanas.

Cuele el vinagre hasta que salga claro. Vierta sobre ensaladas o fruta mezclada para un sabor picante, especialmente con acompañantes altos en carbohidratos como pan blanco o papas al horno.

Bebida natural que combate el daño nervioso y más

Una bebida deliciosa puede protegerle de un poco del dolor causado por la diabetes tipo 2. Este elixir mágico es el té de manzanilla, hecho de una suave hierba usada en la medicina popular por miles de años.

La manzanilla reduce los niveles de glucosa en la sangre cuando se toma con las comidas, según demuestra un estudio en animales publicado en la Revista de Química Agrícola y Alimentaria. Los investigadores dicen que los tés de sabor suave bloquean dos enzimas que provocan la pérdida de la visión, daños en los nervios y daño renal.

La manzanilla evita que una de esas enzimas - aldosa reductasa -convierta la glucosa en otro azúcar llamado sorbitol. Este azúcar no se mueve en las células tan libremente como la glucosa, por lo que termina siendo almacenado en el tejido nervioso y ocular. ¿El resultado? Un grave daño que conduce a la neuropatía y la ceguera.

Los científicos creen que son los fitoquímicos en manzanilla, incluyendo la quercetina y la esculetina, que hacen todo el trabajo duro. Ellos combaten la inflamación, las enfermedades de la piel, las heridas, la gota y las úlceras, y pueden suprimir el crecimiento de las células cancerosas humanas. No está mal para una pequeña y bonita planta.

Beba una taza con cada comida para agregar té de manzanilla a su dieta. Puede que se sienta mejor, vea más claramente y disfrute un poco de los beneficios tradicionales de esta hierba milenaria - sueño pacífico y alivio del estrés.

Y no se sorprenda si la manzanilla toma protagonismo en la medicación en el camino. Los investigadores dicen que sus descubrimientos pueden apuntar hacia nuevos fármacos a base de manzanilla para la diabetes tipo 2.

3 maneras más inteligentes de comer dulce

Azúcar - sólo la mera mención de la palabra hace que se le haga agua la boca. Pero si usted lucha contra la diabetes tipo 2, el azúcar puede causar estragos en su glucosa en la sangre y su peso. Pruebe estas opciones dulces en su lugar.

El jarabe de arce está lleno de compuestos saludables. Hay algo sano sobre el jarabe de arce caliente. Y con razón. Científicos han encontrado 54 compuestos saludables en este edulcorante líquido.

Estos compuestos tienen propiedades antioxidantes y anti-inflamatorias que ayudan a combatir la diabetes. Los científicos dicen que son los fenólicos, los compuestos antioxidantes beneficiosos en el jarabe de arce. Estos antioxidantes bloquean dos enzimas que descomponen los carbohidratos, lo cual ayuda a las personas con diabetes a manejar mejor la enfermedad.

Los científicos no están diciendo que usted debe llenarse con el delicioso endulzante Pero si usted va a verter algo sobre sus panqueques, alcance para jarabe de arce puro en lugar de productos procesados cargados de jarabe de maíz de alta fructosa.

Considere los pros y los contras de la miel. Probablemente haya escuchado informes conflictivos sobre la miel y la diabetes. La investigación demuestra que la miel puede ayudar a las personas con diabetes a bajar de peso, a bajar el colesterol malo y elevar el colesterol bueno. Pero también aumenta su nivel de A1C, que afecta su promedio de azúcar en la sangre durante varios meses.

¿En conclusión? Está bien para endulzar platos o incluso sustituir azúcar con miel, pero hágalo con cuidado. Consulte con su médico si tiene preguntas.

Agavin: un edulcorante con beneficios para la salud. Un nuevo sustituto del azúcar podría hacer que usted hiciera lo que más le gusta. Los investigadores de la Sociedad Química Americana dicen que las agavinas, derivadas de la planta de agave utilizada para fabricar tequila, mantuvieron los niveles de azúcar y ayudó con la pérdida de peso en animales. Las agavinas también aumentan la insulina y le ayudan a sentirse más lleno después de las comidas.

Pero no se entusiasme demasiado porque el agavin no está en el mercado todavía. No lo confunda con néctar o jarabe de agave. Estos endulzantes se descomponen y pasan de fructanos a ser fructosas individuales, por lo actúan más parecido al jarabe de maíz de alta fructosa. Las agavinas son fructanos de cadena larga que actúan más como la fibra y no pueden ser digeridos, razon por la cual no hacen que el azúcar de sangre llegue a un pico.

Serán buenas noticias si este edulcorante termina en los estantes de la tienda de comestibles en el futuro.

Postres deliciosos que ayudan a su azúcar en la sangre

Melocotones al horno con lluvia de chocolate. Mousse de melocotón y chocolate. Melocotones frescos con salsa de moca. Si su mente dice que sí, pero su azúcar en la sangre dice que no, escuche esta buena noticia. Puede poner estos alimentos juntos para un final delicioso en su cena.

El chocolate es rico en flavanoles que combaten la diabetes. Charles Schultz una vez dijo: "Todo lo que necesitas es amor. Pero un poco de chocolate de vez en cuando no duele". Los expertos en nutrición creen que el creador del cómic Peanuts definitivamente tenía una idea correcta.

Personas que comieron chocolate una vez al día a varias veces al mes redujeron el riesgo de contraer diabetes, según un reciente estudio publicado en Clinical Nutrition. Los expertos dicen que el riesgo era más bajo en las personas que comieron de dos a seis porciones de 1 onza a la semana. El estudio no aclaró qué tipo de chocolate era mejor - oscuro, con leche o blanco. Pero estudios anteriores han encontrado que el chocolate negro tiene la mayor cantidad de flavanoles, ricos fitoquímicos que ayudan a regular el metabolismo del azúcar en la sangre.

Los melocotones combaten factores de riesgo como la obesidad. Se podría decir que los melocotones son "una dulzura" para su salud. La investigación demuestra que los fitoquímicos en los melocotones combaten obesidad y el riesgo de diabetes asociada con la obesidad.

Los poderosos compuestos llamados fenoles hacen la guerra contra la obesidad, la diabetes, la inflamación y el colesterol malo, dicen los expertos.

Y no son sólo los melocotones. Pruebe otras frutas de hueso como ciruelas, nectarinas y albaricoques como golosinas con los mismos beneficios. Un estudio encontró que reemplazar el jugo de fruta con melocotones enteros, ciruelas o albaricoques redujeron el riesgo de diabetes tipo 2 un promedio de 11 por ciento.

Disfrute de una taza de café. Combine su merienda de la tarde con una rica taza de café. La investigación demuestra que beber de tres a cuatro tazas al día reduce su riesgo de diabetes tipo 2 hasta un máximo de 25 por ciento. Si no es un gran bebedor de café, intente agregar otra taza y media por día, y usted disminuirá su riesgo de la diabetes en un 11 por ciento en apenas cuatro años.

El café es alto en polifenoles y antioxidantes, que los científicos piensan pueden estabilizar los niveles de azúcar en la sangre y mejorar la sensibilidad a la insulina. Beber café con cafeína también acelera su metabolismo, lo cual aumenta la energía y ayuda a quemar calorías.

Pero puede que no sólo el café con cafeína luche contra la diabetes. Mujeres francesas que bebían una taza de café regular o descafeinado diariamente en el almuerzo redujeron su riesgo de diabetes en un 33 por ciento, según un estudio brasileño. Así que si lo prefiere, puede disfrutar de una taza humeante de café descafeinado para terminar su comida.

El pan más sano que nunca ha probado

El pan de trigo integral puede ser el pan más popular en Estados Unidos, pero no es el más sano. Pruebe el pan de centeno y descubrirá el pan blanco que en realidad es más saludable que el de trigo.

El pan horneado con harina hecha a partir de la parte interior, blanca del centeno le dará mejores niveles de insulina y azúcar en la sangre, sugiere un estudio de la Universidad de Lund en Suecia. Los científicos no están seguros de cómo funciona, pero sí ven mejores resultados con el pan de centeno que con el pan de trigo.

La fibra natural en este grano rico y saludable también le ayuda a mantenerse "regular" y le hace sentir más lleno por más tiempo. Cuanto más satisfecho se sienta, es más probable que no coma en exceso. Y cuando tiene diabetes, el control de peso reduce su riesgo de complicaciones.

Pero no todo el centeno se fabrica igual, dicen los investigadores. La harina de centeno vendida en tiendas es por lo general una mezcla de diferentes tipos de centenos. Su mejor apuesta es comprar harina identificada como "centeno de grano entero" y hacer su propio pan. O, si le gusta la harina de avena, hacer gachas de centeno con bayas de centeno integral o semillas. Este reconfortante alimento lo llenará mientras controla el azúcar en la sangre.

"Esto le da todos los beneficios del centeno", dice Liza Rosén, investigadora principal del estudio. "El salvado incluye muchas fibras saludables, vitaminas, minerales y antioxidantes. Esto también ayuda a dar una sensación de saciedad y ayuda a reducir las respuestas de azúcar en la sangre a largo plazo".

COCÍNELO

Relájese con un cálido plato de centeno

Cocinar el centeno es más fácil de lo que piensa. Comience por lavar y limpiar las bayas de centeno. Si desea hacer gachas, añada una parte de las bayas de centeno a dos y media partes de agua hirviendo y agregue una pizca de sal. Después de que el agua vuelva a hervir, cocine a fuego lento durante una a dos horas. Una vez cocido, agregue miel o jarabe de arce para endulzarlo y obtener un delicioso desayuno.

Para hacer gachas de centeno y servirlas como sabroso acompañante, cocine sus bayas en caldo de pollo. A continuación, agregue champiñones y cebollas salteados. Revuelva y sirva con pollo al horno o salmón a la parrilla como una alternativa al arroz.

Recetas transformadas que sacan al arroz de su lista de comidas prohibidas

La gente come la enorme cantidad de 456 millones de toneladas de arroz al año, convirtiéndolo en el alimento básico número uno en el mundo. Pero si tiene pre-diabetes o diabetes tipo 2, el arroz puede disparar sus niveles de azúcar en la sangre hasta el cielo. A continuación, le mostramos cómo disfrutar del arroz y reducir el riesgo.

El arroz integral mantiene el azúcar en la sangre estable. El arroz blanco es simplemente arroz integral que ha sido pulido. El proceso de pulido elimina el salvado, lo cual reduce la cantidad de fibra. También eleva el contenido de almidón. Y por lo general, un alimento que tiene un alto contenido de almidón aumentará los niveles de azúcar en la sangre.

Varios estudios sugieren que el arroz blanco aumenta el riesgo de diabetes tipo 2. Afortunadamente, tiene una alternativa - el arroz integral, que ha demostrado reducir su riesgo. Los científicos piensan que una razón puede ser que la capa de salvado en el arroz integral bloquea las enzimas del sistema digestivo y evitan la liberación del almidón interno, lo que ayuda a mantener el azúcar en la sangre en un nivel estable.

Un tiempo de cocción más corto significa menos almidón. No pensaría que la cantidad de tiempo que tarda en cocinar el arroz afectaría el azúcar en su sangre, pero sí lo hace. Los estudios demuestran que cocinar el arroz con vapor o hervirlo por una cantidad corta de tiempo es mejor para los niveles de azúcar en la sangre que un tiempo más largo de cocción.

Los investigadores piensan que es porque cocinar el arroz por un período más largo de tiempo hace que el grano se hinche y se divida, produciendo más almidón, lo cual desencadena niveles más altos de azúcar en la sangre cuando se consume.

Combine el arroz con alimentos que frenen las subidas del azúcar. Si es como la mayoría de la gente, usted come el arroz como plato de acompañamiento en una comida más grande. Escoja alimentos s o condimentos adecuado para acompañar el arroz, y tendrá más probabilidades de mantener su nivel de azúcar en la sangre estable.

- Los frijoles servidos con arroz disminuyen los niveles de glucosa en sangre, demuestra un estudio. De hecho, la adición de cualquier leguminosa como guisantes y lentejas funciona igual de bien. Los investigadores piensan que la fibra soluble de las legumbres ayuda a retardar el vaciado de su estómago, por lo que es menos probable que el azúcar en la sangre se dispare.

- Añada vinagre a su arroz y obtendrá una combinación ganadora. Pero no tiene que verter el vinagre directamente en su arroz. Sólo comer un pepinillo como acompañante atenúa los picos de azúcar.

■ Dos granos son mejores que uno, sugiere un estudio. Cuando usted mezcla arroz con cebada, su glucosa en la sangre permanece estable. Los científicos piensan que es porque la cebada está llena de fibra soluble.

COCÍNELO

Trucos para hacer el arroz integral sabroso

¿El sólo hecho de pensar en comer arroz integral le hace temblar?

Para algunas personas, el sabor deja mucho que desear. Aquí le decimos cómo usted puede hacer del arroz integral un plato delicioso.

Siga las instrucciones de cocción de su paquete de arroz integral pero cocine el arroz en caldo de pollo en lugar de agua para un sabor agregado. Luego rocíe con dos cucharaditas de vinagre o jugo de cítricos para una sazón extra.

Y no piense en el arroz sólo como acompañante de un plato principal. Añádalo a las sopas o ensaladas como un ingrediente sustancioso y saludable.

La magia del microbio: un secreto para estabilizar el azúcar en la sangre

Una forma de afrontar la diabetes es conseguir llenarse con los pequeños microbios que viven en su intestino y aumentan su buena salud. Estos poderosos bichos llamados probióticos, se la pasan en su estómago por billones, ayudando a digerir los alimentos, combatiendo infecciones y manteniendo un tracto digestivo saludable. Los estudios demuestran que los probióticos también disminuyen la inflamación en todo su cuerpo y aumentan su sensibilidad a la insulina, lo que ayuda al azúcar en la sangre a estabilizarse.

Dos probióticos en particular, lactobacilos y bifidobacterias parecen trabajar mejor en la prevención y el tratamiento de la enfermedad, según la investigación. Un estudio encontró que los animales con niveles bajos de esos probióticos tenían más probabilidades de desarrollar diabetes tipo 1. Los investigadores creen que los probióticos abordan los factores de riesgo de la diabetes haciendo lo que hacen mejor - mantener su intestino saludable.

El yogur es una fuente bien conocida de probióticos, con millones de cultivos vivos y activos en cada recipiente. Pero también puede probar kéfir, chucrut y sopa de miso japonesa como otras fuentes de gran sabor.

Los probióticos y las personas tienen algo en común: necesitan comida para sobrevivir y prosperar. Ahí es donde aparecen los prebióticos. Los prebióticos son carbohidratos y fibras que no pueden ser digeridos o fermentados. Entregan alimento y combustible a los miles de millones de probióticos en su cuerpo. Pero los prebióticos hacen más que eso, según los estudios. También ayudan a reducir la inflamación, combatir las bacterias malas, estimular el sistema inmunológico y promover niveles saludables de azúcar en la sangre.

Los prebióticos son fáciles de agregar a su dieta. Busque alimentos ricos en prebióticos como cebada, harina de avena, legumbres, espárragos, pistachos, bananas y alcachofas de Jerusalén.

2 alimentos altos en grasa que usted debe comer

Los esquimales Yup'ik en Alaska comen salmón y sardinas para el almuerzo y la cena, y tal vez incluso el desayuno. Y esto podría estar ayudándoles a luchar contra la diabetes. Los investigadores encontraron una menor incidencia de diabetes entre este grupo de personas, incluso entre los que tenían sobrepeso u obesidad. Los científicos creen que los ácidos grasos omega-3 tienen algo que ver con ello.

Cárguese de pescado con grasa protectora. Los pescados como el salmón, la caballa, el arenque, la trucha de lago, las sardinas y el atún albacora, contienen un alto nivel de ácidos grasos omega-3. Estas grasas saludables parecen proteger a los esquimales Yup'ik de los efectos nocivos de las enfermedades relacionadas con la obesidad, diabetes y enfermedades del corazón.

Si a usted no le gusta el sabor del pescado, los suplementos de aceite de pescado funcionan igual de bien. Los científicos de la Escuela de Salud Pública de Harvard revisaron información de 14 ensayos clínicos en los que participaron personas que tomaron suplementos de aceite de pescado. Encontraron que los suplementos elevaban los niveles de adiponectina, una hormona que ayuda a mantener los niveles de glucosa en la sangre, mantiene la inflamación a raya y reduce el riesgo de enfermedades del corazón.

"Los resultados de nuestro estudio sugieren que un consumo mayor de aceite de pescado puede aumentar moderadamente el nivel de adiponectina en la sangre ", dice el Dr. Jason Wu, autor principal del estudio. "Y estos resultados apoyan los beneficios potenciales del consumo de aceite de pescado sobre el control de la glucosa y el metabolismo de las células grasas".

La linaza exhibe cantidades significativas de omega-3. Estas pequeñísimas semillas del tamaño de las semillas de sésamo contienen una poderosa dosis de ácidos grasos omega-3. Y también pueden proteger contra la diabetes.

Los alimentos preparados con linaza son menos propensos a aumentar el azúcar en la sangre cuando se consumen, según muestran varios estudios. Estas observaciones llevaron a los científicos de la India a estudiar los efectos de la linaza sobre la diabetes tipo 2. Encontraron que las poderosas semillas disminuían la glucosa en la sangre en ayunas, así como los niveles de glucosa durante períodos más largos de tiempo. También disminuyeron el colesterol malo y aumentó los niveles de colesterol bueno.

Puede encontrar semillas de linaza enteras, trituradas o molidas en su supermercado o farmacia local.

Los expertos sugieren que compre su linaza entera y luego a triture o muela para mejores beneficios de salud. De lo contrario, las semillas pasarán a través de su intestino sin digerirlas. Almacénelas en un recipiente hermético por varios meses. Rocíe sobre su cereal o yogur, u hornee en panes y muffins.

Golpe efectivo contra el riesgo de diabetes.

Su médico le dice que tiene prediabetes, o descubre que tiene un gen que lo pone en alto riesgo de la enfermedad. Eso significa que usted va bien en su camino a sufrir de diabetes del tipo 2. Dos potentes nutrientes pueden ser justo lo que necesita para reducir sus posibilidades de desarrollo de esta enfermedad.

La vitamina D ayuda a disminuir el azúcar en la sangre. Los científicos han encontrado un enlace entre personas con niveles bajos de vitamina D y prediabetes, un nivel de azúcar en la sangre que no es lo suficientemente alto como para ser llamado diabetes. Investigadores en la India encontraron que las personas en riesgo de diabetes que tenían niveles más altos de vitamina D en su sangre también tenían menos glucosa en la sangre en ayunas. Y cuantos más participantes tomaban vitamina D, menor era el riesgo de que la enfermedad progresara hacia la diabetes en su plenitud.

Los científicos piensan que la vitamina D revierte los altos niveles de azúcar en sangre a la normalidad mejorando la resistencia a la insulina y la inflamación.

Usted puede obtener vitamina D de la leche, el salmón, el fletán, los jugos fortificados y los cereales y de la exposición diaria a la luz del sol. A medida que envejece, es más difícil que su cuerpo obtenga suficiente vitamina D de la comida y del sol únicamente, así que hable con su médico para ver si necesita suplementos.

El beta caroteno protege a las personas en alto riesgo. Un estudio encontró una fuerte conexión entre la cantidad de beta caroteno en la sangre y la progresión a la diabetes en personas cuyos genes muestran un alto riesgo para la enfermedad. Parece que mientras el nivel de beta caroteno en su sangre es más alto, menor será su riesgo, dicen los investigadores de la Universidad de Stanford.

Los científicos dicen que el beta caroteno puede interactuar con uno de los genes que afecta el riesgo de diabetes de una manera preventiva, pero no están seguros. Se están realizando más investigaciones.

Mientras tanto, si usted tiene prediabetes o está en riesgo de sufrir de diabetes, agregue vegetales verdes como la col rizada y la espinaca, o como la col rizada y los nabos, así como zanahorias a su dieta. Están cargados con beta caroteno y son buenos para el azúcar en la sangre.

Vuélvase loco con estos platos buenos para usted

Coma estos deliciosos platos coronados con almendras, pacanas, nueces o pistachos. Estos sanos antojos mantienen los niveles de azúcar en la sangre gracias a su contenido de fibra, proteínas y nutrientes saludables, dicen los expertos. Combínelos con otras sabrosas comidas que combaten la diabetes y tendrá numerosos combos apetitosos.

Pescado o pollo rebosado al horno

Corte finamente las pecanas o pistachos y agregue harina en un plato llano. Sumerja la trucha, el salmón o el pollo en claras de huevo y luego recubra con harina y la mezcla de nueces. Hornee según las instrucciones para el pecado o pollo.

Vegetales salteados con nueces

Corte finamente almendras, pecanas o pistachos. Corte vegetales como pimientos morrones y cebolla, coles de Bruselas, col rizada o espinacas. Caliente aceite de oliva a fuego medio en un sartén. Saltee los vegetales por unos minutos. Luego agregue las nueces y saltee hasta calentar completamente.

Pilaf crujiente de granos

Corte nueces o pecanas. Tuéstelas a fuego medio por cuatro o cinco minutos hasta que estén ligeramente marrones. Agregue a una olla de arroz integral, quinoa o cebada.

Confíe en las plantas para frenar los peligros de la diabetes

Lo mejor es manejar la diabetes haciendo elecciones inteligentes de alimentos. Pero a veces un suplemento puede ayudar. Eche un vistazo a estos tres suplementos y descubra maneras alternativas de lidiar con la diabetes.

El ácido alfa-lipoico aumenta el flujo sanguíneo. Un antioxidante encontrado en las espinacas, brócoli y papas, el ácido alfa-lipoico (AAL) puede ser una respuesta a la oración de las personas que sufren dolor excruciante de los nervios, asociado con la diabetes.

El AAL parece funcionar aumentando el flujo sanguíneo en los nervios, actuando como un antiinflamatorio y mantiene los coágulos de sangre a raya, sugiere un estudio publicado en la Revista Europea de Endocrinología.

La berberina puede ser tan eficaz como los fármacos. Este poderoso y brillante compuesto amarillo ha sido usado medicinalmente en China por miles de años. Se encuentra en plantas como el agracejo, sello de oro y la cúrcuma del árbol. Y es prometedor como una opción de tratamiento para la diabetes tipo 2, según sugieren dos estudios.

La berberina reduce los niveles de glucosa en la sangre, igual que la metformina, un fármaco popular para la diabetes, en pacientes recién diagnosticados, dicen los investigadores de China. Los suplementos también disminuyeron los niveles de glucosa en la sangre cuando se combinan con insulinoterapia en personas que no estaban manejando bien su diabetes.

El glucomanano retarda la absorción de azúcar. Esta fibra soluble encontrada en la raíz de konjac disminuye la glucosa en la sangre en ayunas, el colesterol LDL malo, y el peso corporal, según una investigación publicada en la Revista Americana de Nutrición Clínica. Los expertos creen que una forma en la que el glucomanano funciona en la diabetes es ralentizando la absorción de azúcar durante la digestión, lo cual ayuda a que los niveles de azúcar se mantengan estables.

Salud ósea

Maneras fáciles de comer y mantenerse fuerte

Haga esto todos los días para tener huesos duros como piedra

Siéntese por un momento en su silla favorita, y disfrute de una humeante taza de té. Lo crea o no, un simple hábito diario como este puede ayudar a fortalecer sus huesos y salvarle de los estragos de la osteoporosis.

Su cuerpo se deshace constantemente del hueso viejo y lo reemplaza con hueso nuevo Si las células que crean huesos, llamadas osteoblastos, fallan al no llevar el ritmo de las células que remueven el hueso - osteoclastos - sus huesos desarrollarán pequeños agujeros como el queso suizo. Los expertos llaman a esto baja densidad ósea.

Los huesos débiles y frágiles se vuelven más probables a medida que pasan los años. Pero los bebedores de té a largo plazo tienen mejor densidad y fuerza ósea que las personas que no beben té, dicen estudios de Gran Bretaña y China. Sólo necesita disfrutar de los tés adecuados - los que tienen potentes polifenoles - para cosechar los beneficios.

El té verde combate los huesos quebradizos. Tanto el té verde como el té y negro vienen del arbusto perenne Camellia sinensis. Pero el té verde tiene más de los compuestos de polifenoles llamados catequinas.

Las catequinas pueden ayudar a reducir el número de osteoclastos en su cuerpo. Con menos removedores de hueso trabajando, sus huesos tienen una mejor oportunidad de mantenerse fuertes. Las catequinas también pueden ayudar a expandir su población de osteoblastos que construyen huesos, de manera que usted reemplace más hueso del que se pierde. Esa es la razón por la cual el té verde es una estrella brillante cuando se trata de la salud ósea.

El té negro combate la pérdida ósea. Cuando las hojas Camellia sinensis son fermentadas para hacer té negro, sus catequinas se convierten en compuestos saludables llamados teaflavinas. Al igual que las catequinas, las teaflavinas pueden limitar el número de células que eliminan el hueso para que pierda menos hueso. Si usted es una mujer mayor, puede que quiera tomar nota. Las mujeres posmenopáusicas en particular, han mostrado una asociación positiva entre el consumo de té y una mayor densidad ósea.

¿Su té se queda corto?

El té ha demostrado poder luchar contra las enfermedades del envejecimiento, desde la pérdida ósea al cáncer. Pero cinco de cada 10 bebedores de té hoy eligen el tipo de té que no ofrece prácticamente ninguna protección. Si usted es uno de ellos, puede que no sepa de lo que se ha estado perdiendo.

Los poderes protectores del té provienen de sus polifenoles naturales, como las catequinas y las teaflavinas. Pero los tés embotellados pueden contener menos polifenoles que el té de bolsa, según un estudio. Una marca en botella tenía tan pocos polifenoles que usted necesitaría beber 20 botellas para igualar la cantidad de polifenoles encontrados en una taza de té preparado. Además, los tés embotellados están llenos de azúcar y calorías.

Para ahorrar dinero y su salud, cambie a una mejor y más barata variedad de té - verde o negro que usted prepare por sí mismo. Si prefiere el té frío, sólo agregue hielo después de la preparación.

2 maneras de amplificar el sabor del té y la nutrición. Usted puede fácilmente hacer té negro o verde de mejor sabor y más nutritivo.

- Añada limón a su té para ayudar a su cuerpo a usar más nutrientes de la infusión. Si no puede exprimir un limón fresco cada día, saque el jugo de varios limones, congélelo el jugo en una gavera de hielo y deje caer un cubo en su taza humeante según lo necesite.

- ¿No le gusta el sabor del té verde o negro sin azúcar? Evite que se ponga amargo usando agua menos caliente o empapando la bolsa por un tiempo más corto. Tenga en cuenta que no debe usar agua hirviendo para el té verde. Pruebe con té verde saborizado o tés negros para una protección de los huesos siempre deliciosa.

Luche contra la pérdida ósea sin pastillas de calcio

Sabe que necesita más calcio para sus huesos, así que usted fielmente toma su suplemento de calcio todos los días - tal como lo recomendó su médico. Pero algunos estudios dicen que esas pastillas por sí solas no pueden salvarle de una fractura. Si quiere huesos fuertes, necesita otros nutrientes claves para salvar su esqueleto que las píldoras pueden dejar de lado. Por eso su mejor opción es obtener calcio de una variedad de alimentos que provean los nutrientes que necesitan sus huesos.

El calcio es tan crucial para los nervios, los músculos y las glándulas que su cuerpo lo roba de sus huesos si no tiene suficiente. Todos los adultos necesitan 1,000 miligramos (mg) de calcio al día, pero las mujeres mayores de 50 años y los hombres mayores de 70 años necesitan 1,200 mg.

Para ayudarle a estar seguro de que obtiene lo suficiente, coma algunas porciones de productos lácteos bajos en grasa como queso, yogur y leche descremada cada día. También, disfrute de otras buenas fuentes como almendras, nabos, col rizada, pescado enlatado con hueso, brócoli y jugo de naranja fortificado. Mientras usted está en ello, asegúrese de obtener suficiente de estos nutrientes cítricos formadores de hueso también.

La proteína ayuda a su cuerpo a hacer colágeno. Alimentos deliciosos como el queso mozzarella y el yogur griego no son sólo buenas fuentes de calcio. También son ricos en proteínas, un nutriente que no se puede obtener de pastillas de calcio. Eso es importante porque su cuerpo fabrica menos hueso si no obtiene suficiente proteína.

Pero coma suficiente proteína, y sus células óseas producirán más Factor de Crecimiento Insulínico tipo 1 (IGF - 1). Este compuesto no sólo ayuda a su cuerpo a crear más células para fabricar huesos, sino también colágeno, un bloque de construcción básico del hueso nuevo. Usando esta proteína, las células que hacen hueso sirven de marco para crear más hueso nuevo que ayude a reemplazar el que ha perdido.

Una rebanada de 1 onza (28 g.) de mozzarella parcialmente desnatada entrega el 15 por ciento de la proteína que necesita más 20 por ciento del valor diario de calcio. Otras buenas fuentes tanto de calcio como de proteínas incluyen cangrejos enlatados, almejas enlatadas, camarones enlatados y la mayoría de los productos lácteos.

PREPÁRELO

Cómo rallar el queso blando con una facilidad increíble

Le encanta mozzarella en la pizza, ensaladas, e incluso en sándwiches, pero la versión pre-rallada es cara y no se derrite bien, mientras que el queso entero es demasiado blando para rallar. Afortunadamente, usted puede arreglar esto y ahorrar dinero.

Sólo meta un trozo de mozzarella en el congelador para una hora. Una vez que el frío hace su magia, se puede triturar en el procesador de alimentos o rallar a mano sin impedimentos. Para hacer el rallado a mano aún más fácil, cepille los agujeros del rallo con una pequeña cantidad de aceite de oliva.

Fósforo: el amigo del calcio que construye hueso. Los frijoles blancos pueden ser un ahorrador de dinero si los usa para reemplazar la carne en su plato de pasta.

Gracias a su calcio y fósforo, estos frijoles también pueden salvar sus huesos.

El hueso nuevo se forma con proteína de colágeno, pero el 65% del hueso externo está hecho de hidroxiapatita dura, una sal insoluble que su cuerpo genera partir del calcio y el fósforo. Su cuerpo siempre debe mantener una cantidad suficiente de estos dos minerales disponible para hacer más hueso nuevo.

¿Pensando en reemplazar su leche regular con leche de almendras, leche de arroz o leche de soya? Éstas tienen naturalmente menos calcio y Vitamina D que la leche normal. Incluso las marcas fortificadas aún se pueden quedar cortas. Así que antes de comprar, revise la etiqueta para ver cómo se compara su nueva leche con su viejo favorito.

Obtener suficiente fósforo de los alimentos no es difícil. Búsquelo en la calabaza y semillas de girasol; nueces de Brasil; queso Romano; salmón y mariscos; cerdo y carne magra.

Pierda vitamina D y perderá hueso. La escasez de vitamina D puede en realidad aumentar la cantidad de hueso que pierde. Pero obteniendo suficiente vitamina D ayuda a absorber más calcio de los alimentos y conservarlo más tiempo, de manera que usted sigue formando hueso nuevo para compensar sus pérdidas.

El salmón rosado enlatado es una gran fuente de vitamina D, y es menos caro que los filetes de salmón. Pruébelo en un sándwich, mezclado con apio picado, condimento de pepinillos, y un toque de jugo de limón, o revuelva en mayonesa, mostaza o yogur natural sin grasa. Otras buenas fuentes de vitamina D incluyen la trucha arco iris, el atún ligero enlatado y la leche en polvo fortificada.

Cómo elegir un mejor suplemento de calcio

Como la mayoría de los estadounidenses, Mary intenta comer alimentos ricos en calcio todos los días, y -como la mayoría de los estadounidenses- todavía no alcanza la cantidad recomendada. Si está en el mismo barco, puede que necesite preguntarle a su médico acerca de tomar un suplemento de calcio para llenar el vacío. Use estas directrices y el consejo de su médico para ayudarle a elegir la mejor píldora de calcio para usted.

Elija una píldora que pueda digerir fácilmente. Los suplementos de calcio vienen en varias formas, y cada uno tiene sus propias ventajas.

El carbonato de calcio es el menos costoso, pero siempre debe tomarlo con comida para absorberlo bien.

El citrato de calcio es más fácil de absorber por el cuerpo que el carbonato de calcio, por lo que se puede tomar sin alimentos. El citrato de calcio puede también ser adecuado para usted si:

- regularmente toma medicamentos para la acidez estomacal frecuente o ERGE. Estos pueden incluir bloqueadores de histamina-2 (H2) tales como cimetidina (Tagamet), famotidina (Pepcid), y ranitidina (Zantac) o inhibidores de la bomba de protones como esomeprazol (Nexium), lansoprazol (Prevacid), y omeprazol (Prilosec).

- otros suplementos de calcio que ha tomado le han causado estreñimiento o hinchazón.

- usted tiene una condición, tal como enfermedad inflamatoria intestinal, que le impide absorber nutrientes.

- tiene ácido estomacal bajo, que es común en las personas mayores de 50 años.

Otras formas de calcio, como el gluconato de calcio y el lactato de calcio son caros y no se usan generalmente para prevenir fracturas.

Busque una marca que haya sido probada. Encuentre su marca y producto ideal con estos consejos.

- Compruebe que posee el sello de la U.S. Pharmacopeia o Etiqueta de Consumidor para conseguir un suplemento que ha pasado pruebas de calidad independientes.

■ Tenga cuidado con los suplementos de calcio hechos de harina de hueso, concha de ostras o dolomita, ya que algunas pueden contener plomo peligroso.

■ Compruebe en la etiqueta de datos nutricionales la cantidad de "calcio elemental", la cantidad que su cuerpo obtiene efectivamente del suplemento. Tenga en cuenta que su cuerpo absorbe más calcio si usted toma 500 miligramos o menos a la vez.

■ Compruebe si su suplemento viene con vitamina D añadida para ayudar a absorber más calcio.

■ Es posible que no necesite tanto calcio de los suplementos si usted ya toma antiácidos que contienen carbonato de calcio.

Si usted tiene alto riesgo de sufrir enfermedades del corazón, derrame cerebral o cálculos renales, o si usted tiene una enfermedad cardíaca, historial de derrames o problemas del riñón, pregúntele a su médico si puede tomar suplementos de calcio con seguridad.

Guia diaria para conseguir suficiente calcio

| 533 | 457 | 349 | 299 | 241 | 191 |

Miligramos de calcio por taza

| cereal Fiber One® | Almendras enteras | Jugo de naranja fortificado | Jugo de vegetales enriquecido | Higos secos | Frijoles blancos enlatados |

Nuevo vegetal es una súper estrella para mejorar los huesos

Pronto llegará a un supermercado cerca de usted - un nuevo vegetal llamado brotes de col rizada o Kalettes. Lucen como brotes de flores de color verde profundo anidados en adornados "pétalos" frondosos unidos con violeta. Pero esto no es sólo otra bonita guarnición. Esta hortaliza también ofrece una vitamina especial de la cual dependen sus huesos.

La vitamina K es una de las vitaminas clave que le ayuda a defenderse contra la osteoporosis y fracturas, y las Kalettes son la más reciente fuente en Estados Unidos. Necesita vitamina K para hacer osteocalcina, lo que ayuda a crear huesos más fuerte. La investigación muestra que las personas que reciben suficiente vitamina K tienen menos riesgo de fracturas peligrosas de la cadera que aquellas que no lo hacen.

Según los expertos en Kalettes, se necesita menos de una y media taza de estos brotes para obtener el suministro diario necesario de vitamina K. Y usted disfrutará comiéndolos. Su sabor se describe como algo parecido a la nuez con un toque de dulzura. Las personas que han tratado este cruce entre coles de Bruselas y col rizada dicen que tiene un mejor sabor y textura que sus padres y no requiere tanto trabajo para prepararlo. Usted puede asar, hornear, o saltear las Kalettes, o incluso disfrutar de ellos crudas. Pero asegúrese de comerlas con una pequeña cantidad de aceite de oliva u otro aceite favorito. Necesita un poco de grasa para ayudar a absorber la vitamina K.

Para asegurarse de que tome suficiente de esta crítica vitamina, mastique otros ganadores de vitamina K como espinacas, remolacha verde, broccoli, berro, berro de jardín, espárragos, piñones, nabos, o ciruelas secas.

5 alimentos que son malos hasta los huesos

Sus huesos pueden estar en riesgo si usted exagera comiendo alimentos que socavan los huesos. Mantenga a los siguientes ladrones de calcio y de hueso bajo control para que su cuerpo no pague el precio.

Los alimentos procesados están llenos de sal oculta. Coma solo un poco de demasiada sal, y usted le dará la señal a su cuerpo para que se deshaga de más calcio.

La Fundación Nacional para la Osteoporosis recomienda comer no más de 2,400 miligramos de sal por día, aproximadamente - alrededor de una cucharadita. Limite la cantidad de alimentos procesados y enlatados que usted come, y lea las etiquetas para determinar cuánta sal está consumiendo. Experimente con especias, jugo de limón, pimienta, vinagre y otros condimentos para ayudarle a utilizar su salero menos a menudo.

El refresco aumenta su riesgo de fractura. Un estudio reciente que analiza las dietas de más de 73,000 mujeres posmenopáusicas encontró que aquellas que bebían gaseosas tenían más probabilidades de experimentar una fractura de cadera. No importó si el refresco era de dieta, regular, con cafeína, o descafeinado. Cada porción adicional de refresco por día aumentó el resigo de fractura en un 14 por ciento extra.

¿Adicto a la cafeína? Sus huesos pueden sufrir. Una taza de café con cafeína o dos tazas de té con cafeína no es gran cosa, pero beber más puede recortar la cantidad de calcio que su cuerpo absorbe de los alimentos y aumenta ligeramente la cantidad que pierde. Considere cambiar a descafeinado de dos o tres tazas.

El exceso en la bebida conduce a la pérdida ósea. Beber más de tres bebidas alcohólicas al día puede disminuir el suministro de calcio a su cuerpo, y beber empedernidamente puede conducir a la pérdida ósea. Manténgase en dos bebidas o menos al día, y sus huesos - y el resto de tu cuerpo - le agradecerán.

La espinaca bloquea la absorción de calcio. Popeye se puede haber bajado su lata de espinaca en segundos, pero puede que desee un enfoque más relajado. La espinaca es una fuente superior de oxalatos o ácido oxálico, un compuesto que afecta la cantidad de calcio que su cuerpo absorbe. De hecho, si usted bebe leche con su cena, esa parte de la espinaca le impedirá absorber el calcio de la leche. Las espinacas y ruibarbo tienen el mayor contenido de oxalato, mientras que los camotes (batatas) y los frijoles contienen algo menos.

Mientras tanto, las leguminosas y el salvado de trigo contienen otros compuestos bloqueadores del calcio llamados fitatos o ácido fítico. También pueden reducir el calcio que absorbe de los alimentos - no tanto como el oxalato.

Eso no significa que usted debe tener miedo de comer alimentos ricos en oxalatos alimentos con fitatos. Evitarlos significa que se perderá de otros nutrientes que sus huesos necesitan. Mientras algunos expertos afirman que los oxalatos bloquean mucho calcio, otros dicen que los oxalatos y fitatos tienen poco efecto en sus niveles de calcio, siempre y cuando usted come una amplia variedad de alimentos. Así que no se vaya por la borda, pero siga disfrutando de estos alimentos como parte regular de una dieta nutritiva.

Estroncio: ¿maravilla que reconstruye el hueso o es riesgo para la salud?

El Estroncio es un metal increíble que puede brindar calcio extra a sus huesos. Una fórmula que contiene estroncio se ha prescrito como una droga para la osteoporosis en Europa durante varios años. Entonces, ¿por qué no la ha mencionado su médico?

El fármaco europeo para la osteoporosis, ranelato de estroncio, fue recientemente vinculado a un mayor riesgo de ataques cardíacos, erupciones en la piel, peligros para la salud relacionados con coágulos de sangre y otros problemas. Alarmadas por estos riesgos, las autoridades europeas modificaron las normas de la droga. Hoy el ranelato de estroncio sólo puede ser prescrito a personas con osteoporosis grave o a aquellos que no pueden usar otros tratamientos.

La Administración de Alimentos y Medicamentos de los Estados Unidos (FDA) no ha aprobado el ranelato de estroncio. Pero el estroncio está disponible en suplementos dietéticos como citrato de estroncio, cloruro de estroncio y carbonato de estroncio. Nadie sabe si estos suplementos pueden luchar contra la pérdida ósea tan eficazmente como el medicamento de prescripción, o si tienen los mismos riesgos y peligros. Así que no pruebe suplementos de estroncio sin obtener el permiso de su médico.

3 razones poderosas para 'comer bananas como loco' por sus huesos

Una banana es más que una gran manera combatir el bajón de la tarde. Este bocadillo dulce también ofrece tres constructores de hueso que le pueden sorprender.

Los carbohidratos aumentan la absorción de calcio. Las bananas contienen carbohidratos llamados inulina y fructooligosacáridos (FOS). La mayoría de los estudios sugieren que estos carbohidratos no digeribles ayudan a su cuerpo a absorber más calcio de los alimentos. Para asegurarse de obtener un montón de FOS y la inulina, también coma más ajo, cebollas, alcachofas de Jerusalén, achicoria, salvado de trigo y espárragos.

El silicio ayuda a crear el hueso. "La cerveza ayuda a aumentar la densidad ósea", declararon titulares alrededor del mundo. Pero no fue el alcohol el que ayudó a los huesos. Era el mineral Silicio, que se puede obtener también de las bananas. Los expertos no están seguros de cómo funciona el silicio, pero saben que juega un papel clave en la fabricación de hueso nuevo. Podría ser porque obtener suficiente silicio se ha vinculado con mejor densidad ósea, tanto en hombres como en mujeres pre menopáusicas.

Las bananas pueden ayudarle a absorber más de este mineral, pero su cuerpo sólo puede absorber parte del silicio que ofrecen. Para fortalecer realmente su recuento de silicio, enriquezca su menú con más cereales, pastas y panes integrales y haga de los granos verdes una parte regular en su menú.

> Pruebe estos trucos para usar más las bananas en las recetas. Para una fácil trituración, utilice un triturador de papas o un batidor de mano, o ponga la fruta en una bolsa grande resellable y triture con un rodillo.

El potasio combate la pérdida ósea. Las bananas son famosas por su potasio y la nueva investigación de la Universidad de Surrey sugiere que este mineral puede ser bueno para los huesos. Los investigadores encontraron que las personas que tomaron suplementos de citrato de potasio o bicarbonato de potasio perdieron menos hueso y menos calcio.

Afortunadamente, estos compuestos de potasio son abundantes en frutas y vegetales. Así que llene su dieta con alimentos ricos en potasio como bananas, pasas, albaricoques secos, jugo de naranja, papas al horno, aguacates (paltas) y pistachos, y usted irá por buen camino hacia unos huesos más fuertes.

Productos 'todo-naturales' que pueden debilitar sus huesos

Su bebida instantánea de desayuno o su remedio de farmacia puede estar lentamente debilitando sus huesos, especialmente si lo usa a diario. ¿Por qué? Algunos productos contienen mucha más vitamina A de lo que nadie espera, y demasiada vitamina A puede socavar la fuerza de sus huesos.

¿Cuál es la cantidad correcta de vitamina A? ¿Recuerda a Ricitos de Oro de Ricitos de Oro y los Tres Osos? Ella no aceptaría demasiado poco o demasiado de cualquier cosa. Ese es un buen enfoque para la vitamina A también. Su cuerpo necesita esta vitamina para mantener los huesos sanos, las mujeres deben obtener no menos de la cantidad diaria recomendada de 700 microgramos (mcg) o 3.000 Unidades Internacionales (UI). Los hombres necesitan al menos 900 mcg o 2,330 UI.

Demasiada vitamina A puede aumentar su riesgo de pérdida ósea y fractura de cadera. Los expertos sospechan que la sobrecarga de vitamina A hace que los las células removedores de hueso se multipliquen interfieran con la Vitamina D, que protege los huesos, por lo que pierde hueso más rápido. Afortunadamente, usted puede mantener la Vitamina A en niveles seguros con sólo aprender la diferencia entre la vitamina A inofensiva- beta caroteno - y el tipo de vitamina A que puede causar estragos en su cuerpo.

La vitamina A preformada puede ser tóxica. En las plantas, la vitamina A se encuentra forma de carotenoides, como beta caroteno, que se convierte en vitamina A en su cuerpo. Los alimentos ricos en carotenoides son buenos para sus huesos. Esta forma de vitamina A nunca ha estado ligada a los huesos frágiles, por lo que no tiene que preocuparse por comer demasiadas zanahorias, camotes (batatas) o calabaza.

La vitamina A que debe vigilarse es la vitamina A preformada. Proviene de productos animales como el hígado, y debido a que es soluble en grasa, permanece en su cuerpo mucho tiempo y puede acumularse a niveles tóxicos si usted obtiene demasiada. Lo que da miedo es que la vitamina A preformada también aparece en suplementos, multivitaminas y alimentos fortificados como bebidas para el desayuno, barras energéticas y goma de mascar.

Asegúrese de revisar las etiquetas en busca de ingredientes como retinol, acetato de retinilo o palmitato de retinilo para ver si usted está recibiendo más vitamina A de la que necesita. No tome más de 1,500 mcg o 5,000 UI de vitamina A preformada al día.

Coma como una celebridad para luchar contra la enfermedad ósea

Comer platos locales es parte de la diversión de viajar internacionalmente. Escoja los correctos y puede ayudar a fortalecer sus huesos debilitados también. A continuación le mostramos cómo aprovechar los beneficios de la oferta extranjera sin siquiera hacer las maletas.

Vaya con los griegos para combatir las fracturas. ¿Quiere un agradable plato de estilo griego que también pueda darle un poco de apoyo esquelético? Mezcle una ensalada con aceite de oliva, jugo de limón, salmón, corazones de alcachofa, pimientos y lechuga romana. Agregue sabor adicional con alcaparras o aceitunas negras rebanadas y corone todo con queso mozzarella rallado y una pizca de linaza.

Todos estos ingredientes son buenos para usted, pero el aceite de oliva, la linaza y el salmón son los más importantes para sus huesos. Comer aceite de oliva extra puede elevar los niveles de osteocalcina en su cuerpo, que fortalece sus huesos. También puede ayudarle a fabricar hueso nuevo para reemplazar el que está perdiendo, informa un estudio español. Lo que es más, los niveles más altos en la sangre de omega-3 por comer alimentos como el salmón y la linaza han sido vinculados a un menor riesgo de fractura de cadera.

El arroz sudafricano presume de la cúrcuma para la construcción de hueso. Pruebe un plato a base de un arroz que está justo en casa en las montañas y playas soleadas de Sudáfrica. Cocine una taza de arroz, junto con pasas o ciruelas secas en cubitos. Incluya un poco de aceite o mantequilla, miel o azúcar morena y una cucharadita o dos de cúrcuma. La investigación sugiere que la curcumina, un poderoso compuesto de cúrcuma, puede ayudar a prevenir la pérdida ósea.

Al reemplazar las pasas con ciruelas secas, usted ayudará a sus huesos aún más. Un estudio de la Universidad Estatal de Florida sugiere que comer ciruelas secas puede ayudar a mejorar la densidad ósea y reducir la pérdida ósea.

Salteado mexicano: sorprendente fuente de vitamina C. Los restaurantes mexicanos a menudo usan pimientos y tomates fritos en sus platos. Usted puede sorprenderse al aprender que los tomates y los pimientos son buenas fuentes de vitamina C. Su cuerpo necesita esa vitamina para crear las condiciones para el hueso nuevo.

Así que tome su sartén y tire algunos tomates cortados en cuadritos y pimientos picados con un poco de aceite, jugo de limón, ajo o cebolla en polvo y sal y pimienta al gusto. Combine con pollo cocido picado o desmenuzado. Agregue maíz y frijoles negros para mayor variedad, y pronto estará disfrutando de una saludable comida constructora de hueso.

Poder Mental

Delicias saludables para una mente sin edad

Comida rápida: una vía rápida hacia la demencia

Vivir de comida rápida y comida chatarra por sólo una semana podría dañar su cerebro y su memoria. Un mes de esta basura puede aumentar su riesgo de enfermedad de Alzheimer (EA).

Basta con ver lo que le sucedió a los animales que comieron una dieta constante de comida chatarra como pastel, galletas, bebidas azucaradas y mucha grasa. Los investigadores encontraron que desarrollaron inflamación en parte del cerebro relacionada con la memoria, resultando en problemas de memoria dentro de una semana.

"Lo que es tan sorprendente en esta investigación es la velocidad con que ocurrió el deterioro ", dice Margaret Morris, profesora de la Escuela de Ciencias Médicas de la Universidad de Nueva Gales del Sur.

Los animales comieron algunos de los mismos alimentos que figuran en su menú favorito de comida rápida. Así que la próxima vez que esté de humor para una hamburguesa y papas fritas, piense en lo que una típica comida rápida hace a su cerebro.

Hamburguesa con queso y papas fritas: demonios llenos de grasa. Esa hamburguesa con queso y pequeñas frituras contienen una gran cantidad de grasa. Una hamburguesa con queso posee 14 gramos de grasa saturada, mientras que una fritura pequeña agrega otros 1.6 gramos. No todo va directo a sus caderas. Algunas de ellas terminan causando estragos en su cerebro.

■ Mujeres que consumieron la mayor cantidad de grasa saturada de forma regular tuvieron la peor memoria y facultades cognitivas y sufrieron mayores declives en ambas con el tiempo. Sus cerebros parecían envejecer seis años en sólo cuatro años.

■ La grasa saturada también puede contribuir a la enfermedad de Alzheimer. Comer alimentos ricos en grasa saturada todos los días durante un mes llevó a la acumulación de beta-amiloide en el cerebro de las personas, una proteína que se cree que causa la enfermedad de Alzheimer. Un producto químico llamado apolipoproteína E desplaza el beta-amiloide del cerebro, pero la grasa saturada y el azúcar impiden que esto suceda.

La grasa trans peligrosa acecha en el pastel de manzana de los restaurantes de comida rápida. Antes que pida ese pastel para el postre, piense en esto. Una sola rebanada está cargada con 4,7 gramos de grasas trans, un tipo que es aún más peligroso que la grasa saturada. "Mientras que las grasas trans aumentan la vida útil de los alimentos, reducen la vida útil de las personas ", advierte Beatrice Golomb, Profesora de Medicina en la Universidad de California-San Diego.

Golomb encabezó un estudio que relacionaba las grasas trans con la peor memoria en hombres jóvenes y de mediana edad. Otras investigaciones mostraron que los hombres y mujeres ancianos que comieron más grasa trans obtuvieron los peores resultados en pruebas de memoria, atención, pensamiento y cognición general. Además, sus cerebros se encogieron más que los de los acianos que comieron menos grasas trans.

> Las grasas trans son tan malas para usted que la FDA las ha prohibido en los alimentos.

Trate de evitar la margarina, una fuente importante de grasas trans y revise la etiqueta de Datos Nutricionales de los alimentos pre envasados como pizza congelada y productos horneados y fritos.

Las gasesos contienen un montón de azúcar. Usted piensa que está siendo inteligente por elegir una gaseosa pequeña en vez de una gigante de 32 onzas. Pero una soda de 16 onzas contiene increíblemente 10.5 cucharaditas de azúcar, la mayoría de ella en forma de fructosa. Eso es una mala noticia para su cerebro. Un nivel alto de azúcar en la sangre conduce a la inflamación en su hipocampo, el área de su cerebro que procesa y hace recuerdos.

No es sorprendente que las ratas que bebieron agua de azúcar durante seis semanas experimentaron cambios en el cerebro que dificultaron su memoria y aprendizaje.

"Lo que comes afecta cómo piensas", dice Fernando Gómez Pinilla, Profesor de Neurocirugía en Escuela de medicina de la Universidad de California-Los Ángeles. En un estudio, los adultos mayores que consumieron las mayores cantidades de azúcar tenían 1,5 veces más probabilidades de desarrollar Deterioro Cognitiva Leve (DCL) dentro de un año, en comparación con las personas mayores que consumieron menos azúcar. El DCL es un precursor de la enfermedad de Alzheimer.

"Mientras que la nutrición afecta el cerebro en cada edad, es crítica a medida que envejecemos y puede ser importantes en la prevención del deterioro cognitivo", explica Margaret Morris. Esto significa que las personas mayores que comen mal pueden tener más problemas para pensar con claridad y recordar. Alimente su cerebro correctamente. Asegúrese de comer alimentos que mantendrán su mente aguda en sus años 80 y más allá.

El azúcar lo atonta - vuélvase más inteligente con pescado

¿Se complació en exceso con el pastel de cumpleaños ayer? Sírvase un gran pedazo de salmón para la cena esta noche. Las grasas saludables de algunos peces pueden compensar los daños que el azúcar le hace a su cerebro.

A pesar de lo que ha oído, el azúcar no es del todo malo. "El azúcar alimenta el cerebro, así que la ingesta moderada es buena", explica Rosebud Roberts, Epidemiólogo en la Clínica Mayo. "Sin embargo, los altos niveles de azúcar pueden realmente evitar que el cerebro lo use - similar a lo que vemos en la diabetes tipo 2. "

Jarabe de maíz de alta fructosa: el peor de los malos. Los alimentos hechos con un azúcar llamado jarabe de maíz de alta fructosa (HFCS, por sus siglas en inglés) parece ser especialmente malo para su cerebro. El HFCS daña sus células cerebrales e interfiere con su capacidad para comunicarse entre sí. Este líquido barato es seis veces más dulce que el azúcar, y a los fabricantes les encanta agregarlo a los alimentos procesados como refrescos, compotas de manzana y condimentos.

Comience a leer las etiquetas, y verá HFCS en todas partes. Son males noticias, dice Fernando Gómez-Pinilla, profesor de Neurocirugía en la Escuela de Medicina de la Universidad de California-Los Ángeles. "Comer una dieta alta en fructosa a largo plazo altera la capacidad del cerebro para aprender y recordar la información".

Las grasas saludables vienen al rescate. Aquí es donde entran los peces. Algunos peces están llenos de grasas saludables llamadas ácidos grasos omega-3. Un tipo de ácido graso, llamado DHA, protege las conexiones entre sus células cerebrales. Las células "hablan" entre sí mediante el envío de impulsos eléctricos a través de estas conexiones, llamadas sinapsis. "El DHA es esencial para que las células cerebrales sea capaces de transmitir señales entre sí. Este es el mecanismo que hace posible el aprendizaje y la memoria", dice Gómez-Pinilla.

No tener suficiente omega-3, particularmente DHA, podría conducir a problemas de pensamiento y de memoria. El azúcar hace que esos problemas empeoren, según los investigadores. Ellos probaron esta teoría en dos grupos de animales - uno se alimentó de comidas con azúcar añadido y el otro con comidas con azúcar añadido más omega-3.

Los animales comieron de esta manera durante seis semanas, luego fueron puestos en laberintos. El grupo que comía sólo azúcar corría el laberinto más lentamente, tenía dificultad para pensar con claridad, y luchó para recordar cómo escapar del laberinto. Pero los que también comieron omega-3 resolvieron el laberinto muy bien. El DHA en los ácidos grasos omega-3 parecía proteger sus cerebros de los daños relacionados con el azúcar.

Pescado: una fuente de juventud para su cerebro. Si quiere un cerebro más joven, siga comiendo pescado. Puede protegerlo de la demencia y el declive mental, también. En un estudio, los hombres mayores que comían tan poco como una porción a la semana de pescado graso, como el arenque o la caballa, experimentaron menos problemas mentales a medida que envejecían. Una nueva investigación en mujeres puede explicar por qué. Usted pierde células cerebrales a medida que envejece, lo que hace que su cerebro se contraiga. Pero las mujeres que tenían más Omega-3 en sus sistemas tenían cerebros más grandes y sufrieron menos encogimiento, especialmente en el área que se ocupa de la memoria. Era como si sus cerebros fuesen dos años más jóvenes que el cerebro de sus compañeras.

Es más, un estudio de más de 14,000 personas en siete países diferentes confirma que el pescado puede protegerle de la demencia. Las personas que consumieron más pescado fueron las que menos tenían probabilidades de desarrollar demencia. El Omega-3 puede desempeñar un papel particular en la prevención de la Enfermedad de Alzheimer (EA). Protege las células del cerebro de amiloide-beta - una proteína tóxica que causa EA - y ayuda a eliminarlo del cerebro. Las personas que comen más omega-3 tienen menos amiloide-beta y un menor riesgo de EA.

PREPÁRELO

Cómo potenciar las grasas en su pescado

Hornee o ase su pescado para obtener los beneficios más cerebrales, dice James Becker, profesor de Psiquiatría en la Escuela de Medicina de la Universidad de Pittsburgh. "Nuestro estudio muestra que las personas que comieron una dieta que incluía peces horneados o asados, pero no fritos, tienen volúmenes cerebrales más grandes en regiones asociadas con la memoria y la cognición". ¿Por qué? El pescado horneado o asado contiene niveles más altos de omega-3 que el pescado frito, ya que estos ácidos grasos son destruidos en el calor de la fritura", explica Cyrus Raji, quien dirigió el estudio.

Hornear un filete puede ser complicado. Usted quiere cocinar la sección más gruesa completamente sin que las áreas delgadas se cocinen demasiado. Aquí hay dos maneras de hacerlo.

- Corte en porciones lo más gruesas posibles, cada media pulgada más o menos para ayudar a hornear más rápido.
- Cubra las zonas más delgadas con papel de aluminio para que se cocine lentamente. Deje las áreas gruesas descubiertas.

El pescado sólo ayuda si usted lo come. Su cuerpo no puede fabricar todo el DHA que necesita, por lo que de usted depende obtener mucho en su dieta. No deje que su cerebro se deteriore cuando puede fortalecerlo tan fácilmente. Dele los nutrientes que necesita para una mejor memoria.

Las Guías Alimentarias de los Estados Unidos recomiendan que los adultos coman por lo menos 8 onzas de comida del mar la semana. Tres de cada cuatro personas no lo hacen. Si usted es uno de los más inteligentes que lo hacen, asegúrese de elegir los tipos de pescado correctos. No todos los mariscos parecen proteger su cerebro.

- Las mujeres que comieron pescado de carne oscura como atún, salmón, caballa, sardinas, arenque, trucha o pez espada al menos una vez por semana tenían una memoria verbal más fuerte.

- Comer mariscos o pescados ligeros como el halibut, eglefino, o bacalao no tuvo ningún beneficio. Los expertos dicen que los mariscos y peces de carne clara puede que no contengan suficiente DHA y EPA para ayudar a su cerebro. Además, a menudo son fritos, lo que perjudica lo poco el DHA que contienen. Vea la tabla de pescados de abajo para una comparación rápida de la cantidad de grasas omega-3 en una porción de 3 onzas de pescado. Trate de comer lo suficiente cada semana para obtener por lo menos 1,750 miligramos (mg) de omega-3.

Escoja pescados altos en Omega-3

Salmón del Atlántico	Arenque del Atlántico	Atún Rojo	Sardinas Enlatadas	Trucha Arcoris
1,921	1,885	1,414	1,258	1,051
Atún blanco enlatado	Halibut del Pacífico	Platija	Bacaloa del Pacífico	Eglefino
808	569	479	241	225

Contenido de Omega-3 (en miligramos) en 3 onzas de pescado cocido

Los peces no son las únicas fuentes de ácidos grasos omega-3. Las nueces y el aceite de linaza también los contienen, en cantidades más pequeñas. Así que la próxima vez que se exceda en dulces - digamos, después de probar cada postre de la mesa de la fiesta de Acción de Gracias - hornee un buen filete de pescado graso la noche siguiente. Su cerebro se lo agradecerá.

PREPÁRELO

Haga una comida para aumentar la memoria en 10 minutos

Tome dos alimentos ricos en carotenoides, agregue un poco de aceite de oliva y ¿qué obtiene? Una comida que hará que su mente sea feliz.

Corte una calabaza por la mitad a lo largo y saque las semillas con una cuchara. Pele y corte en cubos de una pulgada. Caliente dos cucharadas de aceite de oliva en una sartén grande, antiadherente a fuego medio. Añada dos dientes de ajo en rodajas finas y saltee hasta que estén blandos pero no marrones. Añada las calabazas cortadas y revuelva para cubrirlas con el aceite.

Corte toscamente un manojo de hojas de col rizada. Una vez que la calabaza esté dorada pero no suave, añada la col rizada junto con otra cucharada de aceite de oliva. Revuelva de nuevo para cubrir con aceite, luego cubra y cocine durante cinco minutos. Quite la tapa, revuelva y continúe cocinando hasta que la col rizada y la calabaza estén blandas. Sazone al gusto con sal y pimienta, o decore con nueces y arándanos secos.

Los alimentos coloridos agudizan su mente por muchos años

Las zanahorias, espinacas, mandarinas, sopa de guisantes partidos. Llenarse de productos frescos y coloridos durante la mediana edad rinde mucho fruto cuando está mayor. Si desea mantener su agudeza mental y la memoria en su 60s y 70s, los expertos recomiendan que coma mucha naranja y verduras, frutas y sopas e sus 40 y 50s.

¿Qué hay de especial en estos alimentos? Son fuentes naturales de compuestos de plantas llamados carotenoides, los pigmentos que hacen que las frutas y verduras sean color naranja, amarillo y rojo. También parece que protegen su cerebro.

- Su cerebro es graso - contiene altas concentraciones de delicadas moléculas de grasa, las cuales necesita para funcionar. Estas grasas son fácilmente dañadas por compuestos conocidos como radicales libres, que también pueden dañar el ADN de las células cerebrales.

- Su cerebro necesita algunos radicales libres para ayudar a sus células a comunicarse entre sí, pero no demasiados. Es un balance perfecto. Los carotenoides pueden ser clave para mantener ese equilibrio, neutralizando los radicales libres adicionales antes de que hagan daño.

Los investigadores observaron a casi 3,000 personas entre 45 y 60 años, estudiando sus hábitos alimenticios y midiendo las cantidades de carotenoides en su sangre. Alrededor de 13 años después, probaron sus habilidades de memoria y pensamiento. Los que comieron más naranjas y productos verdes en la mediana edad, así como sopas y aceites, tenían una función mental y recuerdos más fuertes cuando eran personas mayores.

Carotenoides y dónde encontrarlos

Beta caroteno	Alfa caroteno	Luteína	Beta criptoxantina
camote (batata)	calabaza	col rizada	calabaza moscada
calabaza	zanahoria	espinacas	zapallo
espinacas	calabaza moscada	acelga	caqui japonés
col rizada	zapallo	hojas de mostaza	papaya
zanahorias	sopa de guisantes	nabos	mandarinas
nabos verdes	sopa minestrone	berza	pimientos rojos dulces
hojas de mostaza	plátanos	berro de jardin	zumo de naranja
calabaza moscada	sopa de verduras	calabaza de verano	pimientos picantes
berza	pimientos picantes	guisantes verdes	zanajorias cocidas
zapallo	jugo de verduras	sopa de guisantes partidos	naranjas
acelga	cóctel	hojas de remolacha	maíz amarillo
pimientos picantes	berza	calabaza	ciruelas secas

Los carotenoides que se destacaron del resto y fueron vinculados más fuertemente a la función cerebral a largo plazo fueron el beta caroteno, al alfa caroteno, la luteína y la beta criptoxantina. Trate de incluirlos en sus comidas semanales. Cuanto antes empiece, mejor para su cerebro.

Consulte la tabla de la página anterior para ver las buenas fuentes alimenticias de estos nutrientes. Se enumeran de la cantidad más alta a la más baja. Tenga en cuenta que algunos alimentos son ricos en varios carotenoides que combaten los radicales libres. Piense en la calabaza moscada, zanahorias, berza, zapallo, calabaza y chiles calientes como súper competentes. Esos son los alimentos que desea apilar en su plato.

Alimentos vs. Suplementos: ¿cuál gana la competencia de la memoria?

¡Coma esta comida! No, ¡tome un suplemento! Error, ¡la versión de la comida es mejor para usted! Luego - ¡los suplementos son buenos otra vez! ¿Tiene dolor de cuello de tanto voltear de un lado a otro por el rápido cambio de noticias nutricionales? Usted no está solo. La verdad es que a veces es mejor obtener un nutriente de los alimentos. Otras veces, un suplemento es realmente la mejor fuente. Ponga fin a la incertidumbre con esta sencilla guía.

Los suplementos de aceite de pescado proveen DHA para mejorar el cerebro. El pescado y el aceite de pescado son fuentes de primera categoría de DHA, un tipo de grasa que protege su cerebro contra la demencia, la pérdida de memoria y los trastornos de deterioro mental relacionados con la edad. El pescado tiene un mejor historial de prevención de la demencia y deterioro mental que los suplementos de aceite de pescado.

Por otro lado, si ya tiene dificultades con la pérdida leve de memoria o deterioro mental, entonces los suplementos pueden ayudar, especialmente si usted no come mucho pescado. Las personas mayores con pérdida leve de memoria que rara vez comían pescado mejoraron su memoria después de tomar 900 miligramos de DHA diariamente durante seis meses. Lamentablemente, los suplementos de DHA no parecen disminuir el deterioro mental en las personas con enfermedad de Alzheimer (EA).

Los suplementos de vitamina B12 ayudan si usted tiene deficiencia. No se moleste en tomar Vitamina B para prevenir la enfermedad de Alzheimer o la pérdida de memoria normal, relacionada con la edad. Los expertos solían pensar que protegerían su cerebro disminuyendo los niveles de homocisteína, un aminoácido asociado con la inflamación. Una revisión de estudios que involucran a 22.000 personas demostró que tomar vitamina B12 y ácido fólico extra, realmente disminuye los niveles de homocisteína, pero no tuvo ningún impacto en la memoria o función mental.

"Habría sido muy agradable haber encontrado algo diferente, dice Robert Clarke, de la Universidad de Oxford, quien dirigió la revisión. Desafortunadamente, "las vitaminas del complejo B no reducen el deterioro cognitivo a medida que envejecemos", y "tomar ácido fólico y vitamina B12 tristemente no va a prevenir la enfermedad de Alzheimer".

Sin embargo, tomar vitamina B12 puede ayudar a su cerebro si usted tiene una deficiencia. Una baja de vitamina B12 es a veces culpable en cuatro de los signos más comunes del envejecimiento - mala memoria, problemas de equilibrio, cansancio y pérdida de apetito. Hasta el 15 por ciento de todos los estadounidenses no consumen suficiente B12. Algunas personas pierden la capacidad de absorber esta vitamina a partir de la comida a medida que envejecen. Cuando eso sucede, usted necesita inyecciones de vitamina B12 para combatir esto. Los suplementos orales no ayudan. Su doctor puede diagnosticar esta deficiencia con un simple análisis de sangre y prescribirle inyecciones si usted las necesita.

Las píldoras de vitamina E luchan contra el Alzheimer. Los suplementos pueden ayudar a los enfermos de Alzheimer a cuidar de sí mismos por más tiempo. Personas con EA que tomaron 2,000 unidades internacionales (UI) de vitamina E diariamente, además de sus fármacos de EA normales, fueron capaces de realizar actividades normales como ir de compras y hacer sus propias comidas durante seis meses más que los que no recibieron vitamina E. Altas dosis pueden aumentar el riesgo de sangrado, por lo que sólo debe tomarlas bajo supervisión del médico.

Los suplementos de vitamina E pueden no protegerlo de la demencia en primer lugar, pero los alimentos ricos en vitamina E podrían hacerlo. Las personas que obtuvieron más vitamina E en sus dietas fueron 25 por ciento menos propensas a desarrollar demencia. Las semillas de girasol, las almendras y los cereales fortificados son excelentes fuentes.

No pierda dinero en pastillas de vitamina C. Algunos estudios sugieren que los suplementos de vitamina C reducen el riesgo de enfermedad de Alzheimer, mientras que otros dicen que las fuentes alimenticias ofrecen la mejor protección. En un estudio, tomar grandes dosis de Vitamina C durante nueve años, junto con Vitamina E y Beta caroteno, no ralentizó el deterioro mental en mujeres con enfermedades del corazón. Pero otro estudio demostró que la cantidad de vitamina C en el torrente sanguíneo podría estar relacionado con su riesgo de demencia. Las personas con los niveles más bajos de Vitamina C y Beta caroteno tenían más probabilidades de desarrollar demencia.

Por ahora, consiga su vitamina C de los alimentos tales como naranjas, pimientos dulces y fresas, y ahorre el dinero que gastaría en suplementos. Como un bono adicional, los alimentos que son las mejores fuentes de vitamina C, como los cítricos, también contienen flavonoides que pueden proteger su cerebro.

Aumente su concentración con una barra de chicle

Hacer bombas de chicle puede aumentar su concentración y quizás defenderle de la demencia. Personas involucradas en un estudio recordaban más números al azar si masticaban chicle durante la prueba - especialmente al final de los 30 minutos, cuando sus cerebros se estaban cansando.

Los científicos dicen que masticar en general, no sólo chicle, puede mejorar el flujo de sangre a su cerebro. Ser capaz de masticar alimentos duros como las manzanas predice sus habilidades futuras de le mente y su riesgo de sufrir demencia, independientemente de si usted usa dentaduras postizas o tiene sus dientes naturales. Lo que importa es poder masticar.

Cacao: una fuente de juventud para su cerebro

Disfrute de una taza diaria de chocolate caliente, y no sólo se sentirá más joven - también será más joven. El cacao está repleto de flavanoles, fitonutrientes que han demostrado retardar el envejecimiento prematuro del cerebro, luchar contra la enfermedad de Alzheimer y el deterioro cognitivo, y mantener la mente joven

Los flavanoles llenos de sabor que se encuentran en el cacao, té, uvas rojas, manzanas y vino tinto, puede combatir el envejecimiento del cerebro:

- mejorando el flujo de sangre a su cerebro.

- previniendo que la proteína amiloide-beta de la enfermedad de Alzheimer bloquee las conexiones entre las células cerebrales.

- mejorando la sensibilidad a la insulina de las células cerebrales, para que utilicen el azúcar, su principal combustible, de manera más eficaz.

- impulsando directamente la parte de su cerebro responsable de la memoria.

Su capacidad de pensar depende de cuánta sangre llegue a su cerebro. "así como diferentes áreas del cerebro necesitan más energía para cumplir sus tareas, también necesitan un mayor flujo sanguíneo ", explica Farzaneh Sorond de la Escuela de Medicina de Harvard. "Esta relación puede desempeñar un papel importante en enfermedades como el Alzheimer".

La investigación de Sorond encontró que beber dos tazas de cacao caliente cada día mejoró el flujo sanguíneo en personas cuyos cerebros no estaban recibiendo suficiente de antemano, mejorando sus recuerdos al mismo tiempo.

Aún más emocionante es el hecho de que la forma menos procesada de cacao puede ayudar a defenderse de la enfermedad de Alzheimer. El Lavado rico en flavanol parece proteger sus sinapsis, las conexiones entre las células cerebrales que les permiten "hablar" entre sí.

En el Alzheimer, la proteína beta-amiloide forma grumos pegajosos que obstruyen sus sinapsis. Los grumos también activan su sistema inmunológico para atacar - solo que en vez de matar gérmenes, daña sus células cerebrales. El cacao Lavado puede prevenirla el aglutinamiento de amiloide-beta, manteniendo su cerebro en óptimas condiciones.

Esa taza de chocolate caliente también puede ayudar si está experimentando deterioro cognitivo leve (DCL), una condición marcada por la pérdida de memoria que eventualmente puede conducir a la enfermedad de Alzheimer. Pero solo si lo hacen con cacao rico en flavanol. Personas mayores con DCL que bebían cacao con un contenido ato -o medio de flavanol, tenían mejores recuerdos, mejoraron su resistencia a la insulina y disminuyeron su presión arterial después de dos meses. Aquellos que bebían cacao bajo en flavanoles no lo hicieron.

Claramente, no todo el cacao en polvo se hace igual. Aquí le decimos cómo notar la diferencia.

- El Lavado, a veces llamado "cacao sin fermentar", contiene la mayoría de los flavanoles porque sufre el menor procesamiento. Los granos de cacao son simplemente lavados, secados y luego molidos. Búsquelo en tiendas de alimentos saludables o en Internet.

- El polvo de cacao natural, o "no alcalinizado", se elabora fermentando los granos durante varios días, lo que destruye algunos de sus flavanoles. El cacao en polvo vendido en los supermercados es a menudo cacao natural.

- El cacao de proceso holandés es el peor para su cerebro. No sólo los granos son fermentados, sino también tratados con una solución para que el cacao sea menos ácido. Todo este procesamiento elimina hasta el 90 por ciento de sus flavanoles. Compruebe en la lista de ingredientes si aparecen palabras como "alkalizado", "estilo europeo", o "Dutched."

El Lavado puede ser difícil de encontrar en las tiendas, por lo que el cacao natural puede ser un acuerdo razonable. Aunque el cacao de proceso holandés tiene un sabor más suave, no es la mejor opción si desea reforzar su cerebro.

PREPÁRELO

Cacao caliente casero - 10 minutos para ir al cielo del chocolate

Lea los ingredientes en las populares mezclas prefabricadas y probablemente verá jarabe de maíz, aceites hidrogenados, cacao holandés, sabores artificiales y conservantes. Con una lista como esa, su chocolate caliente no puede hacer mucho para su memoria. Entierre las mezclas de chocolate caliente pre envasadas y haga su propio chocolate caliente saludable en menos de 10 minutos.

Caliente 6 onzas de leche, y revuelva en dos cucharaditas de polvo de cacao natural sin azúcar, una cucharadita de su edulcorante favorito, y 1/4 cucharadita de extracto de vainilla. Revuelva hasta que se disuelva. Añadir una pizca de canela en la parte superior, y luego sirva. Para un toque mexicano, póngale una pizca de pimienta de cayena. Mezcle un lote grande de ingredientes secos y almacene para después.

Sorba su camino a una vejez más inteligente

Mantener su cerebro más agudo a medida que envejece puede ser tan simple como consumir alimentos ricos en catequinas, como el té verde. Otros tés también ofrecen beneficios, pero ninguno se acerca a esta bebida japonesa.

El té verde es un potente ponche. Los tés verde y negro provienen de la misma planta. La diferencia radica en cómo estas hojas son procesadas después de la cosecha. Las hojas de té verde son ligeramente vaporizadas pero nada más. Las hojas de té negro son fermentadas, y eso destruye algunas de sus catequinas - antioxidantes con potentes beneficios de salud. Dado que el té verde es menos procesado, contiene alrededor de cuatro veces las catequinas del té negro. Todos esos antioxidantes le dan té verde algunos poderes potentes. La investigación lo sugiere:

■ mejora las conexiones entre diferentes áreas de su cerebro y aumenta su memoria de trabajo.

■ reduce el riesgo de sufrir una discapacidad cerebral. Gente de más de 70 años que bebían dos o más tazas diarias eran 54 por ciento menos propensas a sufrir de trastornos mentales que las personas que bebían té verde Los tés negro y oolong no tenían efecto.

■ le ayuda a vivir independientemente por más tiempo. Personas de la tercera edad que bebieron de tres a cuatro tazas de té verde al día eran un 25 por ciento menos propensas a tener problemas con actividades cotidianas como bañarse o vestirse. Cinco a seis tazas al día proporcionaban aún más protección.

■ reduce el riesgo de depresión, problemas de salud relacionados con el corazón, osteoporosis y muerte por accidente cerebrovascular o neumonía.

Los logros del té verde son bastante impresionantes, pero usted puede hacerlo aún más saludable siguiendo este consejo.

Prepare té de hojas sueltas para obtener más antioxidantes. Una cucharada de té verde en hojas sueltas contiene más galato de epigalocatequina (EGCG, por sus siglas en inglés), la principal catequina del té verde, que una bolsa de té pre-empacado. Pero las bolsas de té son más baratas, así que si el costo es un problema, aún pueden ofrecer más por su dinero. No remoje el té verde en agua caliente por más de tres minutos. Alargar este tiempo hace que se vuelva más amargo y no aumenta su cantidad de antioxidantes.

Las hojas de té, especialmente las de China pueden contener grandes cantidades de plomo. Por suerte, filtrarlas con papel o tela evita que el plomo se cuele en su té. Remoje siempre las hojas de té sueltas con un paño fino o filtro de papel. O beba té descafeinado. El proceso de descafeinado parece eliminar el plomo.

Agregue limón para una mejor absorción. Hasta el 80 por ciento de las catequinas se destruyen en su tracto digestivo. Eso deja sólo un 20 por ciento para ser absorbido en su torrente sanguíneo. Agregar jugo de cítricos, especialmente limón, protege estas catequinas a medida que pasan a través de su sistema digestivo, haciendo que más de ellos estén disponibles para su absorción.

Beba té descafeinado - es igual de beneficioso. Pruebas realizadas por un laboratorio confirman que los tés verdes descafeinados contienen al menos tanto EGCG como el tipo regular.

No se moleste con los tés embotellados. Los tés verdes embotellados no contienen ni cerca de la cantidad de antioxidantes que posee una taza de cerveza fresca, y cuestan mucho más. Los compuestos saludables son lo que hacen el té verde amargo y astringente. Los fabricantes quieren que sus bebidas sepan dulces y suaves, por lo que añaden menos té. Mucho menos. Tendría que beber 20 botellas de algunas marcas para obtener la misma cantidad de antioxidantes que hay en una sola taza de té verde hecho en casa.

Disfrutar de unas cuantas tazas de té es mucho más seguro que tomar suplementos de té verde, los cuales han causado daño hepático en algunas personas. Pero el té verde regular contiene cafeína, aunque menos que el café. Incluso el té descafeinado contiene pequeñas cantidades de cafeína. Evítelo si usted es sensible a la cafeína o tome inhibidores de la monoaminooxidasa (IMAO) para la depresión.

Los amantes del café se regocijan: su estimulante favorito es una bendición para su cerebro

¡Ah! - esa primera taza humeante de café de la mañana. Justo lo que necesita para despertarse y comenzar su día en la nota correcta. Si cree que le da a su cerebro un impulso, tiene razón. La ciencia ha comprobado que el café puede ayudar a mantener su agudeza cerebral e incluso puede defenderle de la demencia.

"Los poderes de la mente de un hombre son directamente proporcionales a la cantidad de café que bebió ", declaró el político escocés del siglo XVIII Sir James MacKintosh. No tenía ni idea de lo acertado que estaba. La pérdida de memoria y el pensamiento más lento son los compañeros del envejecimiento normal, pero el café puede frenar ambos. Los compuestos presentes en esta bebida, incluyendo la cafeína, mejoran temporalmente las habilidades de pensamiento y memoria de corto plazo.

Pero la mejor parte es que el café también ayuda a su cerebro en el largo plazo. La investigación sugiere que si usted toma cantidades moderadas de café con cafeína en la edad madura puede protegerse contra del deterioro mental y la demencia más adelante.

En un estudio, personas mayores de 65 años de redujeron su riesgo de sufrir Alzheimer en un 30 por ciento sólo por beber café casi diariamente. Tomar el hábito antes, arrojó incluso mayores beneficios. Aquellos que bebieron de tres a cinco tazas al día en su mediana edad eran 65 menos propensos de desarrollar Alzheimer u otras demencias más tarde en su vida.

El café puede incluso evitar que las personas con problemas de memoria menos graves -conocidos como Deterioro Cognitivo Leve (DCL) -sufran demencia total. Las personas con DCL que tenían mayores cantidades de cafeína en su sangre, el equivalente a tomar una o dos tazas de café pocas horas antes, tenían menos probabilidades de desarrollar demencia total en los próximos años. Sólo aquellos con bajos niveles de cafeína llegaron a sufrir de demencia.

La forma en que prepara el café determina qué compuestos terminan en su taza. El goteo de agua a través de un filtro de café puede ofrecer la mayor protección. El café que no pasa a través de un filtro, como el café de prensa francesa y el hervido, contiene sustancias que aumentan su colesterol "malo" LDL y sus triglicéridos, lo que aumenta su riesgo de demencia.

¿Quiere tres razones más para beberlo todos los días? Este estimulante también parece proteger contra la diabetes, evitar la enfermedad de Parkinson y prevenir el daño hepático. Pero tenga en cuenta que demasiado café puede ser algo malo. Protege mejor con moderación. Por ejemplo:

- beber de dos a tres tazas al día puede reducir el riesgo de Alzheimer más que beber sólo una taza, pero consumir cuatro o más tazas diarias puede aumentar sus posibilidades de morir si tiene menos de 55 años.

■ el ácido clorogénico, el principal antioxidante en el café, afecta positivamente su presión arterial, inflamación y niveles de insulina, todo lo cual reduce su riesgo de deterioro mental y demencia. Pero consumir demasiado ácido clorogénico puede aumentar sus niveles de homocisteína, aumentando ese riesgo.

■ la cafeína puede ayudar a reducir la acumulación de beta-amiloide en su cerebro, una causa potencial de la enfermedad de Alzheimer. También puede perturbar su sueño y eso, a su vez, está vinculado a la demencia. Así que trate de evitarlo por la noche.

PREPÁRELO

Lattes hechos en casa de la manera fácil

Usted no necesita una máquina de lujo para preparar deliciosos lattes italianos, capuchinos y café-au-laits. Solo necesitas su cafetera regular y un microondas. Para el café-au-lait, prepare un lote de café de intensidad regular. Para un latte o capuchino, prepare un café fuerte.

A continuación, cree una espuma gruesa con su leche. Llene un tarro con tapa por la mitad con leche. Enrosque bien la tapa y agítela fuerte por lo menos 30 segundos hasta que forme una buena espuma en la parte superior. Retire la tapa y caliente el tarro en el microondas durante 30 segundos. Esto espesa la espuma.

Ahora agregue la leche caliente a su café. Retenga la espuma con una cuchara mientras vierte, luego corone su creación con unas cuantas cucharadas de espuma espesa.

¡Tiempo para un cambio de aceite! Una razón más para amar el aceite de oliva

Las personas que viven en países mediterráneos comen montones de buena comida, beber un montón de buen vino, pero tienen bajas tasas de enfermedad de Alzheimer y deterioro mental. Un solo ingrediente - aceite de oliva - podría ser la razón.

El aceite de oliva es una superestrella bíblica por una buena razón. La gente del Mediterráneo consume un promedio de cinco a 10 cucharaditas de aceite de oliva virgen extra todos los días, y la ciencia está demostrando ahora sus poderes curativos. El aceite de oliva extra virgen contiene fitonutrientes como el oleocantal que otros aceites no. El oleocantal es un poderoso anti-inflamatoria similar al ibuprofeno. Ahora la investigación sugiere que puede proteger su cerebro del deterioro mental provocado por las enfermedades degenerativas.

En la enfermedad de Alzheimer, las proteínas en su cerebro colapsan en marañas torcidas, obstruyendo el área alrededor de las células cerebrales y evitando que los nutrientes lleguen a ellos. Finalmente, las células mueren de hambre. El oleocantal impide que estas proteínas formen marañas y ayuda a eliminar el exceso de proteína para que no se acumule.

Aproveche al máximo los beneficios de su aceite. Cómo compra y almacena su aceite de oliva afecta la cantidad de compuestos saludables, incluyendo el oleocantal, que usted obtiene de ella.

- Compre aceite extra virgen, no aceita de oliva "ligero" para obtener la mayoría de los compuestos saludables. El oleocantal es lo que da al aceite extra su sabor fuerte, como de pimienta.

- Almacene la botella en un armario oscuro, lejos de la luz, con la tapa apretada. La luz y el oxígeno lentamente destruyen el oleocantal.

- No lo compre a granel. El aceite de oliva puede perder un tercio de su oleocantal en los primeros 10 meses.

- Manténgalo alejado del calor. No lo guarde en el gabinete que está sobre la estufa, por ejemplo. El calor hace que el aceite se descomponga más rápido. Afortunadamente, la investigación muestra que el oleocantal es bastante estable durante la cocción si el aceite de oliva tiene mucho de él.

Use aceite de oliva en lugar de mantequilla. El aceite de oliva no es sólo para ensaladas. Puede usarlo en lugar de mantequilla o margarina en casi cualquier plato. Además, es rico en grasas mono insaturadas (en inglés, MUFA), grasas saludables que parecen proteger su cerebro. Al sustituir la mantequilla por el aceite de oliva, reducirá la grasa saturada y consumirá más MUFA, duplicando los beneficios para su cerebro.

Puede reemplazar la mantequilla con aceite de oliva en la mayoría de las comidas horneadas, con excepción del helado y otras creaciones sin cocinar. La reducción de líquidos como el aceite de oliva puede hacer que los glaseados goteen y adquieran un sabor extraño.

Las mujeres mayores que comieron más grasa saturada tuvieron peor memoria y función mental que las mujeres que comieron menos, y eran 65 por ciento más propensas a empeorar con el tiempo. Por otro lado, las mujeres que consumieron más MUFA tenían mejor función mental y memoria.

Ellas tenían alrededor de la mitad de probabilidades de experimentar deterioro mental o de memoria en los próximos cuatro años, en comparación con las mujeres que consumieron menos MUFA.

Las mejores maneras de sustituir alimentos con aceite de oliva. Lo que importaba en este estudio no era cuánta grasa comieran estas mujeres cada día, sino qué tipo de grasa. Una cucharada de mantequilla contiene 7.2 gramos (g) de grasa saturada y sólo 2,9 g de MUFA. Eso hace que el aceite de oliva, con sus 2 g de grasa saturada y 10 g de MUFA, sea la elección para cocinar e incluso para hornear. Siga estos consejos para sustituciones exitosas.

- No unte su pan con mantequilla. Sumérjalo en un bol llano de aceite de oliva mezclado con hierbas.

- Rocíe el aceite de oliva sobre la pasta en lugar de una pesada salsa de crema. Amplíe el sabor con aceitunas rebanadas y salsa de tomate.

■ Haga puré de papas con aceite de oliva en lugar de leche, crema y mantequilla.

■ En la cocción, sustituya con 2 1/4 cucharaditas de aceite de oliva por cada cucharada de mantequilla o margarina; o 3 cucharadas de aceite de oliva para 1/4 taza de mantequilla o margarina.

La leche le hace bien a su cerebro

¿Quiere ganar un Premio Nobel? Beba más leche. Los países que beben mucha leche, como Suecia, Suiza y Finlandia, reclaman la mayoría de los premios Nobel. En los países donde la gente bebe menos leche, como China, tienen el menor número de ganadores. Aunque la relación parece tonta, podría contener algo de verdad. La leche es rica en vitamina D, la cual puede ayudar a aumentar su poder cerebral.

La vitamina D ayuda a derrotar la demencia. Las personas con menos vitamina D en su torrente sanguíneo tienen más probabilidades de desarrollar trastorno mental y dos veces más probabilidades de contraer la enfermedad de Alzheimer (EA) u otra forma de demencia. Los expertos dicen que su sangre debe tener al menos 50 nano moles por litro (nmol / L) de vitamina D. En comparación con personas mayores que tenían cantidades saludables, aquellos que tenían:

■ una deficiencia moderada de vitamina D (entre 25 y 49 nmol / L) eran un 53 por ciento más propensos a desarrollar demencia y 69 por ciento más propensos a sufrir Alzheimer.

■ una severa deficiencia (menos de 25 nmol / L) tenían 125 por ciento más probabilidades de padecer demencia y un 122 por ciento más de desarrollar EA.

Estos resultados impactaron incluso a los investigadores. "Esperábamos encontrar una asociación entre niveles bajos de vitamina D y el riesgo de demencia y la enfermedad de Alzheimer ", dice David Llewellyn de La Facultad de Medicina de la Universidad de Exeter. "Pero los resultados fueron sorprendentes - encontramos que la asociación era dos veces más fuerte de lo que anticipamos."

La curcumina y la vitamina D: una combinación poderosa para su cerebro. Las células cerebrales tienen áreas o "muelles" especiales para recibir vitamina D. Cuando estos muelles "se abren" para aceptar un envío, retardan la producción de amiloide beta. Eso es bueno, porque tener demasiado amiloide-beta es tóxico para su cerebro y puede conducir a la Enfermedad de Alzheimer. Al obtener mucha vitamina D, usted ayuda a asegurarse de que su cuerpo no se está sometiendo a demasiadas cantidades de esta sustancia.

La curcumina, el compuesto que da a la cúrcuma su color amarillo, puede trabajar mano a mano con la vitamina D para combatir la demencia. Juntos, estimulan su sistema inmunológico para eliminar el exceso de beta-amiloide de su cerebro. La cúrcuma es uno de los ingredientes principales en el polvo de curry, por lo que podría luchar contra el Alzheimer al tomar un vaso de leche en la mañana y pollo al curry para la cena.

Luz solar o comida - ¿qué ayuda más? Tomar 15 minutos de sol de verano ayudará a aumentar sus niveles de vitamina D, dicen los expertos, pero su cuerpo no convierte la luz solar en vitamina D tan eficientemente a medida que envejece. Eso hace que los alimentos y los suplementos sean buenas opciones. La leche, junto con los pescados grasos como el salmón y el fletán, son las mejores apuestas para obtener vitamina D.

Sólo las personas que tienen bajos niveles de vitamina D beneficiarán su cerebro tomando un suplemento. No obtendrá protección adicional si usted ya tiene cantidades saludables de ella en su sistema. Pídale a su médico que mida sus niveles de vitamina D. Los expertos dicen que son que son frágiles y tienen algún impedimento mental pueden tomar 1.000 unidades internacionales (UI) de vitamina D diariamente, pero consulte con su médico primero.

Agregue la pimienta al curry para aumentar la potencia. Usted puede comprar suplementos de curcumina, pero los expertos dicen que la especia cúrcuma contiene compuestos que pueden beneficiar a su cerebro. El cuerpo no absorbe la curcumina muy bien cuando se come, pero la pimienta negra puede ayudar. La piperina, un compuesto de la pimienta negra, hace a la curcumina 2,000 por ciento más disponible para que su cuerpo la absorba. Así que cuando cocine platos con curry, condiméntelos con un poco de pimienta negra.

Cáncer

Súper alimentos que contienen un duro golpe

Baratos y sanos: 10 súper alimentos que usted debe comprar ahora

Así que ¿exactamente por qué debe usted comer todo su brócoli? ¿O frijoles? ¿O espinacas? Los expertos en salud están de acuerdo en que la mayoría de las verduras tienen menos riesgo de cáncer. Además de los nutrientes que luchan contra el cáncer como fibra, vitaminas, minerales y agua, casi todos las frutas y hortalizas están llenas de fitoquímicos, compuestos vegetales naturales cargados de sorprendentes súper poderes.

Los fitoquímicos, también llamados fitonutrientes, dan a las frutas y vegetales sus olores, sabores y colores como el color naranja en las naranjas y el rojo en las fresas. Los científicos han descubierto miles de ellos y algunos expertos creen que podría haber miles más. Las plantas usan estos compuestos para protegerse de hongos, virus, bacterias y daño celular. Y no son los únicos seres vivos que se benefician de estos gigantes.

Construya su sistema inmunológico como una poderosa pared de defensa contra las enfermedades y las infecciones. Cuando usted toma un bocado de un albaricoque o se deleita con cerezas, estos nutrientes naturales actúan como trabajadores de la construcción. Esto es lo que pueden hacer:

- proteger sus células de los daños y reducir sus posibilidades de sufrir ciertos tipos de cáncer.

- aumentar las que disminuyen los efectos de los estrógenos, los cuales reducen el riesgo de cáncer de mama.

- proteger contra las bacterias dañinas.

- evitar que los microorganismos destructivos se adhieran a sus paredes celulares.

- defender sus huesos contra la osteoporosis.

- proteger sus arterias de la acumulación de placa.

- evitar que las cosas que come, bebe y respira se conviertan en cancerígenas.

- mantener niveles hormonales saludables.

- impedir el daño del ADN y ayudar a su reparación.

Los 10 alimentos más saludables y baratos que usted puede comprar. Usted no tiene que romper su alcancía para comer alimentos llenos de fitoquímicos. Usted puede comprar un montón de productos frescos por unos 50 centavos de dólar cada taza y conseguir saciarse fácilmente. Y todos los alimentos llenos de estos súper compuestos están vinculados a aportar un montón de nutrientes como vitaminas, minerales y fibra. Simplemente tenga unos cuantos consejos en mente para obtener más por su dinero - y su cuerpo.

- Compre productos en temporada, luego cambie a frutas enlatadas y verduras fuera de la temporada. Busque las palabras "bajo en sodio", "sin sal añadida", "sin azúcar añadido" o "envasado en su propio jugo" en la etiqueta.

- Llene su congelador con frutas y verduras congeladas. Utilícelas durante todo el año en sopas, guisos y batidos.

- Compre pequeñas cantidades de productos con más frecuencia. De esa manera los disfrutará antes de que se dañen.

- Por otro lado, compre a granel si utiliza un montón de manzanas, zanahorias o cualquier otra fruta o verdura de forma regular. Sus ahorros podrían ser significativos.

- No gaste más en paquetes de frutas y vegetales pre-lavados. Ahorre su dinero y córtelos usted mismo.

No todos los alimentos altos en fitoquímicos son una ganga. Las bayas, por ejemplo, son súper alimentos fitoquímicos que pueden hacer volar su presupuesto. En su lugar, trate de poner los siguientes 10 alimentos en su carrito de compras.

Alimentos	Fitoquímicos	Cómo le mantienen sano
Zanahorias, duraznos, vegetales de hoja verde, camotes (batatas), sandía	Carotenoides	Previene o retarda el daño celular, bloquea el crecimiento de las células cancerígenas, impulsa su sistema inmunológico
Granos, peras, calabaza, manzanas	Flavonoides	Defiende contra el cáncer, dispara la auto-destrucción de células anormales
Ajo	Compuestos del género allium	Retarda o detiene el crecimiento de tumores

El dulce y crujiente bocadillo para llevar que lucha contra el cáncer

En lugar de comer un caramelo por la tarde, ¿por qué no intentar un dulce y delicioso antojo con nutrientes que combaten el cáncer? Un puñado o dos de mezcla de frutos secos podría ser el bocadillo perfecto para recargar su energía y protegerse del cáncer. El truco consiste en utilizar ingredientes inteligentes y con múltiples talentos.

Las almendras detienen los pólipos antes de que comiencen. Incluya estas crujientes golosinas en su mezcla de frutos secos para una buena fuente de magnesio.

Este mineral común ayuda a prevenir los pólipos del colon, que pueden ser cancerosos. Cuanto más magnesio se obtiene de los alimentos, mayor es su riesgo de pólipos y cáncer de colon, sugiere un estudio británico.

Las almendras tienen más magnesio que otras nueces. Pero si no es un fanático de las almendras, comer cacahuetes, anacardos, pistachos, semillas de calabaza o semillas de girasol también puede aumentar sus niveles de magnesio.

10 alimentos orgánicos que valen la pena

Muchos alimentos están expuestos a pesticidas durante las etapas de desarrollo. Algunos expertos y grupos ambientalistas están preocupados por las posibles formas en que los pesticidas en los alimentos pueden afectar su salud a largo plazo.

Aunque las pruebas del Departamento de Agricultura de los Estados Unidos (USDA, por sus siglas en inglés) los niveles de plaguicidas en los alimentos son seguros, un estudio de la Oficina de Rendición de Cuentas de los EE.UU. encontró vacíos en las pruebas del programa del USDA. Por ejemplo, el USDA no hace pruebas para todos los pesticidas.

Los alimentos orgánicos tienen menos residuos de pesticidas, pero también son más caros. Usted puede ir por seguro sin gastar sus ahorros. El Grupo de Trabajo sobre el Medio Ambiente publica un reporte anual que enumera los alimentos de supermercado más contaminados por los pesticidas. Comprar versiones orgánicas de estos alimentos significa que cada dólar adicional que gasta reduce su exposición a los pesticidas. Aquí están los 10 alimentos más contaminados en su supermercado, empezando por el peor delincuente.

- Manzanas
- Apio
- Duraznos
- Espinaca
- Nectarinas
- Fresa
- Pepinos
- Uvas
- Tomate cherry
- Pimientos morrones dulces

La mezcla de frutos secos o Trail Mix no puede proporcionarle todo el magnesio que usted necesita, así que incluya otros alimentos ricos en magnesio como pechuga de pavo asada, avena y frijoles pintos o blancos.

Las nueces protegen la próstata. Las nueces no son sólo un gran topping para ensaladas y helados. Comer nueces o aceite de nuez puede retardar el crecimiento del cáncer de próstata y ayudar a bajar su colesterol, según se encontró en un estudio reciente en animales. Pero tenga en cuenta que los animales en el estudio comieron el equivalente a más de 2 1/2 onzas de nueces al día - que son casi 500 calorías. Así que incluya las nueces en su trail mix, pero no se emocione demasiado. Sustituya con nueces picadas o molidas, parte de un ingrediente alto en grasa en otro plato - como el queso en una ensalada o la carne en una salsa de pasta.

Los deliciosos dátiles contienen antioxidantes poderosos. Estas fabulosas frutas son ricas en antioxidantes que combaten el cáncer como el ácido ferúlico, el ácido sinápico, el ácido p-cumárico y los flavonoides. También ofrecen un compuesto antitumoral llamado beta D - glucano. Añada dátiles cortados y secos a su trail mix para obtener todos estos beneficios, además de una dulzura masticable demasiado buena para resistirse.

> Para evitar que los dátiles se peguen entre sí, espolvoréelos con canela antes de agregarlos a su trail mix.

Las semillas de girasol son ricas en minerales anticancerígenos. Los pájaros cantores tienen una buena razón para devorar esas semillas de girasol en el comedero de los vecinos. No sólo son ricas en vitamina E y fibra, las semillas de girasol también son una buena fuente de selenio. Los resultados de la investigación sobre el selenio y el cáncer se han mezclado, pero muchos estudios parecen coincidir en que demasiado poco selenio puede aumentar su riesgo de cáncer. De hecho, el selenio bajo es un problema en algunas zonas de Europa. Un estudio reciente en más de 500,000 europeos descubrió que las mujeres con mayor consumo de selenio tenían menores probabilidades de contraer cáncer de colon que las mujeres que consumían menos.

Para aumentar su selenio, mezcle las semillas de girasol en su trail mix. Si usted necesita más selenio, disfrute de comidas como atún blanco enlatado, pechuga de pavo asada, sardinas enlatadas y cerdo desmenuzado en salsa de barbacoa.

Una receta de trail mix que puede hacer fácilmente usted mismo. Para hacer suficiente mezcla de frutos secos para una semana, mida 3/4 de taza de cacahuetes, almendras, anacardos o pistachos. Combine con 1/4 de taza de nueces, 1/3 de taza de semillas de girasol y 1/3 de taza de dátiles. Para la mejor prevención del cáncer, elija los frutos secos, las semillas y los dátiles que no tienen sal o azúcar añadido y coma no más de un puñado o dos de trail mix por día.

La única comida que jamás debería comer en el desayuno

Varias marcas populares de sirup para panqueques contienen un compuesto que puede aumentar su riesgo de cáncer, dicen los investigadores de Consumer Reports.

El color artificial del caramelo ayuda al sirup para panqueques y a otros alimentos a que parezcan más apetecibles, pero algunos colores contienen el químico potencialmente cancerígeno, el 4-metilimidazol (4 - Mel). Las investigaciones sugieren que la ingesta de 29 Microgramos (mcg) al día de 4-Mel - aproximadamente la cantidad en una lata de 12-oz. de varios refrescos populares - resultan en un caso adicional de cáncer en cada 100.000 personas. Pruebas más profundas encontraron cantidades aún mayores en algunas marcas de sirup para panqueques - con base en un tamaño de porción igual a un cuarto de taza.

Muchos expertos en salud sugieren cambiar del sirup para panqueques a sirup o jarabe de arce (maple) verdadero, cambiar gaseosas de color caramelo a refrescos de color claro y limitar o evitar los alimentos que indican "color caramelo" o "color artificial" como ingrediente.

2 súper frutos rojos le mantendrán rozagante

Todo el mundo ama las magníficas hojas rojas de los arces rojos, árboles de ámbar y tupelos negros en otoño. Pero no olvide los comestibles rojos de otoño como las manzanas dulces y los ácidos arándanos rojos. Estos fabulosos favoritos de otoño están llenos de compuestos contra el cáncer que usted no querrá perderse.

Una fruta con más de una docena de nutrientes que combaten el cáncer. Johnny Appleseed probablemente no tenía ni idea de que estaba plantando un preventivo del cáncer en toda la nación. Sin embargo, los científicos de la Universidad de Cornell aislaron 13 compuestos poderosos, llamados triterpenoides a partir de la cáscara de la manzana. Los científicos de Cornell también enfrentaron cada triterpenoide contra varios tipos de células cancerosas. Todos los triterpenoides ayudaron a evitar que las células cancerosas se multiplicaran. Eso podría ser una buena razón para dejar de pelar sus manzanas antes de comerlas.

Desafortunadamente, las cáscaras de la manzana pueden tener altos residuos de pesticida, así que compre manzanas orgánicas siempre que sea posible. Cuando no pueda comprar alimentos orgánicos, friegue la manzana con un cepillo de verduras limpio bajo agua corriente para eliminar parte de los residuos de plaguicida.

Y si quiere comer las manzanas probadas en el estudio, elija Red Delicious.

No espere hasta el Día de Acción de Gracias para comer esta súper fruta. Hace varios siglos, los americanos nativos utilizaron los arándanos rojos como medicina y comida. La investigación de hoy sugiere que fue una decisión inteligente. Los arándanos rojos le ofrecen compuestos anticancerígenos como estos:

- Quercetina. Este fitonutriente redujo drásticamente el crecimiento de cuatro tipos de células cancerosas en los estudios de laboratorio - y puede obtenerlo de los arándanos y las manzanas.

- Proantocianidinas. Estos compuestos antioxidantes pueden matar las células del cáncer de ovario.

■ Resveratrol. La investigación en animales sugiere que esto ayuda a inhibir el cáncer, e incluso puede ayudar a prevenir que las células lleguen a ser cancerosas.

Otros compuestos anticancerosos del arándano incluyen el ácido salicílico, el ácido ursólico, las catequinas, la vitamina C, más las antocianinas que dan a los arándanos su color característico.

Algunas personas como los arándanos secos, endulzados contenidos en el trail mix, mientras que otros prefieren el cóctel de jugo de arándano o salsa de arándanos. Obtendrá más antocianinas, quercetina y vitamina C de arándanos enteros que de cóctel de zumo de arándano. Entonces mezcle arándanos secos en harina de avena, cereales, trail mix, mezcla para magdalenas, arroz pilaf, e incluso ensalada de pollo.

Carne roja y cáncer: combo de alimentos para eliminar riesgos

No vaya a buscar azúcar Domino o Dixie Crystals en el próximo bistec que se coma. No la encontrará. Pero los investigadores de la Universidad de California en San Diego (UCSD) han descubierto que la carne roja contiene grandes cantidades de un azúcar natural que puede causar cáncer.

Un azúcar natural que podría significar grandes problemas. El azúcar se llama N - glicolilneuramínico (Neu5Gc). Después de probar varios alimentos, los investigadores descubrieron que la carne roja como la carne de res, cerdo y cordero eran fuentes particularmente ricas de este azúcar. Pero eso no es todo lo que los investigadores hallaron. En sus estudios con animales, el Neu5Gc desencadenó una inflamación generalizada y comenzaron a formarse tumores.

El Neu5Gc no se produce naturalmente en su cuerpo. Y aunque su sistema inmunológico reconoce al Neu5Gc como una sustancia extraña, sus tejidos todavía lo absorben. Es por eso que los investigadores de UCSD dicen que comer carne roja como carne de res, cerdo y cordero puede aumentar su riesgo de inflamación generalizada - y que podría conducir al cáncer.

Investigaciones previas sugieren que la carne roja también promueve el cáncer de otras formas. Comer 3 onzas adicionales de carne roja o procesada cada día incrementa el riesgo de cáncer de colon en un 25 por ciento y el riesgo de cáncer rectal en un 31 por ciento. Afortunadamente, esto no significa que usted deba evitar la carne roja.

La forma más inteligente de comer carne roja. El gobierno federal en su propuesta de Directrices Dietéticas del 2015, no recomienda la eliminación de la carne roja de su dieta. Pero los estudios sugieren que usted necesita comerla con moderación para prevenir el cáncer de colon, cáncer rectal y otros problemas de salud. Una nueva investigación incluso sugiere que usted coma carne roja junto con ciertos alimentos para reducir su riesgo de cáncer aún más.

Los almidones resistentes reducen los peligros. Las papas han encontrado mala reputación. ¿Sabía que contienen más potasio que un platano, el 35 por ciento de su vitamina C diaria, y un compuesto llamado almidón resistente?

Su estómago y su intestino delgado no digieren el almidón resistente. En su lugar, los microbios en su colon fermentan este almidón para producir ácidos grasos de cadena corta como el butirato. Esto podría ayudar a matar células pre-cancerosas y reducir la inflamación que puede aumentar su riesgo de cáncer.

Aún mejor, el almidón resistente puede reducir uno de los compuestos promotores del cáncer causados por el consumo de carne roja, según encontró un nuevo estudio de la Universidad Flinders de Australia. Entonces, ¿cómo saber qué alimentos contienen este poderoso almidón?

"Buenos ejemplos de fuentes naturales de almidón resistente incluyen las bananas que todavía son ligeramente verdes, papas cocidas y enfriadas [como ensalada de papa], granos enteros, frijoles, garbanzos y lentejas" dice Karen J. Humphreys, Ph.D., investigadora principal del estudio de la Universidad Flinders.

Por supuesto, es probable que no quiera comer bananas (platanos) verdes con carne roja, pero trate de arrojar algunos frijoles o rodajas de papas hervidas con un poco de su vinagreta favorita.

Este sencillo acompañante no sólo sabe delicioso, sino que también puede ayudarle a evitar el cáncer de colon.

Mineral esencial hace a las carnes procesadas más seguras

Su anfitriona hizo su famosa cazuela de jamón. Oh oh.Ya no está comiendo carnes procesadas porque usted ha oído que pueden causar cáncer. Entonces, ¿Qué hace? Si su plato tiene queso, tiene suerte. Un pequeño estudio europeo encontró que comer alimentos ricos en calcio con la carne procesada puede ayudarle a protegerse contra el cáncer de colon.

Después de renunciar a la carne de res y de cerdo durante una semana, los participantes comenzaron a comer cuatro rebanadas de jamón a diario. Algunos también tomaron dos suplementos de 500 miligramos (mg) de carbonato de calcio todos los días.

Todos fueron examinados regularmente para verificar sus niveles de un compuesto que advierte de un cáncer de colon en animales. Después de cuatro días, los que no tomaron el suplemento de calcio tenían niveles más altos, pero las personas que tomaron los suplementos no.

Así que compruebe el menú de su anfitriona para verificar si hay alimentos ricos en calcio, tales como queso, yogur o frijoles blancos en el menú, almendras en la ensalada que acompaña, o una pequeña cucharada de helado como postre.

Tomates asesinos atacan células cancerosas y mucho más

Visite las Grandes Montañas Humeantes, y encontrará un montón de productos frescos de montaña en sus mercados campesinos - pero elartículo más codiciado, por mucho, son los tomates del condado cercano de Grainger. Los lugareños no se cansan de ellos.

Los tomates pueden ayudar a destruir los productos químicos del cuerpo, que son responsables de la enfermedad cardíaca, el cáncer, e incluso el envejecimiento. Hasta parecen prevenir ocho diferentes tipos de cáncer. Así que traiga la salsa y lea todo sobre cómo los tomates pueden ahorrarle de una tumba temprana.

Prevenga el cáncer de riñón con tomates en rodajas. Las mujeres que comieron el equivalente a cuatro tomates al día tenían 45 por ciento menos riesgo de cáncer de riñón, según un estudio de Ohio. Entonces, ¿qué tiene de especial el tomate?

Así como su carro produce un escape por la combustión de gasolina, su cuerpo produce moléculas llamadas radicales libres. Demasiados radicales libres pueden conducir a un cáncer y una cardiopatía potencialmente mortales, como problemas de memoria y de pensamiento, pero los tomates los combaten con sus poderosos antioxidantes. Como un héroe que salta para apagar un fuego, los antioxidantes neutralizan los radicales libres, haciéndolos inofensivos.

Pero si los antioxidantes regulares son como héroes, el antioxidante del tomate, el licopeno, es un superhéroe. Tiene 10 veces más poder antioxidante que la vitamina E y el doble de beta caroteno. Esa puede ser la razón por la cual las mujeres que comen más tomates tienen el menor riesgo de sufrir cáncer de riñón.

Reduzca las probabilidades de sufrir cáncer de piel y de próstata con jugo de tomate. Los tomates crudos no son su única opción. Los alimentos a base de tomate pueden ser incluso mejores. Por ejemplo, en un estudio en el que los hombres consumieron productos como jugo de tomate y salsa de tomate, los que comieron 10 porciones cada semana redujeron su riesgo de cáncer de próstata en casi una quinta parte.

Mientras tanto, en un estudio británico, las mujeres que comieron cinco cucharadas de pasta de tomate al día tenían un 33 por ciento más de protección contra las quemaduras solares, las cuales aumentan su riesgo de cáncer de piel. Esto no significa que usted puede renunciar a la protección solar, pero la combinación podría proporcionar incluso más protección contra cáncer de piel y arrugas que el protector por sí solo.

Apague otros cinco tipos de cáncer con puré de tomate.
Estudios alrededor del mundo sugieren que comer alimentos a
base de tomate, como la salsa roja para pastas, jugo o sopa de
tomate y puré de tomate, puede reducir el riesgo de cáncer de
mama, cáncer de colon, cáncer de hígado y estómago. Comer
estos alimentos puede incluso ayudar a reducir el riesgo de cáncer
de pulmón en los fumadores.

**Disminuya el riesgo de accidente
cerebrovascular con tomates secados
al sol.** El nivel de licopeno en el
torrente sanguíneo aumenta y
disminuye con la cantidad de licopeno
que obtiene de los alimentos, y eso
puede ayudarle a evitar un derrame.
Un estudio de la Universidad de
Finlandia Oriental encontró que los
hombres que tenían los niveles
sanguíneos más altos de licopeno
tuvieron un 55 por ciento menos de
riesgo de un accidente cerebrovascular
que los hombres con los niveles sanguíneos más bajos.

> Acaba de hacer salsa
> de tomates frescos,
> pero es demasiado
> agria o demasiado
> ácida. Sólo agregue
> una pizca grande de
> azúcar o una pequeña
> pizca de bicarbonato
> de sodio, revuelva bien
> y pruebe la diferencia.

Usted puede aumentar su nivel de licopeno disfrutando de
deliciosos alimentos como sopa de tomate, tomates secados al sol,
salsa y cócteles de jugo de verduras como el jugo V8.

Mantenga la enfermedad cardíaca lejos con la salsa para pizza.
La enfermedad cardiaca mata a miles de personas cada año, pero
usted no tiene que ser una de ellas. Las personas que consumen la
mayoría de los alimentos ricos en licopeno tienen el menor riesgo
de enfermedad cardiaca, según ha encontrado un estudio de 10
años. Los productos de tomate cocido aportan más licopeno que
el crudo, así que ¿por qué no hacer una versión casera de pizza
hawaiana? Expanda la salsa de la pizza pan pita integral. Añada
pequeños trozos de piña y remate con queso bajo en grasa.

Bebidas de desayuno que le dan una ventaja contra el cáncer

Ya usted consume alimentos integrales y fruta para el desayuno,
pero no se detenga ahí. Elija las bebidas de desayuno adecuadas
para aumentar su energía y reducir el riesgo de cáncer aún más.

El té verde lucha contra dos de los cánceres más letales. El té verde puede ayudar a reducir el riesgo de cáncer de ovario en una mujer. En un estudio, dos o más tazas de té verde todos los días redujeron el riesgo de cáncer de ovario en un 46 por ciento en comparación con mujeres que no bebían té verde regularmente. Los estudios demuestran cómo puede también ayudar a prevenir el cáncer endometrial.

Un estudio chino encontró que los hombres que beben tres tazas de verde regularmente, tienen hasta un 76 por ciento menos de riesgo de cáncer de próstata. Con números como esos, ¿por qué esperar? Comience a preparar su té desde hoy.

Los expertos sugieren que los polifenoles en el té verde son sus principales luchadores contra el cáncer - particularmente uno llamado galato de epigalocatequina (EGCG). El EGCG también ayuda a prevenir el cáncer mediante la lucha contra la inflamación, neutralizando los radicales libres causantes de cáncer, y desencadenando la muerte de las células que podrían llegar a ser cancerosas. Y un nuevo estudio de laboratorio incluso sugiere que el EGCG puede acabar con una enzima que las células de cáncer pancreático necesitan para prosperar.

Pero recuerde - si usted hace su té como la gente en el estudio chino, probablemente prepare un tarro o una taza. Para beber una segunda taza, probablemente sólo deba añadir agua fresca a su bolsa de té original. Obtendrá un montón de EGCG de las dos primeras tazas, pero muy poco de una tercera taza. Use una bolsa de té fresca después de haber preparado dos tazas.

Té negro con limón: lo suficientemente potente como para frustrar un terrorífico cáncer. ¿Quiere evitar el cáncer de ovario, pero no puede soportar el té verde? Un estudio de miles de mujeres sugiere que dos tazas de té negro diariamente pueden reducir su riesgo en más del 30 por ciento. Añadiendo jugo de limón puede hacer que su té negro sea aún más saludable.

Asuste cinco tipos de cáncer con el café. Ese café negro podría ser su caballero blanco, gracias a los muchos tipos de cáncer que combate. Los investigadores no están seguros de por qué el café marca la diferencia, pero el ácido clorogénico del café puede ayudar a prevenir un proceso que promueve el cáncer y su cafestol y kahweol pueden evitar el crecimiento del cáncer. Los científicos sospechan que el café también puede limitar la exposición de su cuerpo a sustancias cancerígenas al acelerar los desechos a través de su colon. ¿Pero el café realmente previene el cáncer? Véalo usted mismo.

- Los investigadores de la Universidad del Sur de California investigaron el vínculo entre el café y el cáncer de colon. Ellos encontraron que las personas que beben cerca de dos tazas de café al día tienen casi un tercio menos de riesgo de cáncer que las personas que no beben café.

- Los bebedores de café tienen un 40 por ciento menos riesgo de cáncer de hígado que aquellos que no toman café, sugieren los resultados de varios estudios publicados en el Revista de la Asociación Americana de Gastroenterología.

- Las personas que tomaron cuatro o más tazas de café cafeinado a diario redujeron su riesgo de melanoma en un 20 por ciento en comparación con las personas que evitaban el café, según un estudio reciente publicado en la *Revista del Instituto Nacional para el Cáncer*.

Dos estudios en curso sugieren que el café también puede ayudar a reducir las probabilidades de desarrollar cáncer de endometrio. Y un estudio noruego en hombres entre los 20 y los 69 años encontró que mientras más hervido era el café que tomaban, menor era el riesgo de sufrir cáncer de próstata.

Aumente los antioxidantes con jugo. Si usted no tiene tiempo para su bebida caliente favorita, sírvase un pequeño vaso de jugo.

Un estudio reciente encontró que las mujeres con la mayor ingesta de flavanonas provenientes de alimentos como naranjas y jugo de naranja tenían menos riesgo de cáncer de ovario que las mujeres con las menores ingestas. Incluso el jugo de naranja comercial puede ayudar a impulsar los antioxidantes en su cuerpo que luchan contra el cáncer.

Y recuerde, los arándanos y las uvas están llenos de combatientes de tumores, por lo que sus jugos son una gran manera de comenzar la mañana, también.

Para obtener mejores resultados, los expertos recomiendan consumir más frutas sólidas que jugo, y asegúrese de que su bebida es 100 por ciento jugo sin azúcares añadidos.

Buenas noticias para las personas que no pueden beber leche

Evitar los productos lácteos puede que no sea del todo malo. De acuerdo a un reciente estudio sueco, eso podría ayudarle a escapar de los tipos más peligrosos de cáncer.

"Encontramos que las personas con intolerancia a la lactosa, que típicamente consumen bajas cantidades de leche y otros productos lácteos tienen un riesgo reducido de cáncer de pulmón, mama y ovarios", dice Jianguang Ji, profesor asociado de la Universidad de Lund. "Por el contrario, los riesgos en sus hermanos y padres eran los mismos que en la población general. Esto sugiere que el menor riesgo de cáncer en personas con intolerancia a la lactosa puede deberse a su dieta".

Los investigadores dicen que este estudio no significa que la leche aumenta sus probabilidades de estos cánceres. En cambio, sospechan que la gente que evita los productos lácteos cosecha los beneficios de los alimentos no lácteos que tienen nutrientes que bloquean el cáncer y menos calorías.

3 frutas jugosas que reducen sus probabilidades de cáncer.

Las frutas dulces y jugosas abundan en el verano, pero tres, en particular pueden ayudar a protegerlo de un cáncer que pone en peligro su vida.

Sandía: dos combatientes del cáncer en un paquete dulce. No se deje engañar por su sabor dulce. La sandía es la fruta más grande y más barata que usted no está comiendo pero debería hacerlo.

Es baja en calorías, alta en nutrientes, y tiene por lo menos un combatiente del cáncer que tal vez usted no conozca. Aquí está la prueba.

Devore una taza de jugosos trozos de sandía, y usted solo estará consumiendo 40 calorías. Sin embargo, usted está recibiendo vitaminas A y C, potasio, colina, vitamina B6 y prometedores compuestos anticancerígenos como licopeno y cucurbitacina-E.

Ya sabe que el licopeno en los tomates puede reducir sus probabilidades de cáncer, pero ¿sabía que absorbía aún más licopeno de la sandía cruda que de los tomates crudos? Sólo asegúrese de que su sandía está totalmente roja y madura, para que coseche todo el licopeno que la sandía ofrece.

Los científicos creen que el licopeno no funciona solo. El compuesto presente en la a sandía, la cucurbitacina-E, también puede ayudar a silenciar el cáncer, gracias a sus poderes anti-inflamatorios y antioxidantes.

Las frambuesas negras desencadenan defensas antitumorales. Comer frambuesas negras todos los días puede reducir su riesgo de cáncer de colon. Mientras el cáncer comienza en el colon, desactiva los genes que combaten los tumores. Pero un estudio reciente encontró que comer frambuesas negras puede ayudar a activar estos genes de nuevo. Por desgracia, las frambuesas negras sólo están disponibles parte del año, y la investigación sugiere que puede ser necesario comerlas por más tiempo para obtener los mejores resultados.

Afortunadamente, los científicos idearon una manera de preservar los nutrientes que combaten el cáncer - congelando las bayas, moliéndolas hasta convertirlas en polvo y utilizando el polvo para hacer caramelos. Pero se deje engañar. Este caramelo puede estar lleno de suficientes compuestos que combaten el cáncer como para igualar casi una taza de bayas frescas. Los científicos esperan tener los caramelos en las tiendas pronto. Mientras tanto, mire si hay frambuesas negras en su sección favorita de productos frescos.

Los polifenoles del melocotón sabotean el cáncer. Los compuestos presentes en los melocotones pueden matar células cancerosas sin dañar las células normales, dicen los científicos. Y la investigación de nuevos animales sugiere que comer melocotones puede ayudar a evitar que el cáncer se expanda. Sólo dos o tres melocotones al día pueden ser suficientes para hacer una diferencia real.

Cómo elegir la sandía perfecta

¿Golpearlas es realmente la mejor manera de escoger una sandía? Muchos expertos dicen que no y ofrecen estas sugerencias.

- Busque sandías con poco o ningún brillo superficial. Las sandías comienzan brillantes y suaves, y se vuelven más opacas y ásperas al madurar.

- Encuentre el punto de campo, el área de color crema donde la sandía descansaba en el suelo mientras crecía. Las sandías verdes tienen un campo blanco o no ninguno. Las sandías demasiado maduras pueden tener un área amarilla brillante. Un área de color crema o amarillo pálido generalmente significa que la sandía está madura.

- Elija una sandía que sea pesada para su tamaño. Esto una vez que quiera un peso extra de agua. Mientras más jugosa es la sandía, más pesada es - y más grandes sus posibilidades de conseguir la sandía más dulce en su punto exacto de maduración.

La forma secreta en que los italianos se mantienen saludables y viven más tiempo

Coma como un italiano y usted puede permanecer sin cáncer para toda la vida. ¿Por qué? Porque a los italianos de la costa les encanta comer sabrosos pescados y un montón de aceite de oliva.

"El pescado - rico en omega-3 - es un alimento básico en la dieta italiana, y este pescado rara vez se conserva en sal o se fríe", dice James DiNicolantonio, un investigador en el *St. Luke's Mid*

America Heart Institute. "El aceite de grapa utilizado en la cocina y como aderezo para ensaladas en Italia es el aceite de oliva, que es bastante bajo en omega-6".

Juntos, estos alimentos pueden ayudar a prevenir toda una serie de tipos de cáncer.

La forma correcta de comer pescado para mantenerse libre de cáncer. "En estudios italianos, sujetos que consumieron pescado al menos dos veces por semana en comparación con aquellos que comían pescado menos de una vez a la semana, se encontraron en un significativamente menor riesgo de sufrir una serie de tipos de cáncer, incluyendo el cáncer ovárico, endometrial, faríngeo, esofágico, gástrico, colónico, rectal y pancreático", dice el Dr. DiNicolantonio.

Su revisión de la investigación sugiere que las personas que comen pescado al menos dos veces por semana tienen menos riesgo de cáncer - pero no lo fría. Y mientras lo hace, limite en consumo de alimentos procesados, envasados y rápidos que contienen aceite de maíz, aceite de semilla de algodón, aceite de cártamo o aceite de soja. Son altos en grasas omega-6.

Los ácidos grasos omega-6 promueven altos niveles de compuestos que fomentan el desarrollo del cáncer, pero los alimentos ricos en grasas omega-3 ayudan a limitar estos compuestos. Para ejemplos de pescado rico en grasas omega-3, vea el apartado Elija pescado alto en omega-3 en el capítulo *Poder Mental: delicias saludables para una mente sin edad.*

¿Está obteniendo suficiente vitamina D para prevenir el cáncer?
Incluso para una protección más potente contra el cáncer, elija pescados ricos tanto en omega-3 como en vitamina D. Pescados como el salmón y la trucha arco iris pueden ser dos de los alimentos más prometedores en la prevención del cáncer, gracias a su alto contenido de vitamina D. Una nueva investigación revela que necesita vitamina D para activar las defensas contra el cáncer en sus células.

Cuando los niveles de vitamina D son lo suficientemente altos, su cuerpo suprime una proteína que anima a las células cancerosas a multiplicarse. La vitamina D puede incluso ayudar a prevenir que las células se vuelvan cancerosas.

Investigaciones recientes sugieren que las personas que obtienen suficiente vitamina D tienen menos riesgo de sufrir cáncer de esófago, leucemia, cáncer de colon, cáncer de páncreas y cánceres de cabeza y cuello que las personas que no lo hacen.

Otros estudios demuestran que muy poca vitamina D aumenta su riesgo de cáncer de mama y cáncer de próstata. Sin embargo, muchas personas se quedan cortas con la cantidad de vitamina D que necesitan.

Afortunadamente, elevar los niveles de vitamina D para corregir las deficiencias puede reducir su riesgo de sufrir cáncer y los pescados ricos en vitamina D pueden ayudar. Además del salmón y la trucha arco iris, buenas fuentes de vitamina D incluyen sardinas enlatadas, arenque y caballa del Pacífico.

Un ingrediente del aceite de oliva hace que las células cancerosas se autodestruyan. El compuesto del aceita de oliva, oleocantal, mata las células cancerosas en menos de una hora, según hallazgos de un estudio de laboratorio. Pero las células sanas tratadas con oleocantal no mueren. Esto puede explicar por qué las personas que incluyen altas cantidades de aceite de oliva en sus dietas tienen menos probabilidades de sufrir cáncer de mama y colon. Probablemente tenga un poco de aceite de oliva en su cocina ahora. ¿Por qué no mezclar una cucharada con algunas especias y vinagre y verter sobre una ensalada y cubrirla con rebanadas de salmón a la parrilla?

Intercambios simples que aumentan las grasas saludables

🚫 EN VEZ DE ESTO	👍 COMA ESTO
Tilapia	Trucha arcoriris
Nuggest do pollo de comida rapida	Salmón enlatado
Pescado frito	Pescado horneado
Aderezo para ensalada embotellado	Aderezo casero con aceite de linaza
Semillas de girasol	Linaza

Reemplace alimentos ricos en omega-6 con alimentos ricos en omega-3.

La verdad sobre el vino tinto y el cáncer

¿Puede el vino tinto combatir el cáncer como lo hace con la enfermedad cardíaca? Algunos estudios sugieren que puede hacer una diferencia en algunos pocos tipos de cáncer, pero el resto de la historia le puede sorprender.

Cómo reduce el vino tinto su riesgo de cáncer. Hombres que bebieron ocho copas de vino tinto cada semana redujeron su riesgo de sufrir cáncer agresivo de próstata en un 60 por ciento, según reportan investigadores. Pero las buenas noticias no terminan allí. Por cada copa adicional consumida cada semana, los hombres redujeron el riesgo de desarrollar cáncer de próstata otro 6 por ciento.

Las personas que beben vino tinto también tienen un menor riesgo de sufrir cáncer de cabeza y cuello que las personas que beben otras bebidas alcohólicas -y ahora los investigadores piensan que saben por qué.

El alcohol se descompone en un compuesto cancerígeno que envejece sus células. Acumule suficiente daño, y será más propenso a sufrir de cáncer. Pero la investigación de la Universidad de Colorado sugiere que el resveratrol del vino tinto ayuda a matar las células dañadas antes de que puedan causar cáncer.

El otro lado - ¿qué tan peligroso es el alcohol? Los amantes del vino tinto necesitan ser cuidadosos porque el alcohol eleva el riesgo de cáncer de hígado, colon y mama, y posiblemente el cáncer de páncreas. Lo que es más, las mujeres que consumen sólo una bebida al día pueden tener un mayor riesgo de sufrir al menos cuatro tipos de cáncer: de mama, de hígado, rectal y tracto digestivo superior. Pero esto no significa que no se pueda beber vino tinto en absoluto.

En lugar de apuntar a ocho vasos de vino tinto cada semana, siga estas directrices de los expertos en cáncer.

- Limite el consumo de alcohol a no más de dos bebidas diarias si usted es hombre y una bebida si es mujer. Una bebida equivale a 12 onzas de cerveza (1 vaso), 5 onzas de vino, o 1 1/2 onzas de licor fuerte.

■ Evite el alcohol por completo si tiene hipertensión no controlada, enfermedad hepática, niveles altos de triglicéridos, alto riesgo de cáncer de mama, o problemas anteriores con el alcohol.

■ Pregunte a su médico o farmacéutico si debe limitar o evitar tomar cualquiera de sus medicamentos prescritos o no.

¿Demasiado de algo bueno? 2 suplementos ligados al cáncer de próstata

Parecía una buena idea en ese momento. Tome suplementos de selenio y vitamina E para ayudar a prevenir el cáncer de próstata. Después de todo, los primeros estudios mostraron que estos dos suplementos, especialmente cuando se toman juntos, reducen el riesgo de cáncer de próstata.

Así que un ensayo del Instituto Nacional para el Cáncer probó si 200 microgramos (mcg) de selenio y 400(IU) o 180 miligramos (mg) de vitamina E podrían reducir el riesgo de cáncer de próstata. Los resultados fueron sorprendentes. En los hombres con selenio bajo, tomar selenio extra no hizo ninguna diferencia, pero tomar vitamina E aumentó sus probabilidades de sufrir cáncer de próstata.

Por otro lado, los hombres con altos niveles de selenio no vieron los efectos de tomar vitamina E, pero los suplementos de selenio aumentaron el riesgo de cáncer de próstata en un 91 por ciento. El estudio concluyó que los hombres mayores de 55 años deben evitar obtener más de la cantidad diaria recomendada de selenio (55 mcg) y vitamina E (33 UI o 15 mg) a partir de suplementos.

5 grandes razones por las que debería recargarse de fibra

Su futuro podría ser más brillante - simplemente haciendo un simple cambio en la forma en la que come. Una nueva investigación sugiere que la fibra no sólo combate el cáncer de colon y ayuda a mantenerle regular. Comer más fibra puede ayudar a prevenir al menos cinco tipos de cáncer. Aquí hay algunas cosas que usted probablemente no sabía.

¿Repeler el cáncer mortal de esófago con palomitas de maíz?
¿Quiere una buena razón para elegir palomitas de maíz llenas de fibra en lugar de papas fritas al horno? Según la investigación irlandesa, las personas que consumen más fibra tienen menos riesgo de cáncer de esófago. Los expertos sospechan que el poder de la fibra para ayudar a controlar el peso y mejorar el reflujo gastroesofágico (ERGE) puede ayudar a mantenerlo libre de cáncer.

Vínculo atemorizante entre los granos refinados y el cáncer de riñón. Las personas que comen los granos más refinados aumentan su riesgo de cáncer de riñón con cada bocado. Los granos refinados incluyen alimentos como el pan blanco bajo en fibra y productos horneados. Afortunadamente, las personas que consumen más fibra pueden reducir su riesgo de cáncer de riñón en 15 a 20 por ciento. Productos integrales, legumbres como guisantes, frijoles, lentejas, maní y verduras crucíferas como la col y el brócoli pueden ser protectores particularmente buenos.

Los expertos sugieren que la fibra puede proteger sus riñones reduciendo la cantidad de toxinas que los riñones deben procesar y ayudar a prevenir la obesidad. La fermentación de la fibra en el intestino también genera compuestos que promueven las actividades anti-inflamatorias y anticancerígenas en todo su cuerpo.

Evite el cáncer de próstata con un sándwich de mantequilla de maní. Trate de comer 38 gramos de fibra al día si usted es hombre. Un estudio europeo sobre más de 3.000 hombres demostró que los que comían más fibra tenían menor riesgo de sufrir cáncer de próstata en los próximos 12 años, especialmente si comían mucha fibra insoluble y legumbres. Para algo rápido y delicioso, pruebe la mantequilla de cacahuete natural en tostadas integrales.

Reduzca el riesgo de cáncer de estómago con sólo 10 gramos adicionales de fibra cada día. Este pequeño cambio en su dieta puede reducir sus probabilidades de sufrir cáncer de estómago en un 44 por ciento, informan investigadores chinos. Si agrega más fibra, aumente gradualmente su cantidad diaria con el tiempo, o puede experimentar gases e hinchazón.

Aprenda a amar las frutas, verduras y productos integrales para evadir el cáncer de mama. Una revisión Británica de una investigación encontró que las mujeres que comen más fibra tienen menos riesgo de cáncer de mama que las mujeres que comen menos. Los investigadores sospechan que la fibra puede ayudar a bloquear el cáncer de mama mediante el control de los niveles de estrógeno y azúcar en la sangre. Para mejores resultados, las mujeres deben tratar de consumir 25 gramos de fibra todos los días.

Vegetarianos: un alimento triplica su defensa ontra el cáncer de colon

Volverse vegetariano es una decisión inteligente si quiere reducir el riesgo de sufrir cáncer de colon. Pero añada un poco de pescado a la mezcla y puede reducir su riesgo en un enorme 43 por ciento. ¿Piensa que puede hacerlo aún mejor si se convierte en un vegetariano estricto? Piense otra vez.

Un estudio de siete años de más de 77.000 vegetarianos comparó qué tan bien diferentes tipos de dietas vegetarianas previnieron el cáncer de colon. Los veganos, los vegetarianos más estrictos en el estudio, evitan los huevos, los productos lácteos y todas las carnes incluso la de pescado. Pero en comparación con los consumidores de carne, su riesgo cáncer de colon fue sólo un 16 por ciento más bajo. Los vegetarianos que comían pescado unas pocas veces al mes tenían 43 por ciento menos riesgo que los que comían carne.

Así que si usted es vegetariano, considere comer mariscos ocasionalmente. Usted puede casi triplicar su protección contra el cáncer de colon.

¡Alerta de cáncer! Seis alimentos cotidianos que nunca debe comer

Sus alimentos favoritos podrían estar aumentando su riesgo de cáncer. Si quiere mantenerse saludable, abandonar estos alimentos puede ayudar.

Tomates enlatados: vea lo que se ha metido en ellos. Añada un poco de tomates enlatados a su receta favorita, y puede terminar comiendo parte de la lata. El revestimiento de algunos alimentos enlatados contiene un producto químico llamado bisfenol A (BPA), un compuesto que puede aumentar su riesgo de cáncer de mama o próstata. El BPA puede filtrarse en la comida dentro de la lata. Peor aún, los tomates y otros alimentos ácidos pueden filtrar más BPA de sus latas que otros productos enlatados, y eso puede aumentar los niveles de BPA en su cuerpo. Para evitar este problema, busque tomates envasados en tarros o cartones asépticos.

Palomitas de maíz en microondas: cuidado con la bolsa. El revestimiento de algunas bolsas de palomitas de maíz para microondas contiene un producto químico llamado ácido perfluorooctanoico (PFOA, por sus siglas en inglés). Las temperaturas altas, como las de su microondas, pueden arrastrar el producto químico hacia sus palomitas de maíz. Ya que el PFOA se ha vinculado al cáncer, elimine las palomitas de microondas y coloque un cuarto de taza de palomitas regulares en una bolsa de papel marrón en el microondas en su lugar. Cuando los sonidos de explosión de las palomitas estén separados por unos segundos, después de unos dos minutos, apague el microondas. Deje que la bolsa se enfríe durante varios minutos antes de agregar los condimentos.

Bebidas azucaradas: lo que las etiquetas no le dicen. Cuanto más azúcar tengan las bebidas, mayor el problema en el que se está metiendo. La investigación muestra que los hombres que beben la mayor cantidad de bebidas endulzadas con azúcar (SSB, por sus siglas en inglés) tienen un mayor riesgo de cáncer de próstata. Y las mujeres que beben más SSB tienen 78 por ciento más riesgo de cáncer endometrial que las mujeres que los evitan.

Entre los buenos ejemplos de estas bebidas se incluyen las bebidas de frutas no carbonatadas como ponche de frutas y limonada y cualquier bebida carbonatada con azúcares añadidos como Coca Cola, Pepsi, y 7Up.

La investigación sugiere que usted puede estar más seguro si evita las SSB, así que empiece a experimentar con nuevas y diferentes bebidas no azucaradas. Usted puede sorprenderse completamente de las cosas buenas que se ha estado perdiendo.

Salchichas: guárdelas para el estadio. ¿Quiere reducir su riesgo de cáncer de colon en un 36 por ciento? Comience a dejar las salchichas y otras carnes procesadas para ocasiones especiales en lugar de comerlas a diario. Las carnes procesadas incluyen carne enlatada, tocino, carnes procesadas, salchichas e incluso pepperoni. Los expertos no están seguros de si los nitratos y nitritos en las carnes procesadas aumentan su riesgo de cáncer o si la preservación por el tabaco o la sal es la culpable.

SUSTITÚYALO

Un sustituto del tocino que realmente sabe bien

Tiene un antojo de tocino. Antes de ceder y comprarla, tome algunos consejos del Instituto Americano para la Investigación del Cáncer. Pruebe el condimentado tocino o salchicha vegetariana. Si no le gusta una marca, pruebe otra. Usted también puede encontrar deliciosas salchichas y recetas sin carne en la web.

Pepinillos: detenga un rápido aumento del riesgo. Todo el mundo ama el sabor salado de los pepinillos, pero demasiado no resulta conveniente. La investigación en animales sugiere que una dieta alta en sal puede hacer que su riesgo de cáncer de estómago se dispare si ya está infectado con la bacteria H. pylori -y usted puede infectarse sin saberlo. Alrededor del 50 por ciento de la población mundial está infectada con esta bacteria pero el 90% de esas personas no tienen síntomas.

Incluso si no está infectado, comer grandes cantidades de sal, alimentos salados y alimentos encurtidos puede aumentar el riesgo de cáncer de garganta. Carnes conservadas con humo o sal - como el jamón ahumado - también pueden aumentar los niveles de componentes cancerígenos de su cuerpo. Así que limite la sal, los alimentos salados, los alimentos ahumados y encurtidos, y experimente con condimentos alternativos como hierbas, especias y jugo de limón.

Papas fritas: cuando las buenas papas se vuelven malas.

"¿Quiere papas fritas para acompañar su plato?" El decir que no va a salvar un poco de dinero, y podría salvar su vida.

Cocinar papas a temperaturas superiores a 250 grados puede crear acrilamidas, compuestos que pueden aumentar su riesgo de cáncer. Las papas fritas y papas a la francesa son fuentes notorias de estos compuestos.

Hervir o cocer las papas al vapor no crea acrilamidas, pero freírlas, tostarlas y asarlas sí lo hace. Cuando cocine papas en casa, cocínelas hasta obtener un amarillo dorado, no un marrón oscuro. Y si tiene que freír papas, remójelas en agua fría durante 20 minutos primero, luego séquelas.

¡Tomates, háganse a un lado! Otro vegetal que reduce el riesgo de cáncer de próstata

Comer tres zanahorias le da suficiente energía para caminar tres millas, informó el Museo Mundial de la Zanahoria. Ahora los científicos chinos dicen que estas verduras dulces también pueden proteger contra el cáncer de próstata.

¿Bugs Bunny, el conejo sabe algo que nosotros no? Los científicos de la Universidad de Zhejiang realizaron una investigación especial sobre estudios de todo el mundo. Encontraron que los hombres que comen zanahorias al menos tres veces por semana reducen su riesgo de cáncer de próstata en casi 20 por ciento. Los científicos chinos no pueden precisar aún cuáles son los nutrientes presentes en la zanahoria que ayudan a prevenir el cáncer, por lo que su mejor apuesta es comer zanahorias en lugar de tomar suplementos.

Otros estudios demuestran que la zanahoria puede ayudar a reducir sus probabilidades de desarrollar cáncer de pulmón y cáncer de colon.

Beta caroteno vs. ¿zanahorias? Alimentos enteros ganan contra el cáncer (otra vez)

Tome su suplemento de beta caroteno, y se puede perder de los otros combatientes del cáncer ocultos en la zanahoria. Por ejemplo, los científicos dicen que el nutriente de la zanahoria -falcarinol- puede tener propiedades contra el cáncer, pero probablemente no obtendrá falcarinol de los suplementos de beta caroteno. Pero el falcarinol no es la única razón para elegir las zanahorias sobre los suplementos.

- Un estudio de más de 29,000 fumadores encontró que los hombres que tomaron suplementos de beta caroteno tenían una tasa más alta de cáncer de pulmón que los hombres que no lo hicieron.

- Los expertos sugieren los beneficios para la salud de los alimentos no pueden provenir de un solo nutriente como el beta caroteno. En su lugar, el beta caroteno puede necesitar ayuda de otros nutrientes presentes en la zanahoria antes de que pueda tener efectos positivos en su salud.

- Puede que no esté tan bajo en beta caroteno como cree. Gracias a la investigación realizada por la USDA, las zanahorias actuales le dan un 75 por ciento más de beta caroteno que las zanahorias de hace 25 años.

Cómo conseguir la protección 24-horas con unas pocas zanahorias a la semana. Para comer como los hombres en los estudios chinos, trate de consumir al menos tres raciones de zanahorias semanales. El Departamento de Agricultura de los Estados Unidos dice que una porción de zanahorias es igual a una zanahoria de tamaño medio o media taza de zanahoria cortada. Pero comer más zanahorias puede ser más fácil de lo que usted piensa -cómalas crudas, cocidas, o incluso en jugo. Pruebe estas ideas inteligentes.

- Añada ruedas de zanahoria cocida o zanahoria rallada a las salsas preparadas para pastas, sopas, salteados y guisos.

- Mezcle 3/4 de taza de zanahorias ralladas en una libra de carne molida cuando haga hamburguesas.

- Incluya zanahorias ralladas o trituradas en muffins y pasteles. Para rallarlas más rápido que nunca, use un rallador de queso.

- Disfrute de zanahorias crudas en ensaladas, wraps y batidos.

- Añada zanahorias para endulzar jugos vegetales caseros que de otro modo, serían demasiado amargos o insípidos.

Resfriados y gripe

Póngale fin a su sufrimiento con alimentos cotidianos

3 sopas sabrosas que eliminan los resfriados

La sopa de pollo es buena para el alma - y un resfriado. Solo asegúrese de que utiliza los muslos para obtener el mayor beneficio contra el resfriado. Están cargados con zinc, un antibiótico natural que ayuda a combatir las infecciones.

El zinc actúa interactuando con una proteína en las células que combaten las infecciones. Esta acción luego bloquea la inflamación y aumenta su sistema inmunológico. Es por eso que algunos expertos creen que las pastillas de zinc pueden ayudarle en la lucha contra un virus durante los primeros signos de un resfriado.

Usted puede obtener zinc de otros alimentos además de los muslos de pollo. Pruebe estas sabrosas sopas y estofados para recuperarse rápidamente de un resfriado o gripe.

Combata las infecciones con ostras. Pueden parecer viscosas cuando están crudas, pero póngalas en una olla con chalotes, apio picado, crema espesa y sus hierbas y especias favoritas, y usted tendrá una deliciosa exquisitez rebosante de minerales que combaten el resfriado. Las ostras contienen más zinc que cualquier otro alimento en el mundo, unos sorprendentes 74 miligramos por porción. Eso es más de 10 veces más que el contenido de otros alimentos ricos en zinc como la carne de res y el cangrejo.

Energice su sistema inmune con carne de res. La carne es otra gran fuente de zinc, especialmente el lomo asado. Corte una espaldilla en dos trozos de 2 pulgadas, y póngalos en una olla holandesa con aceite de oliva, zanahorias, cebollas, papas y caldo de res. Añada hongos shiitake para un beneficio extra. Estos champiñones con sabor ahumado estimulan los sistemas inmunes lentos.

Tome un cangrejo para ahuyentar los resfriados. Es como invitar a la realeza. El cangrejo rey de Alaska proporciona una dosis abundante de zinc y resulta en un majestuoso plato de sopa. Mezcle la carne de cangrejo en una olla con papas, crema de maíz y cebollas, con sal y pimienta al gusto.

¿Se siente horrible? Respire más fácilmente con los probióticos

¿Y si pudiera tener un ejército de miles de millones luchando durante su próxima infección respiratoria aguda (IRA)? Es posible- con probióticos, según demuestra un estudio publicado en la Revista Británica de Nutrición.

Las bacterias Lactobacillus rhamnosus (LGG) y Bifidobacterium animalis (BB-12) acortaron la duración de las IRA por dos días y disminuyeron la severidad de las infecciones en un 34 por ciento. Los suplementos utilizados en el estudio fueron polvos que podían formar bacterias por billones. Los científicos creen que estas bacterias funcionan reduciendo la inflamación asociada con las IRA

¿Quiere probar? Esto es lo que debe buscar. Puede encontrar Lactobacillus rhamnosus (LGG) en productos como las bebidas de yogur en todo el mundo, pero en los EE.UU., se encuentra principalmente en suplementos. Lea cuidadosamente las etiquetas.

Y la Bifidobacterium animalis (BB-12) se encuentra tanto en yogures como en suplementos. Busque las palabras B. animalis, B. lactis, o B. regularis en las etiquetas.

Combos de alimentos que frenan y luchan contra el estrés

¿Alguna vez se ha preguntado por qué se enferma más rápido cuando está estresado? Es sencillo. Cuanto más estresado esté, más débil es su sistema inmune. Y es más probable que usted coja un resfriado. Así que no deje que el estrés lo carcoma - ¡acabe usted con su estrés en lugar de eso!

Vea desaparecer su estrés con vitamina C. La vitamina C hace más que ayudarle a combatir los resfriados. Esta súper vitamina proporciona una saludable dosis de alivio del estrés, muestra un estudio de Alemania. En el estudio, las personas que tomaron 1,000 miligramos tuvieron niveles menores de cortisol, la hormona del estrés, no experimentaron hipertensión arterial durante un angustiante ejercicio de hablar en público.

Los expertos dicen que la gente con altos niveles de vitamina C en la sangre manejan mejor el estrés mental y físico que las personas con menor vitamina C. También se recuperan más rápido de situaciones estresantes.

Un vaso de jugo de uva al día podría reducir el estrés y la inflamación y ayudarle a ¡vivir más tiempo! Los expertos dicen que se debe a los poderosos antioxidantes en el jugo de uva llamados polifenoles. Además, usted puede comprar jugo de uva fortificado con vitamina C, para que también pueda beber y combatir resfriados.

Dele más apoyo a su sistema inmunológico con yogur. Los probióticos reemplazan las bacterias malas en su estómago con bacterias buenas. Y estos poderosos organismos alimentan las defensas de su cuerpo contra el resfriado.

En la investigación preliminar, los probióticos acortaron la duración de los resfriados y redujeron el número de resfriados y gripe. Los expertos dicen que debe hacerse más investigación, pero ciertamente no le haría daño comer alimentos cargados de probióticos - yogures con cultivos vivos y activos, y kéfir, un ácido y refrescante bebida de yogur.

Tome unos bocadillos para el camino hacia menos resfriados y menos estrés. Una gran manera de obtener vitamina C y probióticos es mediante la combinación de frutas y verduras altas en vitamina C con yogur o kéfir. Pruebe estas deliciosas combinaciones de alimentos para reducir los químicos del estrés en su cuerpo y luchar contra los resfriados.

- Mezcle sus hierbas favoritas y especias en una taza de yogur puro. O use 1 cucharadita de salsa Worcestershire y un paquete de mezcla de sopa de cebolla para hacer un aderezo vegetal picante- Disfrute con rebanadas de pimiento verde y amarillo.

- Coloque capas de kiwi en rodajas, melocotones y piña entre porciones de yogur natural o de vainilla para hacer deliciosos postres helados. Rocíe con miel.

- Para un batido súper sencillo, mezcle fresas congeladas en una licuadora con kéfir.

Los mejores y peores alimentos para una nariz congestionada

Usted está en la agonía de un resfriado terrible y está comenzando a preguntarse si alguna vez respirará por la nariz otra vez. Sí, lo hará, pero primero necesita saber cuáles son los alimentos que pueden ayudarle a aclarar su congestión, o le ponen peor. Siga estos sencillos consejos para un alivio relajante.

Tres alimentos que limpian sus senos paranasales. Cuando la nariz está congestionada, vaya por estos tres alimentos.

- Beba mucha agua para lubricar los conductos nasales y mantenerse hidratado ¿Quiere algo con sabor? Vaya por jugos de fruta.

- Coma sopa de pollo. El vapor caliente de la sopa y los ingredientes antiinflamatorios pueden ayudarle a despejar la congestión. O tome una bebida caliente como el té con miel y limón.

- Meriende con chiles. La capsaicina, un compuesto químico que hace que los pimientos sean picantes, es un descongestionante natural.

Alimentos que empeoran la nariz congestionada. Su cuerpo y algunos de los alimentos que usted come contienen sustancias naturales llamadas histaminas.

Si usted tiene una sensibilidad a los alimentos ricos en histaminas, comerlos podría empeorar su congestión. Evitar estos tres alimentos puede ayudar.

- Boicotee las bebidas alcohólicas, especialmente la cerveza y el vino tinto.

- No coma pescado ahumado como el arenque y las sardinas, y manténgase alejado de los mariscos.

- Olvídese de la comida fermentada como queso azul y parmesano, las carnes ahumadas y el chucrut.

5 tés para ayudarle a sentirse mejor rápido

Arme una fiesta de té cuando se sienta por el suelo a causa de un resfriado o gripe. Una taza caliente pone a tope su sistema inmunológico, calma una garganta irritada y revive su espíritu. Vaya por uno de estos.

Respire más fácilmente con menta. Este té refrescante descompone el moco y le ayuda a respirar más fácilmente. Los expertos dicen que es el mentol en la menta el que actúa como un descongestionante natural. También hace más delgado el moco y afloja la flema. Como un bono adicional, es calmante y sabroso. Compre bolsas de té de menta o dos o tres tallos de hojas de menta fresca.

Pruebe el jengibre - especia tropical no sólo para los estómagos trastornados. Puede pensar en el jengibre como un domador de estómagos. Pero esta planta picante está llena de químicos naturales que ayudan a combatir los virus del resfriado. Haga su propio té fresco de jengibre vertiendo el agua hirviendo sobre 2 cucharadas de raíz de jengibre rallada. Remoje durante 10 a 15 minutos y luego cuele. Añada limón y miel.

Acelere su sistema inmunológico con camomila. Esta suave y agradable se llama "manzanilla", es decir, "manzana pequeña". Es ese aroma suave y afrutado que hace que la manzanilla sea dulce para beber durante un resfriado, pero es el contenido de antioxidantes de la hierba lo que le confiere sus características que combaten los resfriados.

La manzanilla contiene compuestos antibacterianos llamados fenoles. Los fenoles aceleran el sistema inmunológico y combaten las infecciones asociadas con los resfriados. Prepare una olla de té con bolsas o flores secas de manzanilla. Dado que es una hierba, la manzanilla no contiene cafeína.

Piense "verde" para combatir los gérmenes. Poderosos antioxidantes hacen del té verde un súper héroe en la lucha contra los gérmenes. Beber té verde durante todo el día alimenta su sistema inmunológico gracias a sus polifenoles, dicen los expertos. De cinco a seis tazas al día pueden eliminar virus y bacterias dañinas. Solo tenga en cuenta cuánta cafeína está bebiendo. Puede cambiar a té verde descafeinado después del almuerzo, pero tenga en cuenta que contiene menos antioxidantes.

Remoje el té verde durante unos 3 minutos como máximo para liberar la más alta cantidad de antioxidantes. Y exprima jugo de limón en su taza - la acidez aumenta los beneficios.

Siéntese y relájese con la especia que alivia los dolores y un poco de miel. Este simple té es una especia y la miel la potencia con sus ingredientes antiinflamatorios y analgésicos. Y todo lo que necesita está en su despensa. Mezcle un clavo de olor con 1/8 de cucharadita de jengibre en polvo, 1/8 de cucharadita de canela, 1 cucharada de miel y 2 tazas de agua invierno. Deje reposar durante unos minutos y sorbe lentamente durante el día.

6 hierbas curativas que le ayudan a combatir infecciones

Hierba promotora de salud	Qué hace para ayudar a combatir resfriadoes y gripe
Astrágalo	Acelera su sistema inmunológico para que sea capaz de combatir las imfecciones.
Equinácea	Alivia los síntomas del resfriado y acorta el número de días que dura.
Baya del saúco	Limpia los senos paranasales congestionados, aumenta la inmunidad y hace que los resfriados duren menus tiempo.
Ginseng (Americano)	Evita los resfriados, mantiene los síntamos moestos al mínimo, y acorta su duración.
Sello de Oro	Lucha contra las infecciones combatiendo las bacterias y los virus y ayuda a mantener las membranas mucosas húmedas.
Tomillo	Protege contra infecciones y estimula su sistema inmunológico.

Ajo: la hierba correcta para acabar con un resfriado

"El ajo es divino", dice el chef de Nueva York Anthony Bourdain. Y los científicos están de acuerdo con el popular autor y personalidad de la T.V. Los poderes curativos del ajo lo hacen nada menos que un hacedor de milagros.

El uso medicinal del ajo se remonta a tiempos antiguos cuando los griegos lo utilizaron para tratar parásitos intestinales, los chinos para la depresión, y los sacerdotes indios para el reumatismo y las hemorroides.

Hoy en día, los expertos sugieren comer ajo para derrotar los resfriados y la gripe. Los estudios demuestran que las personas que tomaron suplementos de ajo eran menos propensas a contagiarse de un resfriado o lo resistieron mejor que los que recibieron un placebo. Y las culturas de todo el mundo utilizan preparados con ajo para combatir la gripe.

¿Le encanta el ajo pero no puede soportar la idea de pelarlo?Pruebe este simple truco. Aplaste una cabeza de ajo con la palma de su mano. Ponga los dientes de ajo en una vasija de metal. Coloque una segunda vasija invertida sobre el primero como una tapa. Agite fuertemente durante 10 segundos, y voilà - ajo pelado.

Los investigadores dicen que los súper poderes del ajo provienen de una sustancia llamada alicina. La alicina actúa como un anti-viral natural, antibacteriano y fármaco anti fúngico. La mejor manera de aprovechar los poderes curativos de la alicina es comer ajo crudo. En primer lugar corte o aplaste el ajo, y luego déjelo expuesto al aire por unos minutos.

Pero si la idea de comer ajo crudo hace que sus ojos lloren, trate de meterlo en sus platos favoritos.

- Corte tomates, una cebolla, cilantro fresco y ajo para un sabroso lote de salsa casera.

- Combine el ajo picado con sal gruesa, vinagre de vino tinto, aceite de oliva y pimienta negra para un aderezo de ensalada.

- Mezcle una barra y media de mantequilla ablandada en un procesador de alimentos con cuatro dientes de ajo picado hasta que quede suave. Añada sal y pimienta al gusto. Extienda su mantequilla de ajo casera sobre tostadas, espárragos o puré de papas.

- Haga su propio pesto combinando albahaca fresca, ajo picado y piñones en un procesador de alimentos. Añada aceite de oliva, sal y pimienta al gusto. Vierta sobre pasta, arroz integral o verduras salteadas.

- Sumérjase en el humus casero poniendo garbanzos, tahini, jugo de limón, aceite de oliva, ajo fresco, sal y pimienta de cayena en un procesador de alimentos hasta que quede suave.

Otra manera de comer el ajo crudo es lanzarlo en la sopa o en la salsa de espagueti al final del proceso de cocción. No querrá cocinar el ajo, o perderá su potencia.

Encienda su sistema inmunológico con selenio

¿Su sistema inmunológico necesita una recarga? Trate de comer atún enlatado, granos enteros, o unas cuantas nueces del Brasil. Estos alimentos están cargados con selenio, un mineral que ayuda a su sistema inmunológico a saltar a la acción.

El selenio es como un jugador multifacético en el béisbol. El micronutriente esencial desempeña un papel en todo, desde reducir la inflamación y mantener su tiroides sana para defenderse del cáncer hasta reducir el riesgo de enfermedades del corazón.

Los expertos dicen que el selenio actúa como un antioxidante, recargando sus células para esparcir y defender su cuerpo contra ataques de invasiones de gérmenes. Pero los investigadores también dicen que demasiado selenio obtenido de suplementos puede evitar que las células hagan su trabajo.

Obtener selenio de alimentos saludables como nueces mixtas, clara de huevos, y pechuga de pavo ofrece una buena dosis de selenio sin el riesgo.

Fatiga

Mejores comidas para tener energía todo el día

Ponga en marcha su nivel de energía

Desayuno. Almuerzo. Cena. Repetir. Es la misma rutina diaria una y otra vez. Pero si usted lucha con la fatiga, es hora de hacer un cambio en sus hábitos alimenticios. Este es el por qué.

Comer tres comidas grandes al día consume su energía, porque su tracto digestivo tarda más en digerirlas. Picar comidas más ligeras y bocadillos un poco más pesados mantiene su nivel de azúcar en la sangre constante y sus niveles de energía estables durante todo el día.

La mejor razón para no omitir el desayuno. ¿Sabe usted que antes de irse de viaje debe llenar su tanque de gasolina? El desayuno es como ese primer tanque de gasolina que le pone en marcha y le mantiene en marcha durante todo el día. Además, desayunar a diario combate el aumento de peso y disminuye su riesgo de enfermedades crónicas como la diabetes.

Idealmente, usted debe combinar la proteína magra con alimentos integrales o llenos de fibra y una grasa saludable.

Pruebe un huevo duro con un par de rebanadas de aguacate (palta) en tostadas de trigo integral. O una tortilla de clara de huevo hecha con frijoles negros y cebollas cocidas en un poco de aceite de oliva o canola.

Los alimentos ricos en fibra liberan carbohidratos en su torrente sanguíneo gradualmente, alimentando su cuerpo con un flujo equilibrado de energía.

Un poco de fruta en la mañana como manzanas picadas y nueces sobre un poco de avena también ofrece una buena mezcla de proteínas, fibra y grasas saludables.

No hay forma más inteligente de sentirse energizado. Piense en el almuerzo y la cena como mini comidas para alimentar su cuerpo. Agregue bocadillos nutritivos mezclados con proteínas, carbohidratos y grasas, y usted tendrá una receta para la energía de todo el día.

"Las comidas que son pesadas", dice la Dra. Roberta Anding, Dietista Clínica y Directora de Nutrición Deportiva en el Hospital Infantil de Texas, "incluir alimentos grasos y alimentos con una alta carga glucémica puede a menudo contribuir a la fatiga. "Los alimentos de alto índice glucémico crean picos de azúcar en la sangre de manera rápida y después bajan los niveles."

"El consumo de proteínas magras", dice la Dra. Anding, "y carbohidratos de calidad tales como arroz integral, camote (batata), quínoa, frijoles, panes y galletas 100% integrales puede ayudar a mantener la energía."

Pruebe el salmón con espárragos asados y un roll integral, pechuga de pollo horneada con ensalada y quínoa, o una pequeña porción de lomito con judías verdes salteadas y camote (batata) horneada.

Para los bocadillos, "evitar los alimentos azucarados como galletas, caramelos, donas, tortas y pasteles también puede ser útil", dice la Dra. Anding.

Opte por un plátano con mantequilla de maní, una pera con yogur y semillas de girasol, o un parfait de yogur con bayas y granola integral.

Una bebida que pone su nivel de energía en marcha. No, no es una Coca-Cola o un Red Bull o un jugo exótico drenado de una planta de la cual usted nunca ha oído hablar. El elixir mágico de la energía es el agua - la mejor manera de evitar la deshidratación, una causa común de fatiga. Aún más, el agua bombea los nutrientes que aumentan la energía en todo el cuerpo.

Y el agua de las frutas y verduras como melones y pepinos también cuenta. Sólo asegúrese de que está recibiendo un flujo constante durante todo el día.

Recupere su energía con unprobiótico especial

Hay esperanza si usted es uno de los más de 2 millones de personas en los Estados Unidos con síndrome de fatiga crónica. Una cepa probiótica puede calmar la inflamación asociada con esta enfermedad debilitante, renombrada como Enfermedad Sistémica de Intolerancia al Esfuerzo o SEID (por sus siglas en inglés) por el Instituto de Medicina en 2015.

Un equipo de investigación irlandés probó el *Bifidobacterium Infantis* (*B. infantis*) 35624 en personas con colitis ulcerosa, psoriasis y fatiga crónica - todas las enfermedades inflamatorias. El potente probiótico disminuyó los biomarcadores sanguíneos de inflamación en las tres enfermedades.

Los científicos han sabido por años que los probióticos protegen su tracto digestivo y respiratorio. Pero estaban sorprendidos de encontrar que estas bacterias amistosas con el intestino, también combaten la inflamación en el resto del cuerpo.

No encontrará *B. infantis* en su yogur favorito. Sólo se puede obtener de suplementos. Revise las etiquetas antes de comprar uno.

¡Deshidratación mortal! ¿Está bebiendo suficiente?

El agua es la bebida número uno en América - y con razón. Esta disponible en todas partes desde su fregadero hasta su restaurante favorito.

¿Se siente un poco perezoso? Aproveche el poder curativo puro y simple del agua para luchar contra la fatiga. Sin agua, su cuerpo puede deshidratarse, asfixiando sus niveles de energía y evitando que usted se desempeñe mejor cuando está físicamente activo. La deshidratación puede incluso hacerle sentir agotado cuando está haciendo tareas sencillas.

Lamentablemente, a medida que envejece, usted puede volverse menos sensible a la sed, así que necesita tener cuidados extra acerca de permanecer hidratado. Es por ello que usted necesita saber cuáles son las señales de advertencia de la deshidratación, ya que la sed no siempre es la mejor guía. Ignorar estos signos puede ser mortal. Síntomas como boca y piel secas, dolor de cabeza, menos orina y mareos indican que usted va camino a la deshidratación. Añada a esto sed, pulso rápido, respiración agitada y poca o ninguna orina y tendrá una emergencia médica. Es mejor asegurarse de tomar agua durante todo el día. Es fácil. Comience tan pronto como se levante de su cama.

> No tiene que beber agua para obtener los fluidos que necesita para una energía diaria óptima. Tome una de estas deliciosas frutas o vegetales. Más del 90 por ciento de su peso es agua -col, pomelo, espinaca, brócoli, melón, apio, pepino, pimientos dulces, rábanos, fresas, tomates, calabacín, coliflor, lechuga iceberg y sandía.

Cada mañana primero que nada beba agua. ¿Alguna vez le ha pasado que se despierta en la mañana con la boca seca? Eso es porque dormir siete u ocho horas seguidas puede secarle. Comience su día con un vaso grande de agua, una excelente manera de esquivar la deshidratación por completo.

Cómo ponerle sabor a su H2O. Acéptelo - el agua corriente es simplemente aburrida. Pero usted puede animarse con un toque de limón o lima, o un poco de jugo de fruta. O tome agua gasificada con sabor un par de veces al día para romper la rutina.

Una manera fácil de cerciorarse de que está bebiendo suficiente. Trace una meta de llenar una jarra con la cantidad de agua que necesita en un día, luego póngale el ritmo usted mismo - es una garantía para mantenerse hidratado y sentirse enérgico.

Entonces, ¿cuánta agua debe verter en esa jarra? Probablemente haya escuchado esta recomendación antes - beba ocho vasos de agua al día. Pero si consumir ocho vasos completos de agua al día le parece un poco o le parece un poco excesivo, puede que tenga razón. No todos los expertos están de acuerdo. Algunos dicen que no tienen que ser ocho vasos y otros dicen que ni siquiera tiene que ser agua.

Los hombres deben tratar de beber alrededor de 15 tazas y las mujeres alrededor de 11 tazas de fluidos provenientes de alimentos, agua y otras bebidas, sugiere el Instituto de Medicina. Y mientras los científicos coinciden en que el agua sigue siendo su mejor opción para la hidratación, aquí está una lista de alternativas que podría disfrutar.

■ Tómese una bebida deportiva después de una actividad física intensa como correr durante una hora o jugar un extenuante partido de tenis. Las bebidas deportivas sustituyen a los electrolitos que usted pierde al sudar y le da algunos carbohidratos que producen energía.

■ Beba jugos de frutas que no contengan azúcar añadido. Pero hágalo con cuidado. Los jugos de frutas contienen un montón de azúcares naturales que pueden sumarse como calorías vacías.

■ Sorba agua de coco. Este delicioso líquido que se encuentra dentro de los cocos verdes es bajo en azúcar y calorías en comparación con otros jugos de frutas. Algunos expertos dicen que los electrolitos hacen que el agua de coco sea comparable a las bebidas deportivas. Pero otra investigación dice que no es mejor que el agua. De cualquier manera, si quiere descansar del agua, un vaso de agua de coco puede ser justo lo que necesita.

■ Disfrute de una taza de té negro. Hidratará su cuerpo tanto como el agua lo hace, sugiere un pequeño estudio publicado en la *Revista Británica de Nutrición*. El té verde también ayuda.

■ Apague su sed con café. La mayoría de la gente piensa en el café como diurético. Pero el café mantiene a los bebedores regulares hidratados de forma similar a como lo hace el agua, según demuestra un estudio británico. Pero no se sirva una taza de café todavía. El pequeño estudio fue hecho en hombres que ya bebían entre tres y seis tazas al día. Así que si no es un bebedor regular de café, su cuerpo puede reaccionar de manera diferente, y una taza de café puede no ser un buen sustituto del agua.

Bebidas energéticas y barras alimenticias: No se deje engañar por la publicidad

Los fabricantes los comercializan como formas seguras y rápidas de obtener una solución energética. Pero ¿son los ingredientes todo lo que se nos ha hecho creer? Los expertos dicen que no. Este es el por qué.

- Están sobrecargados de cafeína - lo suficiente para poner nervioso al mismo café.

- Están llenos de azúcar, aproximadamente 12 cucharaditas en una lata de 16 onzas. Eso es suficiente para aumentar el nivel de azúcar en la sangre antes de que comience a desplomarse.

- Están llenos de ingredientes exóticos - la mayoría de los cuales no están regulados por la Ley de Administración de Fármacos.

Y no son sólo bebidas energéticas. La mayoría de las barras energéticas son nada más que barras de caramelo con proteína y azúcar añadidos, además de vitaminas y minerales que ya obtiene de una dieta saludable. Aún más inquietante, la mayoría de las barras energéticas son endulzadas con jarabe de arroz integral orgánico. Los investigadores en Dartmouth College descubrieron que este edulcorante contiene concentraciones elevadas de arsénico.

¿Conclusión? No compre por la publicidad.

Refuerce la vitamina B12 para una energía ilimitada

Aproveche las almejas, cangrejos y mejillones si vive cerca del mar. Están llenos de vitamina B12, un nutriente que necesita para combatir la fatiga.

La vitamina B12 podría ganar un premio al jugador más valioso por todas las maneras en que le ayuda a permanecer saludable.

Mantiene los nervios y las células sanguíneas fuertes, ayuda a fabricar ADN y previene la anemia megaloblástica o por deficiencia de vitaminas.

¿Cansado y débil? Muy poca vitamina B12 es una causa oculta de la fatiga. Una deficiencia puede desencadenar otros síntomas como confusión, depresión, problemas de memoria, entumecimiento y hormigueo en sus manos y pies.

Aquí hay cuatro razones por las que los niveles de vitamina B12 pueden estar disminuyendo.

La edad consume la vitamina B12. Los ácidos en su estómago separan la vitamina B12 de la comida mientras usted come. Entonces la vitamina se une a una proteína fabricada por el estómago llamada factor intrínseco, que le ayuda a absorber la vitamina B12. Pero a medida que envejece, produce menos ácido estomacal y factor intrínseco, por lo que es difícil para su cuerpo absorber la vitamina B12 que necesita.

> ¿Tiene más de 51 años? Obtenga su vitamina B12 de los cereales o suplementos fortificados, recomienda el Instituto de Medicina. Algunas opciones de suplementos incluyen píldoras regulares, píldoras que se disuelven bajo su lengua, y aerosoles nasales. Las inyecciones son mejores si usted tiene una deficiencia severa, ya que la vitamina no necesita atravesar su tracto digestivo para ser absorbida.

Su botiquín de medicinas podría ser el problema. Personas que han usado bloqueadores de ácido como Prilosec y Prevacid, y pastillas para tratar úlceras pépticas como Zantac, pueden tener problemas para absorber vitamina B12. Así como las personas que toman metformina, un fármaco para la diabetes tipo 2.

Las dietas vegetarianas se quedan cortas. Su cuerpo necesita vitamina B12 de fuentes animales. El cuerpo humano no puede utilizar la forma de Vitamina B12 que proviene de las plantas, según demuestra un estudio publicado en la Revista de Química Agrícola y Alimentaria. Esto pone a los veganos y vegetarianos en un alto riesgo de desarrollar una deficiencia.

Las enfermedades crónicas destruyen la vitamina B12. Los trastornos digestivos que interfieren con la absorción como la enfermedad de Crohn y la enfermedad celíaca conducen a la deficiencia de vitamina B12.

Y una enfermedad autoinmune llamada anemia perniciosa, en la que su cuerpo no puede fabricar el factor intrínseco, bloqueando su capacidad para absorber vitamina B12.

Si recuerda los días en que tenía una energía ilimitada, puede recuperarla. Junto con los mariscos, acuda a estos fabulosos alimentos -salmón, trucha, pez roca, eglefino, y atún.

O si usted es un amante de la carne, el hígado, carne de res, incluso una hamburguesa con queso o un taco de carne de res harán el trabajo. Igual lo harán platos bajos en grasa tales como pavo y pollo, así como cereales fortificados y yogur natural.

> No comience a tomar suplementos de vitamina B12 sólo porquete se siente cansado. No hay evidencia de que la vitamina B12 impulsará su energía o rendimiento físico a menos que tenga una deficiencia real. Su médico puede determinar si la tiene.

3 poderosos minerales para poner más energía en sus pasos

¿Quiere sentirse vigorizado todo el día, todos los días? Compruebe lo que estos tres increíbles minerales pueden hacer por usted.

Cómo el zinc socava la fatiga. Usted puede sentirse joven mientras viva. Sólo asegúrese de que está obteniendo suficiente zinc de su dieta. Este importante mineral ayuda a mejorar su sistema inmunológico y a fabricar la hormona tiroides. Además, el zinc recarga su nivel de energía. Sin suficiente zinc, sus músculos pierden fuerza y se cansan rápidamente, y su energía desaparece durante la actividad física. El zinc ayuda a eliminar el dióxido de carbono de su cuerpo cuando está activo, dicen los investigadores. Esto evita que sus músculos se cansen y aumenta su energía.

Vuélvase hacia el mar para obtener alimentos con gran contenido de zinc como ostras, cangrejo, y langosta. O si le gusta la carne, consuma carne de res, chuletas de cerdo, o la carne oscura del pollo.

¿Puede el hierro acelerar su energía? No se puede bombear hierro sin hierro -o hacer mucho más al respecto. El hierro es como un camión de reparto, transportando el oxígeno de sus pulmones al resto de su cuerpo. Si no hay suficiente hierro, sus células comienzan a sofocarse, dejándole sin energía por el resto del día.

Los expertos dicen que la gente tiene dificultades para absorber hierro, por lo que sugieren obtenerlo de fuentes animales como carne, pescado y aves de corral. El hierro de estas fuentes es más fácil de absorber que el hierro de las plantas como legumbres y espinacas. Pero una manera en la que usted puede aumentar su absorción de hierro es comerlas junto con alimentos ricos en vitamina C como los cítricos y los pimientos rojos dulces.

Y recuerde, obtener hierro de los alimentos es más seguro que tomar suplementos. Los suplementos de hierro aumentan el riesgo de muerte en mujeres de edad avanzada, sugiere el Estudio de Salud de las Mujeres (*Women's Health Study*) de Iowa. Siempre verifique con su médico antes de tomar un suplemento de hierro.

Magnesio - por qué lo necesita para encender su ritmo. Ponga su nivel de actividad a toda velocidad con frijoles, granos integrales, nueces y vegetales de hoja verde - alimentos cargados con magnesio. Este magnífico mineral aumenta su capacidad para realizar actividades físicas como caminar, sugiere un estudio italiano en mujeres ancianas. Su cuerpo utiliza el magnesio en más de 300 reacciones bioquímicas dentro de sus células, activando todo, desde la energía física hasta la función cerebral saludable.

Mejore su desayuno con poderosos alimentos combinados

Zinc: huevos, leche, yogur, queso cheddar, cereal fortificado, granos horneados

Hierro: jamón, pavo, espinaca, fresas, jarabe de arce

Magnesio: nueces, pasas, frijoles negros, aguacate, productos integrales

Para asegurarse de que está obteniendo mucho zinc, hierro y magnesio cada mañana, consuma un alimento de cada una de las categorías.

Qué comer para mantener la tiroides bajo control

Su médico dice que es su tiroides. ¿Ahora qué? No hay necesidad de entrar en pánico si su fatiga es causada por una tiroides hipoactiva o hiperactiva. La mayoría de los médicos le enviarán a casa con una receta para poner su tiroides a trabajar de nuevo y controlarán sus hormonas tiroideas con análisis de sangre regulares. Pero un cambio en la dieta puede ser preciso también. Esto es lo que debe comer para mantener una tiroides sana.

- Plato principal - prefiera el pescado, el pollo y el pavo. El pescado tiene yodo y tanto el pollo como el pavo tienen tirosina, nutrientes que su tiroides necesita para bombear la cantidad correcta de hormonas.

- Guarnición - cocine un poco de calabaza, legumbres, granos integrales, frijoles de lima, pimientos y verduras de mar como algas para obtener nutrientes que ayudan a la tiroides además de antioxidantes. Los antioxidantes ayudan a mantener a raya los problemas de la tiroides.

- Meriendas - consuma almendras para obtener tirosina, nueces y semillas para obtener magnesio, las nueces del Brasil para el selenio y las cerezas y arándanos para los antioxidantes.

Siempre es mejor obtener nutrientes de los alimentos en lugar de suplementos. Pero a veces puede obtener demasiado yodo y selenio a partir de su dieta, y eso es tan perjudicial como obtener demasiado poco. La moderación es la clave. Por ejemplo, una o dos nueces del Brasil por día son todo lo que necesita para obtener su dosis completa de selenio.

Trastornos gastrointestinales

Golosinas que tranquilizan y reconfortan

Cure 3 problemas gastrointestinales comunes con probióticos

Está acostumbrado a pensar que las bacterias son malas, causando enfermedades como la faringitis estreptocócica, la neumonía y la intoxicación por salmonella. Pero algunas son más como superhéroes luchando por el lado del bien, manteniendo su sistema digestivo, sistema inmunológico, e incluso su cerebro sanos.

Estas bacterias y levaduras beneficiosas se llaman probióticos - y son las maravillas de la salud del siglo XXI. Los alimentos y suplementos que contienen probióticos pueden ayudarle a mantener su regularidad intestinal al controlar la constipación y la diarrea, ¡además de los síntomas del síndrome del intestino irritable!

Desaparezca el estreñimiento sin laxantes. Tanto como una de siete personas luchan con misteriosos episodios de estreñimiento sin ninguna causa obvia. Los suplementos de fibra, laxantes y ablandadores de heces no siempre ayudan, pero los probióticos podrían hacerlo.

El estreñimiento parece cambiar la composición de los organismos que viven en su intestino, reduciendo la cantidad de *Bifidobacterium* beneficiosos y bacterias de *Lactobacillus* y aumentando el número de organismos causantes de enfermedades, incluyendo la *Escherichia (E.) coli* y el *Staphylococcus aureus*. Los probióticos pueden ayudar añadiendo bacterias beneficiosas a la mezcla. Los científicos piensan que estos bichitos buenos proporcionan compuestos que:

- ayudan a mover las heces a través de sus intestinos.
- le hacen más sensible a la necesidad de defecar.

Estas teorías están respaldadas por los resultados de 16 estudios involucrando a más de 1.000 personas de todo el mundo. Los probióticos, especialmente los que contienen la bacteria *Bifidobacterium*, *(B.) lactis*, ayudaron a aliviar el estreñimiento - suavizando las heces, moviéndolas más rápido a través del intestino, aumentando el número de evacuaciones intestinales que la gente tenía cada semana, y aliviando los gases.

B. lactis viene en muchas cepas diferentes o variedades, algo así como diferentes sabores de helado. No todas ayudarán con el estreñimiento. Pero B. lactis DN 173 010, el tipo encontrado en el yogur Activia bajo la marca registrada *Bifidus Regularis*, puede que sí lo haga. También podría hacerlo la cepa *B. lactis* HN019, vendida bajo la marca registrada HOWARU *Bifido*.

Detiene dos causas principales de la diarrea. Tomar antibióticos y viajar al extranjero le ponen en riesgo de episodios de diarrea. Por suerte, los probióticos a menudo pueden prevenir o tratar ambas causas.

- Los antibióticos salvan vidas, pero también perturban su estómago porque matan a las buenas y malas bacterias indiscriminadamente. Los bichos buenos en su intestino normalmente desplazan a los que causan diarrea, como el *Clostridium (C.) difficile*. Sin ellos, *C. difficile* puede florecer, haciendo que usted enferme. Tomar probióticos específicos a diario mientras usted toma antibióticos parece mantener bajo control al *C. difficile*. Busque alimentos y suplementos que contengan *Lactobacillus (L.) rhamnosus GG* (tales como Solgar Advanced Multi-Billion Dophilus); *Lactobacillus (L.) paracasei* DN-114 001 (vendido como Actimel y DanActive); o *Saccharomyces (S.) boulardii* (como FloraStor y otros suplementos). Tome sus antibióticos y luego espere al menos dos horas antes de tomar los probióticos. Continúe tomándolos por dos semanas después de que termine su tratamiento antibiótico.

- Tomar un suplemento que contiene la levadura *S. boulardii* o la bacteria *L. rhamnosus GG* durante su viaje podría protegerle de la Venganza de Montezuma, también conocida como diarrea del viajero. Las personas se beneficiaron mucho de 1 gramo de *S. boulardii* al día, comenzando cinco días antes de su viaje y continuando hasta que regresaron; o 2 mil millones de organismos de *L. rhamnosus GG* al día (a veces escrito como 2 x 109), comenzando dos días antes de su viaje.

Calme el intestino irritable. Los alimentos y suplementos probióticos pueden ayudar a tratar algunos de los síntomas del síndrome del intestino irritable (SII). Esto tiene sentido, ya que nuevas pruebas vinculan al SII con el crecimiento excesivo de ciertas bacterias en su intestino delgado - especialmente si usted tiene SII predominante con diarrea. Ningún tipo de organismo probiótico curará el SII, pero algunos en especial pueden aliviar síntomas específicos.

Síntomas de SII	Síntomas de SII Probióticos que pueden ayudar	Productos que los contienen
Sítomas Generales	*Bifidobacterium (B.) infantis* 35624	Align
SII con diarrea predominante	*B. infantis* 35624	Align
Dolor Abdominal	*Bifidobacterium (B.) lactis* DN-173 010	Activia
	B. infantis 35624	Align
	Bacillus coagulans GBI-30, 6086	Schiff Digestive Advantage Gas Defense Formula, Schiff Digestive Advantage Daily Probiotic, others
	B. lactis HN019, también conocido como HOWARU Bifido	Doctor's Best Best Probiotic, Naturade Probiotics, Sedona Labs iFlora Multi-Probiotics, otros
Hinchazón y distensión	*B. lactis* DN-173 010 *B. infantis* 35624	Activia Align
Frecuencia y/o consistencia de los movimientos intestinales	*B. infantis* 35624	Align
	B. lactis DN-173 010	Activia
	B. lactis HN019, aka HOWARU Bifido	Doctor's Best Best Probiotic, Naturade Probiotics, Sedona Labs iFlora Multi-Probiotics, otros

Los expertos dicen que los probióticos son generalmente seguros para tratar una gama de síntomas gastrointestinales, especialmente si usted los toma bajo la supervisión de un médico. Cualquiera que sea el problema que le anime a probar los probióticos, siga las instrucciones de dosificación en la etiqueta, y tómelas por lo menos durante cuatro semanas antes de decidir si están o no ayudando.

¿Los probióticos lo están enfermando?

El gluten se esconde en los lugares más engañosos, incluyendo suplementos probióticos. "Muchos pacientes celíacos toman suplementos dietéticos y los probióticos son particularmente populares", dice Samantha Nazareth, Gastroenteróloga en el Centro Médico de La Universidad de Columbia (CUMC, por sus siglas en inglés). Los médicos del CUMC notaron que personas con enfermedad celíaca que tomaron suplementos realmente sufrieron más síntomas. Esto les llevó a verificar si los probióticos estaban contaminados con gluten.

De los 22 suplementos más vendidos, la mayoría contenía al menos trazas de gluten. Cuatro tenían más que sólo trazas - y dos de esos cuatro estaban etiquetados como "sin gluten". Los expertos no están seguros de si cantidades tan pequeñas de gluten pueden causar problemas a los pacientes celíacos. Pero usted es uno de ellos y toma suplementos probióticos, considere la posibilidad de suspenderlos brevemente y ver si sus síntomas mejoran.

Sin gluten: ¿bueno para usted o pérdida de dinero?

¿Fatiga? ¿Dolor en las articulaciones? ¿Hinchazón? La enfermedad celíaca, una dolencia frecuentemente mal diagnosticada, puede ser la causa. Sólo una de cada 100 personas sufre este desorden autoinmune, pero puede que usted sea uno de ellos. Simplemente reducir el gluten de su dieta podría curar estos síntomas.

Pero eso es sólo cierto si usted realmente tiene la enfermedad celíaca o sensibilidad al gluten no celíaca (SGNC), y la mayoría de la gente no tiene ninguna de las dos.

- ■ Aproximadamente una de cada 100 personas sufre de enfermedad celíaca, una enfermedad autoinmune en la que una proteína en el gluten desencadena una reacción del sistema inmunológico que daña sus intestinos. Evitar completamente el gluten es la única forma de tratar la enfermedad celíaca.

- ■ Un número un poco mayor de personas - hasta seis de cada 100 - pueden sufrir de sensibilidad al gluten no celíaca, una condición en la cual comer alimentos que contienen gluten ocasiona dolor abdominal, diarrea, erupción cutánea, dolor de cabeza, espasmos musculares, fatiga o depresión.

Sume estos números, y sólo alrededor de siete de cada 100 personas tienen una razón médica para evitar el gluten. En su lugar, la mayoría de las personas que comen así están tratando de perder peso o simplemente piensan que es más saludable.

Los peligros ocultos de los alimentos sin gluten. No son necesariamente saludables. Los alimentos sin gluten generalmente no están enriquecidos con vitaminas y minerales como los alimentos regulares.

Comer una dieta exclusivamente sin gluten puede privarle de nutrientes, a menos que realice un esfuerzo real para obtener esos nutrientes de otras fuentes tales como multivitaminas. Así que no sólo pagará más por los alimentos sin gluten, gastará dinero en multivitaminas.

Aún más grave es la cantidad peligrosa de arsénico en algunos productos. El arroz es el grano principal usado para hacer alimentos sin gluten, pero puede contener altos niveles de arsénico. Los estudios muestran que las personas con la enfermedad celíaca que comen una dieta libre de gluten consumen peligrosos niveles de arsénico, suficientes para aumentar sus riesgos cáncer de pulmón, piel y vejiga.

Entonces, ¿quién necesita realmente esta dieta especial? Las personas con enfermedad celíaca pueden no tener más remedio que comer estos productos y asumir los riesgos. Pero la gente promedio tiene una opción y debe limitar la cantidad de alimentos sin gluten que comen. Cambie a un estilo de vida libre de gluten si usted tiene una de estas condiciones.

- **Enfermedad celíaca.** Alrededor de 1,8 millones de estadounidenses tienen esta condición, pero 1,4 millones no se dan cuenta. Aun así eso es menos del 1 por ciento de la población. Si usted tiene enfermedad celíaca, debe eliminar todo el gluten, incluso las cantidades más pequeñas, de su dieta. De lo contrario, su sistema inmunológico dañará sus intestinos, limitando su capacidad de absorber nutrientes de los alimentos.

- **Sensibilidad al gluten no celíaca.** Las personas con esta condición sufren síntomas similares a la enfermedad celíaca, pero sin el daño intestinal. Los médicos diagnostican SGNC haciendo que usted elimine todo el gluten de su dieta, volviéndolo a añadir después y viendo qué pasa. Los médicos también pueden hacer pruebas de sangre en busca de un anticuerpo llamado IgA-AGA, encontrado en la mitad de la probación con SGNC.

- **Diarrea predominante o SII mixto.** Cualquier persona con esta condición también debe hacerse la prueba de la enfermedad celíaca o del SGNC. Tiene cuatro veces más probabilidades de tener enfermedad celíaca si usted también tiene diarrea-predominante o SII mixto. También es más probable que tenga SGNC.

Los expertos no están seguros de lo que viene primero: el SII o la intolerancia al gluten. Algunas personas con SGNC que consumen gluten eventualmente desarrollan la inflamación intestinal que conduce al SII. Y cerca de una de cada tres personas con SII, también eran sensibles al trigo, en un estudio. Si usted está en ese grupo, evitar el gluten también puede mejorar sus síntomas de SII.

Sorprendente fuente de dolor en el estómago y una solución excelente

El gluten recibe la culpa de muchos problemas gastrointestinales, pero los alimentos altos en FODMAPs (siglas en inglés de Oligosacáridos, Disacáridos, Monosacáridos y Polioles Fermentables) pueden ser los verdaderos culpables. Trate de comer alimentos bajos en FODMAP durante dos semanas y observe si sus síntomas mejoran. Si es así, pídale a un nutricionista que lo ayude a desarrollar un plan de alimentación a largo plazo. Aquí hay algunas ideas para menús.

Desayuno

Café (sin achicoria), cereal libre de gluten hecho dearroz o maíz (no de trigo) leche de almendras o de arroz, medio pomelo

Media taza de jugo de naranja, huevos, tostada sin glúten, mantequilla, un vasija de bayas, melón picado

Almuerzo

Atún (enlatado) vegetales de hoja verde con aceitunas, aceite de oliva, y vinagre balsámico; vaso de té helado

Sándwich frío de pan libre de glúten; rebanada de queso mozzarella, cheddar o suizo; y mayonesa, lechuga y tomate

Cena

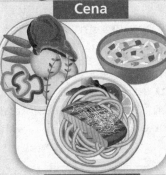

Roast beef o cerdo con papas, zanahorias y pimientos morrones aderezados con sal, pimienta y hierbas

Sopa de pollo o pavo hecha de caldo casero, arroz, ñame en cuadros, apio, zanahorias, sal y hierbas

Filete de pescado con queso parmesano molido, quinoa o pasta sin trigo

Meriendas

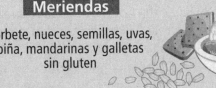

Sorbete, nueces, semillas, uvas, piña, mandarinas y galletas sin gluten

El gluten puede no ser el problema. Las personas con SGNC puede que no sean sensibles al gluten, después de todo. Algunos expertos sospechan que los FODMAP (Oligosacáridos, Disacáridos, Monosacáridos y Polioles Fermentables) son los verdaderos culpables. Muchos alimentos que contienen gluten también están cargados con FODMAP, por lo que es difícil decir lo que está causando sus síntomas.

Su intestino tiene dificultades para digerir y absorber estos compuestos. Esto da a las bacterias intestinales la oportunidad de alimentarse de ellas, ocasionando gases, hinchazón, calambres y, a veces, diarrea.

Para probar esta teoría, las personas que habían sido diagnosticadas con SGNC probaron cuatro dietas diferentes - bajas en gluten, altas en gluten, bajas en FODMAP y dietas con proteína sérica (whey protein). Los síntomas gastrointestinales de todos mejoraron con la dieta baja en FODMAP, específicamente su dolor abdominal, la consistencia de las heces, los gases y la fatiga. Pero las dietas bajas en gluten no hicieron nada. Y añadir gluten a sus dietas no empeoró sus síntomas. Sólo los FODMAP tuvieron un efecto. Así que antes de jurársela al gluten, eche un vistazo a otras causas.

Secretos para comer sano en una dieta libre de gluten

Es difícil obtener todos los nutrientes que necesita cuando sufre de enfermedad celíaca, pero no imposible - no si usted come los alimentos correctos en la combinación correcta.

La enfermedad celíaca plantea dos grandes desafíos - hay que evitar muchos alimentos llenos de vitaminas y minerales porque contienen gluten. Y la enfermedad puede dañar sus intestinos, por lo que es más difícil absorber ciertos nutrientes. Siga este consejo para obtener la nutrición que necesita, sin poner en peligro su salud.

■ **Lea la Etiqueta de Nutrición** en todos los productos sin gluten (GF, gluten-free) que ponga en su carrito de compras. Las dietas libres de gluten tienden a ser altas en azúcar pero bajas en proteína y fibra - no es una buena combinación. Trate de elegir los productos que son ricos en fibra, bajos en grasas trans y que tienen poco o nada de azúcar añadida.

■ **Abastezcase de vegetales de hoja verde.** Son naturalmente libres de gluten y una excelente fuente de folato. Seguir una dieta estricta sin gluten puede privarle de esta vitamina B esencial ya que muchos panes y cereales que contienen gluten están fortificados con esta vitamina. Los vegetales de hoja verde pueden ayudarle a hacer la diferencia. Cómalos crudos, cuando sea posible. El calor de la cocción destruirá esta vitamina B.

■ **Añada jugo de limón o lim**a a las ensaladas, entradas y guarniciones para ayudar a su cuerpo a absorber más hierro. Los alimentos libres de gluten tienden a contener grandes cantidades de fósforo del maíz, la soja y las leguminosas. El fósforo se une al hierro, calcio, manganeso y al zinc y evita que su cuerpo los absorba. La vitamina C puede romper esa unión, impulsando su absorción de hierro en particular. Los limones y limas frescos son las mejores fuentes de vitamina C - incluso mejores que el pomelo y las naranjas.

■ **Saltee sus cenas en aceite de oliva.** Las grasas buenas presentes en el aceite de oliva hacen un montón de trabajo pesado para mantenerle sano. Ellas ayudan a absorber las vitaminas liposolubles tales como las vitaminas A y D y a mejorar la forma en que su cuerpo maneja los carbohidratos. Muchos alimentos libres de gluten tienen cargas glucémicas elevadas porque están hechos con arroz y harina de papa. Comer alimentos de alto Índice Glucémico (IG) regularmente, como lo hacen los celíacos, puede conducir a altos niveles de azúcar en la sangre, resistencia a la insulina, aumento de peso y un mayor riesgo de síndrome metabólico, lo que aumenta su riesgo de enfermedad cardíaca, accidente cerebrovascular y diabetes. Los ácidos grasos mono insaturados (MUFA) presentes en el aceite de oliva ayudan a contrarrestar este efecto. En esos días en los que usted no quiera saltear sus comidas, vierta una pizca de aceite de oliva extra virgen en sus ensaladas, o úselo en lugar de mantequilla en las guarniciones. Trate de comer un poco de ella en cada comida.

■ **Coma alimentos que aumenten la función de la vesícula biliar,** como alcachofas, raíz de achicoria y verduras amargas. Hierbas y especias tales como la cúrcuma, el jengibre, la salvia y el romero harán lo mismo. Por alguna razón, la enfermedad celíaca no permite que su vesícula biliar trabaje tan bien como debería y no consuma mucha o ninguna azúcar añadida.

Además de otros desafíos, la enfermedad celíaca hace que algunas personas se vuelvan intolerantes a la lactosa. Son malas noticias, porque los pacientes celíacos sufren a menudo deficiencia de calcio y son más propensos a desarrollar osteoporosis. Si usted no puede soportar más los lácteos, hable con su médico acerca de alternativas tales como suplementos de calcio.

La cura N°. 1 para el estreñimiento

Combate las enfermedades del corazón, normaliza el azúcar en la sangre, facilita la digestión, estimula la pérdida de peso, incluso mejora su estado de ánimo. Pero una encuesta reciente muestra que menos del 3 por ciento de los estadounidenses comen suficiente del mismo. Eso es muy malo, porque la fibra podría ser la comida natural más perfecta. Las personas que comen mucho de ella tienen un menor riesgo de morir de - bueno, cualquier cosa.

De casi 1 millón de personas, los que comieron más fibra tuvieron 16 por ciento menos probabilidades de morir en el curso de 17 estudios que los que comieron menos cantidad. La gente no necesita comer mucha fibra para ver grandes resultados. Por cada 10 gramos de fibra que comieron, ¡su riesgo de morir cayó un 10 por ciento! La fibra también puede facilitar la vida.

Cure sus hemorroides. Aumentar la ingesta de fibra y fluidos podría prevenir y tratar las hemorroides. Luchar con la diarrea o estreñimiento, no beber suficiente líquido y no comer suficiente fibra, le pone en riesgo de sufrir hemorroides.

La solución más fácil y barata es obtener más fibra y beber más agua. Esta combinación hace que las heces sean más suaves y pasen más fácilmente.

Eso, a su vez, mantiene el estreñimiento a raya. Estas son buenas noticias para la gente que ya tiene hemorroides, pues el estreñimiento puede empeorar sus síntomas.

Vuelva a ser regular. Consumir más fibra y beber más agua son los primeros pasos que recomiendan los expertos para tratar el estreñimiento. Sólo sugieren laxantes si el plan de fibra y agua no ayudó después de dos a cuatro semanas.

La fibra soluble es el tipo más adecuado para tratar el estreñimiento. Hace las heces más voluminosas, por lo que usted tendrá más movimientos intestinales. Estos alimentos ofrecen maneras fáciles, baratas, y deliciosas de conseguir más de ella.

Grupo Alimenticio	Fuentes
Legumbres	frijoles negros, habas, alubias, frijoles pintos, alubias rojas, así como garbanzos
Vegetales	espárragos, col de Bruselas, camote (batata) con piel
Frutas	parchita morada, aguacate(palta), higos secos, naranja
Granos	salvado de avena, avena, bizcochitos de salvado de avena

Fluidos - una parte clave de la ecuación. La fibra y el agua van mano a mano cuando se trata de abordar problemas digestivos. De hecho, un estudio encontró que el consumo de muy poco líquido era más probable de causar estreñimiento que comer poca fibra.

Algunos expertos dicen que usted debe proponerse beber de 1.5 a 2 cuartos de galón de líquido diariamente. Eso equivale aproximadamente a siete a nueve tazas de 8 onzas de agua u otro líquido diariamente. Trate de limitar el alcohol. Provoca que su cuerpo pierda líquido, lo que puede empeorar el estreñimiento.

Cómo ayudar a su cuerpo a amar la fibra. Demasiada fibra, sumado a muy poca ingesta de líquido durante un período de tiempo demasiado corto puede causarle todo tipo de molestias gastrointestinales. Su cuerpo necesita tiempo para acostumbrarse a la fibra extra que va a consumir y más líquido para procesarla.

■ No incremente la cantidad de fibra hasta que haya logrado beber de 1.5 a 2 cuartos de galón de líquidos diarios. A continuación, comience a añadir más fibra a su dieta.

■ Aumente su fibra lentamente para darle tiempo al tracto digestivo de ajustarse. De lo contrario, terminará con gases, hinchazón e incluso diarrea. Este consejo se aplica a la fibra tanto de alimentos como de suplementos.

■ Los hombres deben tratar de comer 38 gramos de fibra diaria y las mujeres 25 gramos. ¿No disfruta contando gramos? Entonces sáque la bola del estadio comiendo de dos a tres porciones de granos integrales más cinco porciones de frutas y verduras todos los días. Esta combinación debería satisfacer las necesidades de fibra de su cuerpo.

Alimentos altos en fibra ¿están empeorando su SII?

Comer alimentos más ricos en fibra puede no mejorar el estreñimiento en personas con síndrome del intestino irritable (SII). De hecho, podría empeorar los síntomas del SII, como gases, hinchazón y dolor abdominal.

Algunos expertos dicen que las FODMAP, en lugar de la fibra, es el problema. Los alimentos ricos en fibra también tienden a contener muchos FODMAP (Oligosacáridos, Disacáridos, Monosacáridos y Polioles Fermentables), que pueden agravar el SII. Mientras que los alimentos ricos en fibra pueden empeorar los síntomas del SII, ciertos suplementos de fibra pueden ayudar. Busque suplementos a base de psyllium rubio (Metamucil), goma guar parcialmente hidrolizada (Nestri's NutriSourceFibra), o policarbofil de calcio (FiberCon).

---

3 alimentos cotidianos que curan el estreñimiento

¿El estreñimiento es una constante en su vida diaria? ¿Ha probado laxantes suplementos de fibra, y remedios populares sin alivio? Buenas noticias - puede dejar de buscar. Comer estos tres alimentos diariamente es una manera comprobada de regularizar su movimiento intestinal.

Aceite de oliva, no mineral, para menos tensión. El aceite de oliva alivia la constipación tan bien como aceite mineral. Además, está lleno de nutrientes y grasas saludables que combaten la inflamación. En un estudio, personas con estreñimiento comenzaron a tomar alrededor de una cucharadita de aceite de oliva o aceite mineral todos los días. Después de cuatro semanas, aproximadamente seis de cada diez personas ya no estaban estreñidas. Sorprendentemente, el grupo del aceite de oliva tenía la tasa más alta de "curación".

Ambos aceites tienen el mismo efecto: lubricar y suavizar las heces fecales para ayudarlas a moverse a través de sus intestinos. Pero a diferencia del aceite de oliva, el aceite mineral no tiene valor nutricional. Peor aún, está hecho de petróleo. El aceite de oliva, especialmente el tipo extra virgen, está lleno de nutrientes y beneficios para la salud. La gente en este estudio sintió alivio con tan poco como una cucharadita de aceite, pero otros que lo probaron por su cuenta usaron dos cucharadas con seguridad y éxito.

El kiwi puede ayudarle a ir al baño. Esta pequeña fruta maravilla es perfecta para las personas que sufren de estreñimiento. La fibra del kiwi puede contener mucha agua, lo que ayuda a suavizar y aumentar las heces, para que pasen más fácilmente por el intestino. Pero eso es sólo el comienzo. Los kiwis también contienen una enzima que ayuda a que las heces se muevan a través de sus intestinos más rápido. El tiempo que se toman las heces para moverse a través de su colon afecta directamente la frecuencia con la que usted tiene movimientos intestinales. Un movimiento más lento es igual a menos evacuaciones intestinales y potencialmente más estreñimiento.

La investigación sugiere que comer dos kiwis cada día puede tratar tanto la constipación regular y el estreñimiento relacionados con el síndrome del intestino irritable (SII).

■ Después de comer dos kiwis al día durante cuatro semanas, la mitad de las personas con estreñimiento tenían más evacuaciones intestinales y necesitaban menos laxantes.

■ Comer dos kiwis al día en otro estudio comenzó a aliviar la constipación relacionada con el SII después de una semana. La gente tenía evacuaciones intestinales con más frecuencia, y las heces pasaban a través de su colon más rápidamente.

¿Lo mejor de esta fruta? Es natural. A diferencia de los laxantes, un par de kiwis no parece causar efectos secundarios, a menos que usted sea alérgico a ellos. Cuanto más los come, más parecen mejorar el estreñimiento.

HÁGALO

Destierre la hinchazón después de grandes comidas

Esta pequeña fruta que combate la hinchazón puede transformar su vientre. No sólo puede tratar el estreñimiento, también puede desterrar la sensación de hinchazón que usted siente después de comer una comida grande.

Los kiwis contienen una enzima llamada actinidina que ayuda a la digestión, especialmente del gluten y alimentos pesados y llenos de proteínas como la carne roja, el pollo, los productos lácteos y el pescado.

Los kiwis ayudan a descomponer estas proteínas, moviendo la comida a través de su estómago más rápido y aliviando esa sensación de llenura excesiva. Son particularmente útiles para los adultos mayores que tienen dificultad para digerir queso, pescado y huevos.

Así que disfrute de una rebanada de kiwi sin culpa después de su próxima comida. Pele un kiwi y córtelo en rodajas delgadas. Corte un trozo de pastel de ángel por la mitad, en sentido transversal. Cubra la mitad inferior con una capa de rodajas de kiwi y una porción de crema batida. Coloque la mitad superior de pastel en la parte superior. Coloque encima otra capa de rodajas de kiwi y una cucharada de crema batida.

Un intercambio de pan puede ponerle en movimiento. Piense un poco más en su pan de sándwich. Hacer sus sándwiches de pan de centeno integral, en lugar de trigo blanco, podría aliviar el estreñimiento. El centeno contiene un tipo de fibra llamada arabinoxilano que se fermenta por bacterias en su colon. Esa fermentación produce compuestos que causan que su colon se contraiga, moviendo las heces más rápido y aliviando el estreñimiento.

Cincuenta y uno personas con estreñimiento probaron los efectos del intercambio de pan de centeno por el de trigo blanco en sus dietas. Durante tres semanas, ellas hicieron una de las siguientes:

- comieron seis rebanadas de pan de centeno integral al día, para un total de 30 gramos de fibra.

- comieron ocho rebanadas de pan de trigo blanco bajo en fibra, para 8.6 gramos de fibra.

- tomaron laxantes.

El centeno ganó, sin duda alguna, aliviando el estreñimiento aún más que los laxantes Si usted prueba el centeno, añádalo a su dieta gradualmente. Aumentar su ingesta de fibra demasiado rápido puede causar desagradables efectos secundarios gastrointestinales. Y beba más agua a medida que aumenta su fibra para ayudar a su cuerpo a procesar la cantidad extra.

El mejor tratamiento para la diarrea no es lo que usted piensa

Las bananas, el arroz, la compota de manzana y las tostadas (dieta BRAT) puede que sean en tratamiento adecuado para un estómago irritado. Pero los expertos dicen que no es la mejor manera de tratar la diarrea.

Por qué la dieta BRAT es mala. Los médicos pensaban que los alimentos ricos en fibra agravarían los problemas gastrointestinales como la diarrea. La dieta BRAT contiene poca fibra, y es tan suave que es poco probable que moleste a un estómago infeliz. Además, los alimentos incluidos en ella actúan como agentes aglutinantes, ayudando a detener la diarrea causando estreñimiento. Y aquí es donde comienzan los problemas con la dieta BRAT.

■ Los expertos señalan que si su diarrea es causada por un virus o infección bacteriana, como ocurre en la mayoría de los casos, debe dejar que la diarrea siga su curso. Así es como su cuerpo se deshace de las toxinas que lo enferman.

■ Los alimentos BRAT no proporcionan muchos nutrientes, y usted necesita un buen apoyo nutricional para recuperarse de cualquier enfermedad que haya causado su diarrea.

■ No hay evidencia científica de que una dieta BRAT le ayude a recuperarse de la diarrea más rápidamente. De hecho, no hay evidencia que respalde la dieta para cualquier enfermedad.

El Gatorade tampoco funcionará. Bebidas deportivas, jugo de manzana, caldo de pollo y refresco de cola son otros alimentos nada recomendables. Todos extraen más agua fuera de sus células y la envía a sus intestinos, lo que puede empeorar su diarrea y deshidratarlo más.

Y ninguno proporciona nutrientes suficientes para alimentarle durante una diarrea. Después de todo, las bebidas deportivas fueron diseñadas para reemplazar el agua y los electrolitos que pierde por la sudoración, no la amplia variedad de nutrientes que pierde durante una enfermedad.

La mejor manera de sobrevivir a un caso de diarrea. Esto es lo que los expertos dicen que usted debe comer y beber en su lugar.

■ Beba un producto como Pedialyte, CeraLyte, Enfalyte o Rehydralyte hasta que pueda tolerar alimentos sólidos - por un máximo de 48 horas. Estos están especialmente formulados para reemplazar los nutrientes que su cuerpo pierde durante los vómitos y la diarrea.

■ Si no tiene uno de esos productos a la mano, haga su propia versión. Disuelva 1/2 cucharadita de sal, 1/2 cucharadita de bicarbonato de sodio y 3 cucharadas de azúcar en un litro de agua.

■ Pase a comer alimentos sólidos tan pronto como sea capaz de tolerarlos. Volver a comer alimentos sólidos acortará la enfermedad, aumentará sus nutrientes y ayudará a proteger sus intestinos de un daño a largo plazo. Comience con carbohidratos complejos (como el pan de trigo integral), carne magra, yogur, frutas y vegetales.

■ Considere la posibilidad de tomar un suplemento probiótico si su diarrea es el resultado de tomar antibióticos o viajar a un país en desarrollo. Para saber con qué probióticos pueden tratar la diarrea, lea la sección *Cure 3 problemas gastrointestinales comunes con probióticos* en este capítulo.

La diarrea suele desaparecer por sí sola en menos de una semana, pero consulte a su médico si tiene fiebre, diarrea sanguinolenta, 10 o más movimientos intestinales sueltos al día, deshidratación severa, un sistema inmunológico débil o recientemente pasó tiempo en el hospital. Estas señales podrían indicar una enfermedad más grave.

2 maneras de detener los ataques desgarradores

Un ataque de diverticulitis puede mandarle a la cama durante días e incluso enviarle al hospital. Es suficiente para hacerle renegar de la comida. Usted no tiene que cambiar dramáticamente su dieta para evitar otro ataque. El simple hecho de comer más pescado, productos lácteos y verduras podría evitar que su intestino se porte mal de nuevo.

Obtenga más vitamina D. Los divertículos son generalmente indoloros e inofensivos, una condición llamada diverticulosis. Pero si se inflaman o infectan, se llama diverticulitis. Los investigadores descubrieron que las personas con diverticulosis y bajos niveles de vitamina D son más propensas a:

■ terminar en el hospital debido a la diverticulitis.

■ necesitar cirugía para reparar el daño causado por la diverticulitis.

■ sufrir futuros ataques de diverticulitis.

Cuanta menos vitamina D tenga en su torrente sanguíneo, es más probable que su diverticulitis sea más grave, de acuerdo con este estudio.

Eso no es una sorpresa del todo. Muchas investigaciones vinculan la deficiencia de vitamina D con otras enfermedades del colon, incluyendo cáncer de colon y enfermedad inflamatoria intestinal (EII). Los expertos piensan que este nutriente protege su intestino, en parte, derrotando la inflamación, deteniendo el crecimiento excesivo de las células y manteniendo el revestimiento de los intestinos saludable. Todo esto se suma a la protección natural para su colon.

Entonces, ¿cuánta vitamina D necesita? Las personas que tenían 30 o más nanogramos por mililitro (ng/ml) en su sangre eran menos propensas a desarrollar diverticulitis que las personas con 25 ng/mL. Su médico puede verificar su nivel de vitamina D con una prueba de sangre.

Su cuerpo fabrica la mayor parte de su vitamina D a partir de la luz del sol, pero la comida y los suplementos desempeñan un importante papel de apoyo. La gente tiene mayores posibilidades de terminar hospitalizada con diverticulitis en las zonas del país que reciben menos sol. Dele a su cuerpo un extra de vitamina D provenientes de estas fuentes principales.

■ pescado, incluyendo salmón, trucha, atún y fletán

■ setas (maitake y morilla)

■ leche fortificada con vitamina D

Cambie la carne por vegetales. No hay nada como un filete grueso, fresco de la parrilla - pero suelte el cuchillo si usted sufre de diverticulosis. Un estudio británico que duró 12 años encontró que los vegetarianos tenían alrededor de un tercio menos probabilidades de terminar en el hospital o morir de diverticulitis. Otras investigaciones muestran que comer grandes cantidades de carne roja hace que los hombres tengan más probabilidades de desarrollar enfermedad diverticular. Comer mucha carne puede cambiar los tipos de bacterias que viven en su intestino. Esto podría debilitar la pared de su colon, lo que permite que se desarrollen más divertículos.

La fibra natural presente en los vegetales también puede ayudar. La fibra no puede prevenir el desarrollo de los divertículos, pero puede impedir que se infecten y se rompan, dando lugar a la diverticulitis e incluso a la muerte.

En este estudio, las personas que comieron más fibra (alrededor de 26 gramos al día) tenían un 41 por ciento menos probabilidades de terminar en el hospital o morir de enfermedad diverticular, en comparación con los que comían menos fibra (menos de 14 gramos al día).

Así que aquí está la moraleja de la historia - si simplemente no puede renunciar a la carne, coma más frutas ricas en fibra, vegetales y granos enteros. Entre los consumidores de carne, los que comían más fibra eran menos propensos de desarrollar enfermedad diverticular.

Los alimentos tabú que ahoraes seguro comer

Ya no necesita renunciar a las nueces, maíz o palomitas de maíz si tiene diverticulosis. Los médicos solían preocuparse por que estas pequeñas piezas de comida pudieran quedar atrapadas dentro las bolsas diverticulares y causaran inflamación e infección. La investigación sugiere que eso no sucede.

No sólo los frutos secos y las palomitas de maíz son seguros si usted tiene diverticulosis, sino que las personas que las comen también son menos- no más - propensos a desarrollar diverticulitis. Las nueces están llenas de nutrientes, incluyendo las grasas que combaten la inflamación, vitamina E, zinc y magnesio. Las palomitas de maíz, por otra parte, aportan magnesio y luteína, el antioxidante antiinflamatorio.

¿Intolerante a la lactosa? Aún puede disfrutar de los productos lácteos

Buenas noticias para las personas con intolerancia a la lactosa - puede que usted no tenga la necesidad de renunciar a helado o al queso después de todo. De hecho, los expertos dicen que usted necesita consumir productos lácteos diariamente. ¿Suena imposible? No si sabe cómo hacerlo bien.

Su cuerpo depende de una enzima, lactasa, para descomponer el azúcar de la lactosa presente en los productos lácteos. Algunas personas no tienen suficiente lactasa para terminar el trabajo. Lo que queda de los fermentos de azúcar en el intestino, causa gases, diarrea, dolor abdominal e hinchazón. Las personas usualmente desarrollan intolerancia a la lactosa en la niñez, pero se puede desarrollar en adultos también, causando un triste final a su historia de amor con Häagen Dazs.

> La lactosa se utiliza a menudo como relleno en cápsulas y tabletas. Pregúntele a su farmacéutico si sus medicamentos de prescripción o de venta libre contienen lactosa.

Pero no debería ser así. Evitar todos los lácteos supone verdaderos riesgos de salud. Los productos lácteos son grandes fuentes de calcio, vitamina D (si son fortificados), proteínas, potasio y otros nutrientes claves. Al eliminarlos completamente de su dieta, usted aumenta su riesgo de sufrir osteoporosis y otros problemas crónicos de salud.

Puede que usted ni siquiera sea intolerante a la lactosa. Mucha gente que lo piensa en realidad tiene Síndrome del Intestino Irritable (SII) o Enfermedad Intestinal Inflamatoria (EII). Los síntomas son muy similares. La diferencia es que, la intolerancia a la lactosa, ataca inmediatamente después de consumir productos lácteos.

"Los síntomas de la intolerancia a la lactosa son inmediatos", explica Christopher Gardner, Profesor de Medicina en la Universidad de Stanford. "Si beber leche le hace sentir incómodo, lo sabrá dentro de dos horas. Usted tendrá o no cólicos y diarrea".

Si sus síntomas vienen y van, los lácteos causan problemas en algunas ocasiones pero en otras no, usted puede tener SII o EII en su lugar. Su médico puede resolver la pregunta con un test de aliento.

Si tiene intolerancia a la lactosa, los expertos destacan que usted aún debe tratar de comer lácteos todos los días, por sus huesos y su salud en general. Así es cómo debe hacerlo.

■ **Comience por eliminar toda la lactosa de su dieta** para que su tracto digestivo vuelva a la normalidad. Piense más allá de los productos lácteos obvios. Los fabricantes utilizan subproductos lácteos en todo, desde waffles congelados y carnes de almuerzo hasta sopas y aderezos para ensaladas. Revise las listas de ingredientes y busque palabras como suero de leche, sólidos lácteos sin grasa, leche malteada, margarina, crema dulce o amarga, turrón, caseína, caseinatos y cuajada.

■ **Introduzca lentamente los lácteos de nuevo en su dieta**, en pequeñas cantidades cada día. Trate de beber 2 onzas con la comida. Los estudios demuestran que los intolerantes a la lactosa por lo general pueden manejar al menos una taza de leche si la beben con una comida o merienda. No coma productos lácteos con el estómago vacío.

■ **Compre leche deslactosada o baja en lactosa.** Tiene los mismos nutrientes que la leche normal, pero es más fácil de digerir, porque los fabricantes han añadido la enzima lactasa directamente a ella. Usted también puede comprar sus propias enzimas de lactasa. Busque líquidos y pastillas como Lactaid o Dairy-Ease.

■ **¿No puede soportar la leche?** Pruebe yogur y quesos duros como el cheddar y el suizo, que tienen menos lactosa. Busque un yogur que contenga cultivos bacterianos vivos. Las bacterias ayudan a descomponer la lactosa.

Si todo lo demás falla, intente con almendra o soja. Son buenas fuentes de calcio. Además, puede utilizarlas en lugar de la leche de vaca para cocinar y preparar pasteles.

Soy intolerante a la lactosa. ¿La leche cruda ayudará?

La leche cruda no es mejor que la leche normal pasteurizada para las personas que son intolerantes a la lactosa. En un estudio reciente, 16 personas con intolerancia a la lactosa tomaron turnos para beber leche cruda, pasteurizada y de soja durante ocho días seguidos. Registraron sus síntomas en un diario todos los días y los científicos les hicieron pruebas de aliento para medir la cantidad de lactosa no digerida que había quedado sin fermentar en sus intestinos.

La leche cruda dejó tanta lactosa como la leche pasteurizada. Más importante aún, los síntomas de las personas eran peores que después de beber leche cruda.

"No había indicios de ningún beneficio", dice Christopher Gardner, experto en Nutrición y Profesor de Medicina en la Universidad de Stanford. ¿Por qué? Incluso aunque la leche cruda contiene bacterias buenas, tiene la misma cantidad de lactosa que la leche pasteurizada. Solamente la leche de soya alivió los síntomas.

Enfermedades del corazón

19 maneras de limpiar sus arterias

¿Carbohidratos, proteínas o grasas? En esta dieta salva-corazones, usted escoge - ¡de verdad!

Busque en Google la palabra "dieta" y obtendrá más de 400 millones de resultados. Y si le preocupa la salud del corazón, esos resultados incluirán planes populares como el DASH, Ornish, y las dietas Mediterráneas. Pero una dieta con la que tal vez no esté familiarizado con es la dieta OmniHeart - un plan que arranca con beneficios impresionantes, saludables para el corazón.

Elija entre tres planes de dieta. OmniHeart es en realidad el término genérico para tres dietas, cada una enfatizando un macronutriente diferente. La dieta OmniHeart de carbohidratos es similar a la dieta DASH en que el 58 por ciento de las calorías diarias provienen de carbohidratos, 15 por ciento de las proteínas y el 27 por ciento de las grasas. Al igual que la dieta Mediterránea, la dieta de grasas insaturadas OmniHeart hace hincapié en menos carbohidratos y más grasas no saturadas como el aceite de canola, aceite de oliva y untable de aceite de oliva. La dieta de proteína OmniHeart sirve más proteínas y menos carbohidratos.

Las tres dietas incluyen cantidades equilibradas de calcio, sodio, potasio, magnesio y fibra dietética.

Combata las enfermedades del corazón y más. En un estudio titulado Ensayo de Ingesta Óptima de Macronutrientes para Prevenir la Enfermedad Cardíaca, los investigadores probaron la dieta OmniHeart contra otras dietas populares. Las tres dietas de OmniHeart bajaron la presión arterial, el colesterol total y el colesterol LDL "malo", así como el riesgo de sufrir enfermedades del corazón, dicen los científicos. Y mientras más proteínas y grasas no saturadas, las dietas OmniHeart redujeron más los triglicéridos en la sangre.

Así que, básicamente, si quiere comer más carbohidratos, hágalo con la dieta OmniHeart de carbohidratos y aun así cosechará beneficios saludables para el corazón. Lo mismo para las dietas más altas en proteínas y grasas no saturadas.

OmniHeart de un vistazo. La elección de una de las tres dietas es bastante sencilla. Usted sólo escoja el macronutriente - ya sea carbohidratos, grasas o proteínas - que desea comer más, y reduzca los otros dos macronutrientes.

Las tres dietas limitan las cantidades de dulces y azúcar que puede comer. La dieta de carbohidratos OmniHeart permite el máximo, pero aun así lo mantiene por debajo de tres cucharaditas al día. Una galleta pequeña y una cucharadita de azúcar para su café ya es bastante. Leer las etiquetas nutricionales en la búsqueda de azúcar añadida es una necesidad.

En la dieta de grasas insaturadas OmniHeart, usted obtiene casi 10 cucharaditas diarias de aceites y grasas. Usted querrá medir el aceite al saltear los vegetales, el uso de aderezo para ensaladas, y la cantidad de mayonesa que le pone a su pan de sándwich. Las otras dos dietas mantienen las grasas y aceites en menos de cinco cucharaditas diarias.

Aquí le echamos una mirada a los alimentos que se pueden comer en los tres planes OmniHeart y las cantidades recomendadas.

- Haga fiesta con las frutas y vegetales. Puede comer de cuatro a siete porciones de vegetales y de tres a seis porciones de frutas cada día. Los tamaños típicos de las porciones incluyen una media taza de vegetales cocidos, una taza de vegetales para ensalada, o un pedazo pequeño de fruta fresca.

- Aliméntese con granos enteros pero limítese a tres o cuatro porciones. Una porción es una media taza de cereal, una rebanada de pan, o media taza de arroz integral.

■ Deseche los productos lácteos enteros. Opte por los descremados en su lugar y manténgase en un máximo de dos porciones - una taza de leche o yogur y 1 1/2 onzas de queso la cantidad perfecta.

■ Coma proteínas, pero no demasiadas. Incluso con la dieta alta en proteínas, usted está limitado a 7.6 onzas al día. Las otros dos sólo permiten hasta 4 onzas. Estas proteínas pueden provenir del pescado, aves de corral o carne magra, y de porciones pequeñas de nueces, semillas y legumbres.

Pastillas de calcio e infartos - ¿debería usted preocuparse?

Ha escuchado que los suplementos de calcio pueden causar enfermedades del corazón, pero eso es sólo un lado de la historia. Un estudio reciente encontró que las mujeres que tomaron suplementos de calcio no tenían más probabilidades de sufrir enfermedad cardíaca que las mujeres que no tomaron ninguno.

Pero las que tomaron el suplemento también se protegieron consumiendo menos grasas trans y ejercitándose más que las mujeres que no tomaron suplementos de calcio. Por lo tanto, se necesitan más investigaciones para determinar si las píldoras de calcio son seguras.

Mientras tanto, obtenga tanto calcio como sea posible de los alimentos y bebidas. Si no puede obtener suficiente de los alimentos, pregunte a su médico si necesita una dosis baja de un suplemento de calcio.

Para asegurarse de que usted absorbe todo el calcio que toma, limite los ladrones de calcio como la cafeína, el alcohol y la sal. Y compruebe que las etiquetas de los alimentos y suplementos para estar seguro de que obtenga mucha vitamina D, la cual ayuda a su cuerpo a usar el calcio.

5 súper alimentos estelares sin los que su corazón no puede vivir

¿Preocupado por su corazón? Estos cinco alimentos súper estrellas que limpian arterias enviarán al colesterol fuera del estadio. Son deliciosos, de bajo costo y van a mantener sus arterias impecables.

Proteja su corazón con uvas suculentas. Meriende con una fruta que reduce la presión arterial y el colesterol, lo protege contra la diabetes y el cáncer, e incluso puede reducir el riesgo de demencia en más del 75 por ciento - lo crea o no. Es más, es económica y usted puede conseguirla durante todo el año en cualquier tienda de comestibles.

Las uvas, tanto la cáscara como su interior carnoso, están cargados de químicos vegetales. Usted probablemente ha leído acerca de estos poderosos químicos - flavonoides como el resveratrol, la quercetina, las antocianinas, y las catequinas. De todos estos, el resveratrol hace maravillas con su corazón. Y está presente en el jugo de uva y en el vino también.

Hombres con presión arterial alta que bebieron jugo de uva Concord diariamente durante ocho semanas redujeron su presión sanguínea sistólica y diastólica, según demuestra un estudio coreano. Los científicos dicen que los flavonoides en las uvas hacen que las células produzcan más óxido nítrico y relajan los vasos sanguíneos. Y eso conduce a bajar la presión arterial.

Además, los flavonoides del jugo de uva bajaron el colesterol LDL "malo" mientras que el colesterol "bueno" HDL aumentó, encontró un estudio realizado en España.

Sugerencia para servirlas - Aquí hay una manera genial y refrescante de comer uvas. Congélelas. A continuación, reviéntelas en su boca, congeladas. O utilice uvas congeladas como "cubitos de hielo" comestibles en jugo de uva.

Piense en las nueces como las reinas de su especie. Sus beneficios de nutrición pasan por encima de los del maní, pecanas, pistachos, macadamias -incluso los de las almendras.

Eso es porque las nueces contienen la mayor cantidad de polifenoles entre todas las demás. Y los polifenoles en las nueces protegen las arterias, previenen coágulos sanguíneos y reducen la inflamación, sugieren los investigadores.

Siete al día es todo lo que se necesita para combatir las enfermedades del corazón, cáncer, cálculos biliares, diabetes y aumento de peso. Además, las nueces junto con las almendras y avellanas aumentan sus niveles de serotonina, un químico del cerebro. Una onza diaria de estas meriendas, lo que es igual a siete nueces con cáscara, puede desencadenar su serotonina para disminuir su hambre, hacer que se sienta más feliz y mejorar la salud del corazón.

Sugerencia para servirlas: condimente sus nueces con esta receta sencilla. Caliente una cucharada de agua, 2 cucharaditas de aceite de oliva y 1 cucharada de miel a fuego medio. Añada 2 tazas de mitades de nuez. Luego espolvoree 1 cucharadita de azúcar, 1/2 cucharadita de sal, 1 cucharadita de comino, 1/2 cucharadita de cilantro y 1/8 cucharadita de pimienta sobre las nueces y revuelva. Dore ligeramente y coloque en una bandeja para enfriar.

Reduzca las grasas malas con exquisitas aceitunas. La rama de olivo es un símbolo de paz alrededor del mundo. Y cuando se trata de la salud del corazón, usted puede hacer las paces con las aceitunas. Eso es porque las aceitunas se desbordan de ácido oleico, una grasa mono insaturada que combate las enfermedades cardíacas. Los expertos dicen que las aceitunas elevan el colesterol HDL "bueno" y reducen el colesterol LDL "malo". Las aceitunas también contienen antioxidantes que combaten las grasas en su sangre y le protegen contra el daño celular.

Sólo asegúrese de limitarlas. Las aceitunas contienen mucha salmuera y la sal puede aumentar su presión arterial.

Sugerencia para servirlas - Sirva una bandeja de sabrosas tapas con una variedad de aceitunas, crujientes panes integrales y quesos bajos en grasa.

Por qué debe comer más mantequilla de maní. Usted puede pensar en la mantequilla de maní como un alimento con un alto contenido de grasa y alto en calorías. Pero este producto de primera necesidad en EE.UU está cargado con ácidos grasos

Los prensadores de ajo no son sólo para eso. Puede usarlos para machacar aceitunas si hueso también. Y ¿qué puede hacer con aceitunas machacadas? Hacer olivada, un untable saludable para el corazón hecho con diferentes variedades de aceituna, ajo, alcaparras, jugo de limón, aceite de oliva, hierbas y especias. Sirva en pan francés crujiente.

insaturados y otros compuestos que combaten las enfermedades del corazón.

Las personas que comieron mantequilla de maní redujeron el riesgo de sufrir enfermedades del corazón, demuestra el famoso Nurses' Health Study. Un informe dentro del mismo estudio muestra que las mujeres con diabetes tipo 2 también redujeron su riesgo de sufrir enfermedades del corazón comiendo mantequilla de maní. La mantequilla de maní ayuda a reducir el colesterol y reducir la inflamación que promueve la enfermedad cardíaca.

Busque mantequilla de maní natural con 100% de maní y sin aceites hidrogenados. Y no consuma más de dos cucharadas por porción.

Sugerencia para servirla - ¿Cómo llegar a esa última porción de mantequilla de maní en el fondo del recipiente? Calentándolo. Quite la tapa y caliente el frasco de vidrio - no el de plástico - en el microondas con la opción de descongelar durante unos segundos. Luego vierta sobre panqueques integrales o yogur bajo en grasa.

Consienta su corazón con las impresionantes ventajas de los garbanzos. Es alucinante cómo una humilde leguminosa puede hacer tanto por su corazón. Pero eso es lo que hacen los garbanzos - se enfrentan a las enfermedades del corazón y a condiciones graves que desencadenan la enfermedad cardíaca, tales como obesidad y diabetes tipo 2.

Las personas que comen garbanzos tiene menos colesterol total y colesterol LDL, muestran las investigaciones. De hecho, personas adultas que comen garbanzos y humus fueron un 53 por ciento menos propensos a ser obesos y 43 por ciento menos propensos de tener sobrepeso. También tenían un 48 por ciento menos de riesgo de ganar peso y eran 51 por ciento menos propensos a tener altos niveles de azúcar en la sangre, dicen los expertos.

Un pequeño estudio de Irán muestra que personas con sobrepeso y diabetes tipo 2 disminuyeron los factores de riesgo cardiovascular incluyendo el nivel

Lave los granos en su misma lata. Sobre un fregadero, sostenga la lata al revés y haga algunos agujeros en el fondo con un abrelatas de punzón. Gire la lata y abra completamente la parte superior con un abrelatas de mano. El líquido saldrá del agujero en la parte inferior mientras lava sus granos.

de azúcar en la sangre en ayunas, insulina en ayuno, triglicéridos y colesterol LDL "malo" al sustituir dos porciones de carne roja por legumbres, incluyendo garbanzos tres días a la semana. Una media taza de leguminosas se consideraba una porción de carne.

Los expertos dan crédito a las sustancias naturales en los garbanzos como las fibras solubles, proteína vegetal y antioxidantes llamados isoflavonas.

Sugerencia para servirlos - ¿No es suficiente humus? Trate de hacer el suyo propio. Luego rellene troncos de apio y pimientos pequeños con humus, y sírvalos en su próxima fiesta. Eche un vistazo a la siguiente receta y más consejos para servir.

HÁGALO

Humus saludable para el corazón que no puede resistir

Aquí está una receta del humus de la que usted y su familia se enamorarán. Es simple de hacer y está repleta de sabor e ingredientes saludables para el corazón.

- 1 cucharadita de aceite de oliva
- 1 cucharada de jugo de limón
- 1/4 taza de yogur natural bajo en grasa
- 1/4 cucharadita de sal
- 1/4 cucharadita de pimentón
- 1/8 cucharadita de pimienta
- 3 dientes de ajo
- 1 lata de 19 onzas de garbanzos, escurridos y enjuagados

Mezcle todos los ingredientes en un procesador de alimentos hasta que la pasta esté suave. Añada más yogur según sea necesario para llegar a la consistencia deseada. Cubra con nueces picadas, ajo o perejil. Sirva enfriado como aderezo con pimientos y calabacín. O refrigere, luego úselo para untarlo sobre bagels (rosquillas), pan de pita integral, o en lugar de mayonesa en un sándwich.

Una razón más para reducir las carnes rojas

¿Frijoles o carne? ¿Cerdo o mantequilla de maní? Todos los días usted toma decisiones sobre la fuente de su proteína. Las últimas noticias sobre el hierro podrían hacer su decisión más fácil.

Usted obtiene hierro tanto de la carne como de las fuentes vegetales, pero su cuerpo los maneja de manera diferente. Es más capaz de controlar la absorción del hierro proveniente de las plantas, o hierro no hem. Pero el hierro de las carnes rojas, también conocido como hierro hem, es otra historia. Su cuerpo absorbe hierro hem más rápido, que luego oxida su colesterol LDL dañino, según encontró un estudio de la Universidad de Indiana. Una vez oxidado, el LDL puede causar inflamación en las arterias y aumentar el riesgo de endurecimiento de las arterias, derrames e infartos.

Algunos expertos dicen que reducir las carnes rojas a menos de la mitad de una porción al día podría extender su vida. Entre las sustituciones saludables están: pescado, pollo y pavo, además de fuentes vegetales como nueces, frijoles, productos lácteos bajos en grasa y granos enteros.

Peces que curan y peces que fracasan

Hay un montón de peces en el mar. Algunos son superestrellas que aumentan la salud y algunos nunca deben ser comidos, sin embargo, se venden todos los días en los supermercados, mercados de pescado y restaurantes.

Las sardinas, por ejemplo, son una comida deliciosa y nutritiva que tal vez usted no esté comiendo. Están cargadas con la vitamina que salva la memoria, la vitamina D, omega-3 que cura el corazón, CoQ10 que combate la fatiga y mucho más.

Una vida comiendo pescado rebosante de ácidos grasos omega-3 como las sardinas protege a los hombres de las arterias obstruidas, demuestra un estudio japonés. El estudio encontró que los niveles de omega-3 son dos veces más altos en los japoneses que en los americanos o japoneses-americanos. Eso podría explicar el hecho de que la tasa de mortalidad por causa de enfermedades del corazón en Japón sean tan sorprendentemente baja.

Comer más pescado es una gran idea, pero probablemente ha oído hablar de los peligros del mercurio - una sustancia química tóxica que se encuentra en los peces y mariscos. Pero también sabe que comer pescados grasos puede ayudarle a vivir una vida más sana gracias a sus ácidos grasos omega-3.

Los expertos dicen que es mejor comer mariscos y cosechar los beneficios para la salud que evitarlos por completo. Entonces, ¿cómo hace eso sin obtener demasiado mercurio? Sólo coma hasta 12 onzas (1 1/2 tazas) semanales de pescado bajo en mercurio y limite o evite el pescado rico en mercurio.

Consulte este gráfico fácil de leer y manténgase en la pesca más segura. Dos pulgares hacia arriba significan que es seguro para comer. Un pulgar hacia arriba significa que contiene cantidades moderadas de mercurio. Limite seriamente o evite los peces en la columna de pulgares abajo.

Guía fácil para el pescado que debería y no debería comer		
Dos pulgares arriba	**Un pulgar arriba***	**Pulgares abajo****
Bagre	Bacalao, de Alaska	Lubina Chilena**
Cangrejo, doméstico	Halibut, del Atlántico	Mero**
Arenque	Halibut del Pacífico	Caballa (Golfo de España)
Salmón de Alaska o enlatado	Langosta	Pez aguja
Sardinas	Mahi Mahi	Reloj anaranjado
Ostiones	Perca, de agua fresca	Tiburón
Camarones	Bacalao negro	Pez espada
Tilapia	Pargo	Atún, enlatado, blanco **
Trucha, de agua fresca	Atún, enlatado, claro	Atún claro **

* Cantidades moderadas de mercurio; coma sólo seis porciones o menos por mes
** Usted puede comer tres porciones o menos de estos al mes. Si no, evite los pescados en la columna "Pulgares abajo"

Huevos - ¿la última comida maravilla?

¿Tiene una relación de amor / odio con los huevos? Le encanta comerlos pero odia que estén cargados de colesterol. Pero hay buenas noticias. La investigación ahora demuestra que pueden ayudar a incrementar el nivel de colesterol "bueno" HDL, disminuir la presión arterial, además de mantener la vista aguda y fortalecer huesos débiles.

Las personas con niveles normales de HDL que siguieron una dieta restringida en carbohidratos aumentaron su colesterol bueno comiendo tres huevos enteros al día, según encontró un pequeño estudio de la Universidad de Connecticut. Las yemas de huevo contienen fosfolípidos, una sustancia que aumenta su colesterol bueno, dicen los científicos.

Además, las claras de huevo contienen un péptido que baja la presión arterial tanto como una dosis baja de Captopril, un fármaco para la hipertensión, dicen investigadores de la Universidad de Clemson. Los péptidos son uno de los bloques de proteínas. Y este péptido particular, RVPSL, inhibe la enzima convertidora de la angiotensina y relaja sus vasos sanguíneos, de forma similar a las populares recetas de inhibidores de ACE en el mercado.

Comer hasta un huevo al día no aumentó el riesgo de enfermedades del corazón o accidente cerebrovascular hemorrágico, encontró un equipo de investigadores que evaluó 17 informes con más de 3 millones de participantes del estudio.

Pero si tiene diabetes, tenga cuidado. Los científicos también encontraron que comer más huevos aumentaba el riesgo de sufrir enfermedades cardíacas entre las personas con diabetes.

Si no tiene diabetes, puede ignorar la mala reputación inmerecida de los huevos y comenzar a hacer estas recetas saludables con huevo.

- Disfrute de la ensalada de guacamole con huevo. Combine seis huevos sancochados enfriados y picados con 4 a 6 cucharadas de su guacamole favorito. Sirva sobre tostadas integrales. Porciones: 3.

- Pruebe los huevos Tex-Mex. Revuelva de uno a dos huevos y agréguele una cucharada de salsa y una cucharada de guacamole. Sirva con tortilla horneadas o chips. Porciones: 1.

■ Estilo griego para un gran sustituto de la mayonesa. Mezcle ocho huevos picados con media taza de yogur griego 2 por ciento natural. Una buena marca a utilizar es Fage debido a su textura cremosa y suave gusto. Añada 1 cucharada de mostaza Dijon, 1 cucharadita de paprika, 1 cucharada de condimento de eneldo, y una pizca de sal y pimienta. Sirva sobre ensalada de verduras con galletas integrales. Porciones: 4.

Empiece su mañana de un salto con este jugo

Mujeres, tomen nota. Comenzar el día con un ácido vaso de jugo de toronja es ideal para su corazón.

Mujeres sanas, posmenopáusicas, entre 50 y 65 años de edad que bebieron dos tazas de jugo de toronja diarias durante seis meses, aumentaron la flexibilidad de sus vasos sanguíneos, dice un equipo de científicos franceses. Esta flexibilidad permite que la sangre fluya más libremente al corazón.

Los investigadores dicen que las sustancias poderosas y saludables para el corazón que se encuentran en cítricos llamadas flavanonas son los héroes. El jugo de pomelo es especialmente alto en la flavanona naringenina. Cuando las participantes del estudio bebieron una bebida sin flavanonas, sus vasos sanguíneos mostraron poca o ninguna mejora.

Hay un inconveniente. Si toma medicamentos para el corazón, hable con su médico antes de tomar jugo de pomelo. Puede interferir con los medicamentos usados para tratar el colesterol y presión arterial altos.

Milagro mineral combate el trastorno letal

Se llama síndrome metabólico, y no es algo que usted alguna vez quiera tener. Porque si lo tiene, está listo para sufrir enfermedades del corazón, diabetes y accidentes cerebrovasculares.

Para ser diagnosticado con síndrome metabólico, debe tener tres o más de estas condiciones: presión arterial alta, altos niveles de azúcar en la sangre, colesterol HDL bajo y colesterol LDL alto, demasiada grasa abdominal y un alto nivel de triglicéridos en el torrente sanguíneo. Pero incluso si sólo tiene una de estas condiciones, ya tiene un mayor riesgo de desarrollar síndrome metabólico.

Los expertos dicen que esta condición grave proviene de tener sobrepeso o ser obeso y vivir un estilo de vida sedentario. Además, está estrechamente vinculada a la resistencia a la insulina, una condición que causa que su nivel de azúcar en la sangre aumente.

La mejor manera de combatir el síndrome que conduce a las enfermedades cardíacas y a la diabetes es perder peso, ponerse activo, y observar lo que come. Los alimentos ricos en magnesio pueden ayudar.

Los adultos jóvenes que comieron alimentos ricos en magnesio o tomaron suplementos de magnesio eran menos propensos a desarrollar síndrome metabólico que aquellos que consumieron menos magnesio, según un estudio publicado en la revista médica Circulation. Otro estudio de Boston encontró que hombres y mujeres de 60 años de edad que comían alimentos ricos en magnesio redujeron su riesgo de síndrome metabólico sobre los que comieron menor cantidad.

Los expertos dicen que el magnesio funciona disminuyendo la presión arterial y los niveles de grasa y azúcar en la sangre. El poderoso mineral también evita la resistencia a la insulina y combate la protuberancia alrededor de su vientre.

Usted puede obtener más magnesio simplemente comiendo alimentos como bananas, pasas y almendras. Además, si usted los pone todos juntos, conseguirá un delicioso placer sin el cual su corazón no podrá vivir. Solo corte un plátano por la mitad longitudinalmente. Unte un poco de mantequilla natural de almendra y rocíe con pasas.

CULTÍVELO

Cultive súper brotes buenos para su corazón

Si usted piensa que el brócoli es bueno para usted, pruebe los brotes de brócoli - semillas de brócoli que han sido germinadas entre tres y cinco días.

La gente que comió alrededor de 3.5 onzas de brotes de brócoli diariamente por sólo una semana tuvieron un colesterol "malo" LDL más bajo, mientras que en realidad el colesterol "bueno" HDL aumentó, según un pequeño estudio japonés.

Usted puede encontrar brotes de brócoli en algunas tiendas de alimentos saludables, pero cultivarlas es simple y divertido.

Remoje un puñado de semillas durante la noche en agua a temperatura ambiente. Coloque una fina capa de tierra abonada en una cacerola poco profunda y humedezca con una pequeña cantidad de agua. Espolvoree sus semillas sobre el suelo, luego cubra con otra capa delgada de tierra. Cubra con una envoltura de plástico y haga unos cuantos agujeros en el plástico para que el aire circule.

Mantenga alejado de la luz directa del sol en un área cálida y seca. Debe ver brotes en unos dos días. Están listos para comer en unos tres a cinco días. Tome un montón y agréguelos a una ensalada, acompañe un plato de sopa con ellos o añádalos a su sándwich favorito.

3 manjares deliciosos de bayas que su corazón amará

¿Qué fruta tiene el nivel más alto de antioxidantes - esos combatientes de tumores y coágulos de sangre? Las bayas de Açaí, la exótica fruta de la selva amazónica, popularizada en los Estados Unidos en el programa de "Oprah".

Por desgracia, esta exótica súper baya es difícil de encontrar en la sección de productos frescos de su supermercado local, pero compruebe en la sección de productos congelados. Los almacenes suelen tener pulpa de fruta congelada allí, perfecta para batidos y postres fríos.

O usted podría buscar el polvo del açaí. La pulpa y el polvo tienen los mayores niveles de antioxidantes, más que las bayas frescas, dicen los expertos.

Y no son sólo las bayas de açaí las que están cargadas de antioxidantes. Las frambuesas negras tienen la segunda cantidad más alta de antioxidantes, y los arándanos, las zarzamoras, las frambuesas, y las fresas también están en el tope de la lista.

Las mujeres que comieron arándanos y fresas por lo menos tres veces por semana disminuyeron sus posibilidades de sufrir un ataque al corazón, encontró un estudio publicado en la revista médica Circulation. El estudio incluyó a más de 93,000 mujeres de 25 a 42 años de edad. Las que comieron más arándanos y fresas redujeron su riesgo de ataque al corazón en un 32 por ciento. Los científicos dicen que son las antocianinas, poderosos antioxidantes, los que reducen el colesterol malo y alzan el colesterol bueno.

Aquí hay algunas formas en las que usted puede disfrutar de estos súper alimentos dulces y ácidos.

- ■ Cuencos de Açaí - Mezcle la pulpa de fruta de açaí congelada en una licuadora con un plátano y jugo de piña. Vierta en un recipiente. Cúbralo con su combinación favorita de granola, almendras en rodajas, fresas, arándanos, yogur natural y especias como nuez moscada o canela.

- ■ Salsa de bayas - Ponga 2/3 taza de arándanos congelados y 2/3 taza de moras congeladas en una cacerola. Añada 1/2 taza de agua, 3 cucharadas de azúcar, y 2 cucharadas de jugo de limón. Lleve a un hervor, reduzca el calor, y cocine a fuego lento hasta que la salsa espese, por unos 10 minutos. Agregue una porción de mantequilla. Vierta la salsa de bayas sobre panqueques o como una capa en un parfait de yogur.

- ■ Vinagreta de frambuesa negra - Triture 3/4 de taza de frambuesas negras. Deje a un lado. Bata 3 cucharadas de jugo de limón, junto con 3 cucharadas de vinagre de vino tinto, 1 1/2 cucharadas de cebolletas en cuadritos, 1 y 1/2 cucharaditas de mostaza Dijon, y sal y pimienta al gusto. Agregue 3/4 de taza de aceite de oliva hasta que esté bien mezclado. Agregue las frambuesas negras.

Ayude a su corazón a mantener su ritmo con este tratamiento casero

¿Desearía poder comer algo que removiera la placa de sus arterias? ¡Sí puede! Esta salsa casera hará el trabajo. Eso es porque los tomates en salsa son ricos en licopeno, un potente antioxidante que es buenísimo para su corazón y sus arterias.

El licopeno bueno para el corazón mantiene las arterias libres.
El licopeno redujo el riesgo de enfermedades cardiovasculares y enfermedades coronarias, dicen los Científicos de la Universidad de Tufts que monitorearon a más de 5.000 personas por 10 años. Ambas enfermedades tienen una cosa en común: la acumulación de placa en las arterias que puede conducir a ataques cardíacos, hipertensión arterial y accidente cerebrovascular.

Los científicos piensan que el licopeno bloquea la producción excesiva de moléculas dañinas llamadas especies reactivas de oxígeno. Además, reduce la inflamación y la coagulación, disminuye el colesterol total y el peligroso LDL y reduce la presión arterial.

Comer tomate y productos derivados también redujo el riesgo de derrame isquémico, el resultado de una arteria bloqueada en el cerebro, en un 59 por ciento y el riesgo de un derrame de cualquier tipo en un 55 por ciento, demuestra un estudio publicado en el revista médica Neurology. El estudio siguió a más de 1,000 hombres finlandeses con edades entre 46 y 65 años durante 12 años. Los hombres con mayor concentración de licopeno en su sangre resultaron más favorecidos.

> Cortar los tomates puede dejar un lío jugoso en la encimera de la cocina. Así que la próxima vez que pique tomates, coloque su tabla de cortar dentro bandeja para hornear galletas. Ésta recogerá el exceso de jugos.

Los tomates cocidos aumentan la absorción. ¿Cuál es la mejor manera de obtener licopeno, este increíble antioxidante que le da a los tomates su hermoso color rojo? Usted puede sorprenderse de saber que los tomates enlatados, cocidos, en jugo y puré contienen más licopeno que los tomates frescos, dicen los expertos. Estos métodos liberan licopeno de las paredes celulares de las plantas y lo hacen más accesible a su cuerpo.

Para una absorción aún mayor, disfrute de sus tomates con una grasa saludable como el aceite de oliva. Las personas que bebieron jugo de tomate con aceite de oliva absorbieron más licopeno que aquellos que bebieron jugo de tomate puro, según investigadores españoles. Y su colesterol LDL peligroso se desplomó seis horas después de tomar su cóctel de tomate y aceite. Los científicos dicen que es porque el licopeno es liposoluble y necesita una fuente de grasa para ser absorbido de una mejor manera.

Salsa gustosa en un instante. Aquí está una receta de salsa gustosa usando tomates enlatados y aceite de oliva - el dúo dinámico garantizado para impulsar su licopeno y mantener su corazón sano y fuerte.

- 2 latas de 10 onzas (1 1/4 tazas) de tomates con chiles verdes cortados en cubitos

- 1 lata de 28 onzas (3 1/2 tazas) de tomates enteros con jugo

- 1 taza de cebolla picada

- 6 dientes de ajo picados

- 2 a 3 jalapeños picados

- 1/2 limón, exprimido

- 1/4 cucharadita de sal

- 1/4 cucharadita de comino

- 1/2 taza de cilantro fresco (opcional)

- 2 a 3 cucharadas de aceite de oliva

Haga un puré con los tomates enteros en un procesador de alimentos. Saltee la cebolla, el ajo, y los jalapeños en aceite de oliva por unos minutos. Añada el resto de sus ingredientes y póngalos a hervir. Cocine a fuego lento durante al menos 30 minutos. Sirva caliente. Refrigere las sobras por hasta dos días o congele.

3 súper semillas con 'beneficios de corazón'

Ha oído que las mejores cosas vienen en empaques pequeños. Y tal es el caso de las semillas, pequeñas potencias nutricionales que reducen su riesgo de enfermedades del corazón, disminuyen el colesterol dañino y la presión arterial alta, y mantienen sus arterias sanas. Aquí están las tres semillas que usted debe comer.

Las fabulosas semillas de linaza luchan por la salud de su corazón. El rey Carlomagno iba por buen camino cuando ordenó a todos sus súbditos comer las semillas de la planta de linaza. El sabio rey estaba al tanto de que contenían poderosos elementos sanadores. Estos elementos son la fibra, las grasas saludables y los lignanos.

Las semillas de linaza contienen toneladas de fibra soluble, que le protege de la hipertensión y reduce el colesterol LDL dañino, dicen los expertos. La fibra soluble actúa tomando los ácidos biliares y quitándolos de su cuerpo. Los ácidos biliares, que ayudan a la digestión, están hechos de colesterol.

Las semillas de linaza también contienen ácido alfa-linolénico (AAL), un ácido graso omega-3 que mantiene las arterias limpias para que la sangre fluya suavemente. De hecho, los omega-3 bloquean la formación de coágulos de sangre, reducen el colesterol y los triglicéridos, disminuyen la presión arterial y reducen el riesgo de accidente cerebrovascular.

Los lignanos son sustancias químicas vegetales especiales que combaten el colesterol. Las personas que comieron barras de linaza con una alta cantidad de lignanos bajaron sus niveles de colesterol total en un 12 por ciento y su colesterol LDL dañino en un 15 por ciento sobre los que comieron barras de linaza con menos lignanos, según encontró un pequeño estudio de la Universidad de California.

Para una nutrición óptima, muela las semillas y espolvoree sobre el cereal o el yogur. Si hornea sus propios panes o magdalenas, mézclelos con la masa.

Las semillas de girasol dejaron por fuera a las enfermedades del corazón. Sus amigos en Kansas tienen un motivo para sonreír. Conocido como el estado del girasol, Kansas es uno de los principales productores de semillas de girasol en el país.

Y esas semillas están cargadas con vitamina E, un poderoso antioxidante, que detiene el colesterol LDL antes de que se forme la placa que obstruye las arterias dicen los científicos.

La vitamina E tiene otras propiedades anti-obstrucción, por lo que hace más fácil que la presión arterial se mantenga baja y su corazón pueda bombear sangre. Además, protege contra el endurecimiento de las arterias, los accidentes cerebrovasculares y ataques al corazón.

Además, las semillas de girasol aportan una dosis saludable de grasas poliinsaturadas (GPI), las grasas buenas que su cuerpo necesita para una máxima salud. Estas GPI reducen los triglicéridos, disminuyen la presión arterial y reducen la acumulación de placa en las arterias.

Una gran manera de comer semillas de girasol es en una ensalada. O simplemente tome un puñado como merienda.

Las semillas de chía cortan el colesterol malo. ¿Recuerda las Chia Pets que usted sembraba cuando era niño? Seguro que no sabía que las semillas que utilizaba rebosan de poderosos elementos que curan el corazón.

Al igual que las semillas de linaza, las semillas de chía contienen fibra y la grasa saludable del AAL, que reduce los triglicéridos y aumenta el colesterol HDL bueno.

Y si muele las semillas para hacer harina, puede combatir la hipertensión. Las personas con presión arterial alta que comieron un poco más de dos cucharadas de harina de chía diariamente durante 12 semanas disminuyeron su presión arterial, según investigadores brasileños.

Mezcle 1/3 de taza de semillas de chía con dos tazas de agua para hacer un gel que puede agregar a jugos y batidos. O use la harina de chía para hornear sus panes caseros favoritos.

La decisión de la FDA que puede salvar su vida

Piense dos veces antes de tomar otra dona rellena. Esta cargada con grasas trans - grasas que le ponen en mayor riesgo de sufrir enfermedades del corazón. Pero una nueva decisión de la Administración de Alimentos y Medicamentos (FDA, por sus siglas en inglés) está a punto de cambiar la industria de los alimentos procesados. Y eso puede salvar su vida.

La FDA está prohibiendo las grasas trans de la dieta norteamericana. Los fabricantes de alimentos han estado agregando grasas trans a los alimentos procesados desde la década de 1950 para aumentar el sabor y la vida útil. Ahora la FDA está dando un plazo a los fabricantes hasta 2018 para eliminarlos gradualmente.

Son los aceites parcialmente hidrogenados (PHO, por sus siglas en inglés), la fuente primaria de grasas trans, que ya no se consideran "generalmente reconocidos como seguros" o GRAS (Generally Recognized as Safe), dicen los expertos. Los estudios demuestran que estas grasas peligrosas elevan su colesterol LDL dañino y los triglicéridos, aumentan la acumulación de placa en sus arterias y aumentan su riesgo de sufrir enfermedades del corazón.

Los investigadores de Harvard creen que la eliminación de las grasas trans de la dieta norteamericana podría prevenir hasta uno de cada cinco ataques al corazón. Eso es un cuarto de millón de menos ataques cardíacos y muertes relacionadas en los Estados Unidos anualmente.

Las grasas trans también se producen naturalmente en la carne y los productos lácteos y en algunos aceites después del proceso de fabricación, pero no son una gran preocupación para la salud.

Hasta que estén completamente fuera del mercado, lea las etiquetas y busque las palabras "grasas trans" y "aceites parcialmente hidrogenados" en los siguientes alimentos:

- Productos horneados

- Cremas para el café

- Galletas saladas y dulces, pasteles

- Tartas congeladas

- Margarinas de barra

- Bocaditos, incluyendo algunas palomitas de microondas

- Glaseados listos para usar
- Productos de masa refrigerada como galletas y rollos de canela

---

Aceite de coco - ¿publicidad o saludablepara el corazón?

El aceite de coco encabeza la lista de tendencias de alimentos estos días. Entonces, ¿qué es todo ese alboroto? Esto es lo que necesita saber.

Los estudios en animales muestran que el aceite de coco virgen reduce el colesterol dañino y los triglicéridos y aumenta el colesterol bueno HDL. Los científicos dan crédito a las sustancias naturales del coco como la vitamina E, los polifenoles, los fitoesteroles y el ácido láurico por sus beneficios en pro del corazón.

Pero los expertos también advierten que el aceite de coco contiene un enorme 90 por ciento de grasa saturada. En comparación, la mantequilla tiene 64 por ciento y la manteca, 40 por ciento de grasa saturada. El aceite de oliva, por otro lado, es en su mayoría grasa insaturada y reduce su colesterol malo mientras aumenta su colesterol bueno.

Así que no se deje llevar por la opinión general acerca del aceite de coco. Utilícelo con moderación para platos especiales, como la comida tailandesa. De otra manera, opte por los aceites con grasas no saturadas como el aceite de oliva y cártamo.

Presión arterial alta

Curas de cocina al rescate

Corra rápidamente hacia este plan de alimentación: dieta DASH

¿Quiere reducir su presión arterial sin fármacos? No busque más allá de la dieta DASH - el plan de alimentación que ha demostrado bajar la presión arterial ¡Y usted puede perder algunas libras al comenzar!

DASH son las siglas de *Dietary Approaches to Stop Hypertension,* en español: Enfoques Dietéticos para Detener la Hipertensión. Los investigadores de los Institutos Nacionales de Salud desarrollaron este plan de alimentación para ayudar a prevenir la presión arterial alta o bajarla si ya está demasiado alta.

El plan se enfoca en comer menos grasa saturada, grasa total y colesterol, así como cantidades más pequeñas de carnes rojas y bebidas azucaradas. Pero esto es lo que consumirá: más frutas, verduras, granos enteros y productos lácteos bajos en grasa, además de nueces, pescado y aves de corral. Puede comer algunos dulces, solo que no la misma cantidad que usted puede estar comiendo ahora mismo.

Además, tiene que comer menos sal, que está cargada con sodio, un bien conocido elemento que aumenta la presión arterial. De hecho, solamente consumir menos sodio puede ayudar a bajar la presión arterial, pero combinándolo con el plan DASH es aún mejor, dicen los expertos.

La dieta DASH disminuyó la presión arterial sistólica en 7 puntos en personas sin hipertensión y en 11.5 puntos en personas con hipertensión arterial, muestra un estudio publicado en la *Revista de Medicina de Inglaterra.*

La presión arterial sistólica es el número más alto, la que mide la presión de la sangre que empuja sus arterias.

Y la dieta DASH, que promueve más proteínas vegetales provenientes de frutos secos, semillas y legumbres, así como frutas y verduras, reduce la presión sanguínea y su riesgo de desarrollarla, encontró un estudio publicado en la Revista de Hipertensión Humana.

Los investigadores piensan que las proteínas vegetales ayudan a su cuerpo a absorber más nutrientes y menos sodio, mientras relaja y ensancha sus vasos sanguíneos.

Su presión arterial puede aumentar lentamente a medida que envejece. Pero aquí hay algunas noticias importantes - los científicos dicen que seguir la dieta DASH y comer menos sodio le protegerá en el largo plazo, no sólo de un lento aumento de la presión arterial, sino de un mayor riesgo de muerte relacionada con el corazón.

¿El plan DASH es adecuado para usted? Sólo usted y su médico pueden decidir. Pero aquí hay una visión general de este plan de alimentación flexible y equilibrado.

- Tome libremente los alimentos integrales - tienen un montón de amor para su corazón. Eso es porque están cargados de fibra, proteínas, calcio, magnesio, potasio, folato y zinc - nutrientes con el poder de bajar la presión arterial.

- Aumente la cantidad de vegetales. Ya sabe que son buenos para usted. Pero ¿sabía que aportan hasta el 15 por ciento del calcio, magnesio y potasio que usted necesita - además de fibra, ácido fólico y vitaminas A, C y E? Todos buenos para una presión arterial sana - y un cuerpo saludable.

- Diga sí a las frutas frescas. Son ricas en potasio, el mineral N° 1 para controlar la presión arterial, así como en fibra, que lucha contra el colesterol.

- Descubra deliciosos lácteos bajos en grasa. Los científicos no están seguros de si funciona, pero piensan que es la proteína, el calcio, el magnesio y el potasio presentes en la leche, yogures y quesos.

■ No haga de la carne su plato principal. Piense en ella como una pequeña parte de su comida. Coma carne roja con moderación, y consuma pescado y aves de corral en su lugar. Son más bajos en grasa, y el pescado es rico en ácidos grasos omega-3, que pueden ayudar a regular la presión sanguínea.

■ Vaya por las nueces unas cuantas veces a la semana. Las nueces, semillas e incluso legumbres son grandes fuentes de proteínas, magnesio, potasio y fibra.

■ Disfrute de los dulces – pero no exagere. Esto le ayudará a ahorrar calorías para poder consumir alimentos más nutritivos.

Esta es una guía útil para usted si su médico le da la autorización para probar la dieta DASH. Para más detalles, incluyendo el tamaño de las porciones, vaya al sitio web *www.nhlbi.nih.gov*, y busque el plan DASH.

El Plan de Alimentación DASH

El plan de alimentación DASH que se muestra debajo se basa en un total de 2,000 calorías diarias. El número de porciones diarias en un grupo alimenticio puede variar de aquellas listados, dependiendo de sus necesidades calóricas.

Alimentos integrales — 7-8 porciones

Vegetales — 4-5 porciones

Frutas — 4-5 porciones

Lácteos bajos en grasa o sin graso — 2-3 porciones

Carnes magras, aves y pescado — 2 porciones o menos

Nueces, semillas y granos secos — 4-5 porciones por semana

Grasas y acietes — 2-3 porciones

Dulces — 5 porciones por semana

3 superhéroes que luchan contra la hipertensión

¿Qué tienen en común los cereales de desayuno, los nabos y la coliflor? Magnesio, un magnífico mineral que pone el freno a la presión arterial alta.

Usted puede fortalecer los músculos cardíacos – no con ejercicio sino con este nutriente estabilizador del corazón. El magnesio disminuye su riesgo de desarrollar hipertensión, sugiere un estudio de cuatro años realizado en 30,000 hombres publicado en la revista médica Circulation. Este mineral relaja los vasos sanguíneos y regula otros dos minerales que afectan la presión sanguínea, el sodio y el potasio, al mantener bajos los niveles de sodio y los niveles de potasio elevados.

El magnesio es especialmente importante para las personas mayores de 70 años. Eso es porque los adultos mayores no comen tantos alimentos ricos en magnesio. También es más difícil para las personas mayores absorber el magnesio y eliminarlo en la orina.

> Hay un alimento bíblico que baja la presión arterial -¡los higos! Están llenos de potasio, y son los ingredientes principales de las Fig Newtons - una galleta con un relleno de fruta que ayuda a reducir el colesterol, la presión sanguínea y el azúcar en la sangre, reduce el riesgo de accidente cerebrovascular e incluso le ayuda a mantenerse delgado. Encontrará 95 miligramos de potasio en dos galletas.

El magnesio no es el único nutriente que reduce el riesgo de tener presión arterial alta. Los investigadores dicen que el potasio y la fibra también desempeñan papeles importantes.

El potasio aumenta el flujo sanguíneo relajando los vasos sanguíneos y mantiene niveles saludables de sodio eliminando el exceso por la orina.

La fibra reduce el riesgo de hipercolesterolemia al limpiar la acumulación de colesterol en los vasos sanguíneos y al expulsarlo de su cuerpo.

Póngalos todos juntos y es como tener un trío de superhéroes luchando por la salud de su corazón.

Para obtener los tres nutrientes que trabajan para usted, eche un vistazo a esta lista de súper alimentos.

- Revise las etiquetas de sus cereales. Muchos cereales de fibra vienen llenos de fibra, magnesio y potasio. Y si usted añade banana (platano) a su tazón, usted consigue una dosis adicional de los tres.

- Vaya por lo verde. Opte por los nabos, la mostaza o la acelga para una enorme dosis de fibra, magnesio y potasio.

- Ase estos vegetales. Mezcle cogollos de coliflor con corazones de alcachofa. No sólo obtendrá suficiente fibra, magnesio y potasio, estos dos vegetales súper sanos saben muy bien juntos también. Póngalos en aceite de oliva, agregue algunas especias y ase en un horno a 375 grados durante unos 35 minutos. Revuelva a mitad del tiempo de cocción.

- Súper poderosos domadores de la presión arterial. Como si las moras y frambuesas no tuvieran suficientes nutrientes poderosos como los antioxidantes, también son ricas en fibra, magnesio y potasio. Recójalas frescas o cómprelas congeladas y agréguelas a sus ensaladas y batidos.

- Súper chucrut al rescate. Este ácido bocadillo viene cargado con probióticos y el fabuloso trío de fibra, magnesio y potasio. Y hacer su propio chucrut es aún mejor para usted y más fácil de lo que piensa. Revise el apartado Alimentos Fermentados Divertidos que son Buenos para su Cintura en el capítulo Control de Peso.

7 deliciosas (y saludables) recetas de bayas que usted nunca ha probado

Usted lee sobre las bayas y los antioxidantes todo el tiempo - cómo combaten el cáncer y aumentan sus células cerebrales. Añada la lucha contra la hipertensión a la lista. Frescos o congelados, estos pequeños súper alimentos dulces luchan por la salud de su corazón.

Las personas que comieron más arándanos y fresas en un período de 14 años redujeron su riesgo de presión arterial alta en un 8 por ciento, según encontró un estudio publicado en la Revista Americana de Nutrición Clínica. Los hallazgos fueron en realidad tomados de tres estudios diferentes sobre más de 150,000 hombres y mujeres.

Las antocianinas y flavonoides, poderosos antioxidantes presentes en los arándanos y fresas, impulsan el flujo sanguíneo, relajan los vasos sanguíneos y promueven la salud del corazón. Lo mismo ocurre con los arándanos rojos, las grosellas negras, frambuesas y moras.

Usted puede lanzar de una vez las bayas en sus smoothies o coronar su avena y cereales con ellos. Por suerte para usted, estas no son las únicas maneras de disfrutar de las bayas. Echa un vistazo a estas recetas rápidas y saludables.

- Agregue arándanos la próxima vez que haga un wrap de pollo. Aumentarán el sabor y los beneficios a la salud. Nada más fácil, sabroso y saludable.

- Haga una ensalada de fresa, pepino, sandía. Simplemente corte su fruta, sazone con jugo de lima, y cubra con menta. ¡Refrescante!

- Disfrute de este yogur y postre de moras. Hierva 1 1/2 tazas de moras congeladas con 1/2 taza de agua, 1/8 taza de azúcar y 2 cucharadas de jugo de limón. Lleve a ebullición y luego reduzca el calor durante 10 minutos. Agregue una cucharada de mantequilla. Sirva con una cuchara 1/2 taza de yogur natural en cuatro cuencos. Corone cada porción con su salsa de moras.

- Pruebe esta salsa ácida de arándanos rojos. Combine 1/2 taza de limón o mermelada de naranja con 2 cucharadas de ralladura de naranja y deje a un lado. Lleve una taza de jugo de naranja y 1/4 taza de azúcar a ebullición, a continuación, añada los arándanos. Cocine a fuego lento hasta que los arándanos revienten. Retire del fuego y remuévalos con la mezcla de mermelada. Cubra y enfríe. Unte en su sándwich de pavo.

- Dé a las frambuesas un toque mexicano. Corte finamente sus bayas y mézclelas con su salsa favorita. Agréguela sus tacos de pescado.

- Refrésquese con paletas de bayas. Atraviese bayas frescas con palillos de madera, de 3 pulgadas de profundidad. Extienda una capa gruesa de yogur en un plato y gire sus brochetas de bayas hasta que estén cubiertos. En una bandeja para hornear cubierta con papel encerado, coloque sus paletas de bayas en el congelador. Disfrute en unos 30 minutos.

- Disfrute de estos refrescantes cubos de yogur con bayas en su boca. Llene una bandeja de cubitos de hielo con cucharadas de su yogur bajo en grasa favorito. Deje caer dentro algunas bayas. Congele. Dependiendo del tamaño de sus cubos, puede insertar un mondadientes o paleta de helado.

PREPÁRELO

La sorprendente sopa que es buena para su corazón

La sopa de pollo puede ser buena para su alma, pero es el gazpacho el que es bueno para hipertensión. La sabrosa sopa fría contiene ajo, tomates, pepinos, aceite de oliva y pimientos morrones - todos llenos de nutrientes ricos como carotenos, vitamina C y polifenoles que combaten la hipertensión, dicen los investigadores en España.

Para hacer gazpacho, combine 12 onzas de tomates frescos cortados en cubos con un pimiento rojo picado toscamente, pepino, cebolla dulce pequeña, y un diente de ajo en un tazón. Vierta de 2 a 2 1/2 tazas de jugo de tomate bajo en sodio, 2 cucharadas de vinagre de jerez, una pizca de salsa picante. Colóquelo todo en un procesador de alimentos hasta que los vegetales estén finamente picados y añada lentamente 1/4 taza de aceite de oliva.

Enfríe en la nevera durante cuatro horas. Rinde de cuatro a seis porciones.

3 zumos para la presión arterial que no sabía que necesitaba

Beber vino tinto o jugo de uva puede ser bueno para su corazón, pero beber estos tres jugos podría ser aún mejor.

No se puede superar el jugo de remolacha. Piense en las remolachas como los vegetales que reducen la presión arterial tanto como las pastillas. Eso es porque las remolachas contienen nitratos, una sustancia utilizada en los medicamentos para el corazón para aumentar el flujo sanguíneo.

Personas de 18 a 85 años que bebieron 8 y 1/2 onzas de jugo de remolacha diariamente durante cuatro semanas bajaron su presión arterial sistólica en 8 puntos y la diastólica en 4 puntos, dicen los investigadores que llevaron a cabo un pequeño estudio en Londres.

Algunos participantes del estudio estaban teniendo dificultades para alcanzar su presión arterial objetivo mientras tomaban su medicación. Otros habían sido diagnosticados con presión arterial alta, pero aún no habían comenzado a tomar medicamentos. El jugo de remolacha redujo su presión arterial, pero dos semanas después de haber dejado de beberlo, su presión arterial subió de nuevo.

Los investigadores dicen que son los nitratos en la remolacha los que deben llevarse el crédito. Se convierten en óxido nítrico en su cuerpo, y eso relaja y dilata sus vasos sanguíneos.

Para darle al jugo de remolacha - también llamado zumo de remolacha - una oportunidad, revise la sección de alimentos saludables de su supermercado favorito o toda la tienda de alimentos.

Puede tomar algún tiempo acostumbrarse al jugo de remolacha. Comience con una pequeña cantidad y añádala a batidos, otros jugos, o mezcle con yogur.

Los científicos dicen que no conocen los efectos a largo plazo de beber zumo de remolacha regularmente. Y también advierten que nunca deje de tomar su medicamento para la presión arterial sin consultar con su médico.

Ponga en marcha un corazón sano con jugo de arándanos rojos. Es dulce. Es ácido. Y es el jugo con los increíbles antioxidantes que bajan la presión arterial.

Las personas con presión arterial normal que bebieron jugo de arándanos rojos de bajas calorías, redujeron su presión arterial varios puntos por más de ocho semanas, encontró un estudio publicado en la Revista de Nutrición. El jugo de arándanos rojos también mejoró varios factores de riesgo de enfermedades del corazón, como azúcar en la sangre, triglicéridos y resistencia a la insulina.

Los arándanos rojos están cargados con antioxidantes llamados polifenoles, que incluyen quercetina, antocianinas y procianidinas. Todos ellos estimulan la salud del corazón y la de los vasos sanguíneos - y disminuyen la presión arterial.

¿Comer fuera podría estar saboteando su salud?

Comer fuera regularmente puede ser un factor de riesgo de hipertensión. Personas entre las edades de 18 y 40 años que comieron fuera más de 12 veces a la semana tenían una presión arterial ligeramente elevada o presión alta, encontraron investigadores en Singapur.

Si usted es hombre, sus posibilidades son aún mayores. El cuarenta y nueve por ciento de los hombres en el estudio fueron más propensos a presentar una presión arterial ligeramente alta contra sólo un 9 por ciento de las mujeres.

Y los científicos hicieron un sorprendente descubrimiento a lo largo del estudio - comer fuera incluso una comida extra a la semana aumentó el riesgo de presión arterial ligeramente más alta en un 6 por ciento. No es sorprendente, pues muchas personas tienden a elegir alimentos más altos en calorías, grasas saturadas y sal cuando comen fuera.

¿La moraleja de la historia? Coma en casa más a menudo, donde usted tiene el control de su sal, grasa y calorías.

Reduzca la presión con jugo de granada. Para los antiguos persas, la granada representaba la fuerza. Deben haber tenido una idea acertada, porque hoy los investigadores saben que la poderosa granada aporta una deliciosa manera de fortalecer su corazón.

Las personas sometidas a diálisis bajaron la presión arterial sistólica bebiendo 3 onzas de jugo de granada tres veces a la semana por un año, muestra un estudio en la Revista de Nutrición. Las personas con alta presión arterial sistólica mostraron una mejora aún mayor.

Es porque el jugo de granada es rico en polifenoles, que calman la inflamación y ayudan a los vasos sanguíneos a dilatarse y contraerse. Esto ayuda a regular el flujo sanguíneo. Así que adelante, sírvase un vaso ¡Su corazón se lo agradecerá!

¿Debería "patear la lata" para proteger su corazón?

Hay algo escondido en su lata de gaseosa, y puede no ser bueno para su corazón. Se llama bisfenol A (BPA), un producto químico utilizado para recubrir el interior de las latas de alimentos y bebidas así como las botellas de vidrio.

Las personas mayores de 60 años que bebieron dos bebidas enlatadas aumentaron su presión arterial sistólica en 4.5 puntos dos horas más tarde, encontró un pequeño estudio publicado en la revista *Hypertension*.

El BPA actúa como la hormona estrógeno en su cuerpo. Cuando el BPA entra en contacto con las células que son sensibles al estrógeno en su corazón y vasos sanguíneos, su presión arterial sube, dicen algunos expertos.

Para reducir su exposición al BPA, consuma alimentos frescos y congelados y busque contenedores sin BPA.

La bebida peligrosa en su nevera

¿Siente la tentación de tomar una bebida energética? Adelante, sólo si desea que su presión arterial se dispare. Estas bebidas populares en sus lindas latas de 8.3 onzas aportan mucha más azúcar y cafeína que su cola de siempre.

Individuos sanos aumentaron su presión arterial sistólica por 10 puntos y su ritmo cardíaco aumentó en cinco a siete latidos por minuto después de tomar bebidas energéticas, encontró un pequeño estudio del Hospital Henry Ford en Detroit.

Y no es sólo el azúcar y la cafeína. La mayoría de estas bebidas contienen taurina, un aminoácido que afecta su corazón y su presión arterial.

Aunque las personas sanas pueden salir ilesas con las bebidas energéticas ocasionales, personas con presión arterial alta o enfermedades del corazón deben desterrarlas por completo, dicen los expertos. No sólo pueden afectar su corazón, también pueden evitar que sus medicamentos para la presión arterial hagan su trabajo.

¿Es el vino tinto realmente bueno para su corazón?

Sí - y no. El vino tinto está cargado de antioxidantes que repelen las enfermedades del corazón, pero tenga cuidado con el alcohol. No ayudará a reducir su presión arterial, según descubrieron investigadores españoles - pero beber demasiado podría hacer que ésta aumente.

¿Qué debe hacer un amante del vino? Pruebe el vino tinto sin alcohol. Hombres con edades entre 55 y 75 años con un riesgo mayor de sufrir enfermedades del corazón que bebieron unas 9 onzas (1 1/8 tazas) de vino sin alcohol diariamente durante cuatro semanas redujeron su presión arterial, encontró un pequeño estudio fuera de España. La caída en la presión arterial provocó un 14 a 20 por ciento menos riesgo de accidente cerebrovascular y enfermedades del corazón.

El vino no alcohólico es un jugo de uva fermentado que pasa por un proceso de eliminación del alcohol. Lo que queda es una bebida sin alcohol llena de polifenoles.

Son estos polifenoles los que disminuyen la presión arterial mediante el aumento del óxido nítrico en los vasos sanguíneos, lo que hace que se relajen y se dilaten. Los expertos dicen que el alcohol en el vino regular puede contrarrestar los polifenoles.

Así que cuando escoja un vino tinto, dele una botella sin alcohol una oportunidad. Busque uno en su supermercado favorito u ordénelo por internet.

La única bebida que le mantiene saludable de pies a cabeza

¿Cuál es la cosa más saludable que puede beber en el planeta? Agua - es la cosa más importante que debe hacer para mantener la piel, cabello y uñas sanos. Además, regula la temperatura corporal, la frecuencia cardíaca y la presión arterial. Así es cómo lo hace.

Cuando no recibe suficiente agua, su cuerpo pasa a la deshidratación. Esto puede ocurrir cuando pasa tiempo al aire libre en un día muy caluroso. Pero los vómitos o la diarrea también pueden deshidratarle.

La deshidratación puede llevar a una presión arterial baja porque su volumen de sangre cae y menos oxígeno alcanza las células de su cuerpo.

También puede desencadenar una presión arterial alta porque si no obtiene suficiente agua, su cuerpo lo compensa reteniendo sodio.

Lo mejor es beber mucha agua todos los días. Y si llega a deshidratarse, busque atención médica inmediatamente.

Suero para acabar con la hipertensión

El suero es una de las proteínas de la leche que se pueden separar y convertir en un polvo. Es bajo en lactosa, por lo que es fácil de digerir si usted es intolerante a la lactosa. Y contiene los nueve aminoácidos esenciales.

Son esos aminoácidos los que dan al suero su poder de combate. El suero bloquea la enzima de conversión de la angiotensina (ECA), una sustancia presente en su cuerpo que contrae los vasos sanguíneos y hace que su corazón trabaje más. Los medicamentos para la presión arterial, inhibidores de la ECA trabajan de manera similar.

El suero también aumenta el óxido nítrico, una sustancia que sus vasos sanguíneos necesitan para expandirse.

Y combate dos enfermedades que aumentan el riesgo de hipertensión - la diabetes y la obesidad.

El polvo de proteína sérica -whey protein- es fácil de encontrar en supermercados y tiendas de alimentos saludables. Mezcle estos ingredientes en su licuadora para hacer un batido de proteína perfecto.

- 3/4 taza de fruta fresca o congelada
- 1/2 taza de yogurt natural o de vainilla bajo en grasa
- 1/2 banana
- 1/2 taza de jugo de fruta, leche baja en grasa o leche de almendras
- 1 a 2 cucharadas de proteína de suero de vainilla en polvo
- Un par de cubitos de hielo – opcional

El azúcar es tan malo como la sal para la presión arterial

Usted sabe que tiene que comer menos sal para bajar su presión arterial. ¿Pero sabía que el dulce es igual de malo? Este es el por qué.

Consumir azúcares añadidos aumenta su riesgo de obesidad, diabetes, enfermedades del corazón, accidente cerebrovascular y otras enfermedades crónicas, demuestran estudios recientes. Los científicos ahora encuentran vínculos entre los azúcares añadidos y la presión arterial alta.

El azúcar aumentó la presión arterial sistólica en unos 6.9 puntos y la diastólica en 5.6 puntos, en estudios de ocho semanas o más. El azúcar también aumentó el número de grasas que flotan en su sangre, lo que significa mayores niveles de colesterol.

Las personas que tomaron bebidas azucaradas cargadas con glucosa y fructosa, edulcorantes que se encuentran en el jarabe de maíz de alta fructosa, tenían una presión arterial más alta, según reportaron investigadores en Hypertension, una revista de la Asociación Americana del Corazón.

Y si usted obtiene demasiada sal junto con demasiado azúcar en su dieta, sólo se está buscando problemas. Las lecturas de presión arterial fueron incluso mayores en personas que consumían grandes cantidades de azúcar y sal.

El azúcar parece aumentar el ácido úrico en la sangre, el cual reduce la cantidad de óxido nítrico en sus vasos sanguíneos, dicen los expertos. Sus vasos sanguíneos necesitan óxido nítrico para permanecer abiertos y flexibles. El azúcar puede también provocar que su cuerpo retenga sodio.

Esto es lo que puede hacer para reducir la sal y el azúcar.

- Lea las etiquetas y baje la cantidad de sal y azúcar que usted consume. Las Guías Alimentarias para los Estadounidenses del 2015 sugieren más de 2.300 miligramos de sodio al día. Eso es más o menos una cucharadita de sal. Haga que el azúcar añadido no pase de 10 por ciento de su ingesta calórica diaria.

- Elimine los alimentos procesados como sopas enlatadas, cenas congeladas, carnes de almuerzo, cereales instantáneos y tentempiés salados. Ahí es donde usted obtiene la mayor parte de su sodio.

- Reduzca las gaseosas azucaradas. Los refrescos dietéticos no aumentaron la presión sanguínea, según hallazgos de los investigadores.

- Adopte la dieta DASH, que es baja en sodio e incluye frutas y verduras naturalmente dulces.

- Hable con su médico acerca de otros cambios que puede hacer para bajar la presión arterial.

PREPÁRELO

Meriende mientras va camino a reducir la presión arterial

Si usted está buscando un sano, dulce, y crujiente tentempié, aquí está. Y con estos ingredientes, puede merendar mientras va en camino hacia una presión arterial más baja. Este es el por qué.

Los cacahuetes tienen arginina, un aminoácido que ensancha sus vasos sanguíneos. Las nueces están llenas de omega-3, fibra y magnesio, todos combatientes de la hipertensión. Además, las semillas de linaza reducen su presión arterial con su fibra y omega-3.

Las pasas oscuras están llenas de potasio y catequinas, potentes antioxidantes que aumentan el flujo sanguíneo. Y los flavonoides en el chocolate oscuro promueven una presión arterial más baja y la salud del corazón.

Mezcle los siguientes ingredientes en un recipiente.

- 1 taza de copos de avena
- 1/2 taza de mantequilla de maní
- 1/4 taza de miel
- 1/2 taza de trozos de chocolate oscuro o chocolate negro picado
- 1/3 taza de pasas oscuras
- 1/3 taza de semillas de linaza
- 1/2 taza de maní, picado
- 1/2 taza de nueces, picadas

Deje enfriar la mezcla durante 30 minutos. Haga bolitas de 1 pulgada y ¡disfrute! Refrigere las sobras en un recipiente hermético por hasta siete días.

Sacuda el hábito de la sal con hierbas celestiales

La manera más sabrosa de comer menos sal es reemplazarla con hierbas y especias. Usted no sacrificará el sabor - de verdad.

Personas con y sin presión arterial alta que probaron pan salado y pan sazonado con orégano eligieron este último, sugiere un pequeño estudio de Brasil.

En la primera ronda del estudio, aquellos con presión arterial alta probaron panes con diferentes cantidades de sal. La mayoría dijo que prefería la muestra más salada. Pero cuando probaron un pan que contenía orégano y menos sal, escogieron ése sobre los panes más salados.

El orégano es una gran especia para jugar, porque es barato y fácil de agregar a sus comidas. Y no es sólo el orégano. Otras hierbas y especias pueden reemplazar fácilmente la sal en su cocina.

Sazone sus platos con estos sabores del mundo. Y haga marinadas con estas hierbas y especias más aceite de oliva para comidas griegas e italianas, cerveza para platos alemanes y jugos cítricos para cocina Tex-Mex y caribeña.

Cocinas del Mundo	Hierbas y Especias
Todo Griego	Tomillo, eneldo, perejil, pimienta negra, mejorana, ajo en polvo, orégano, cáscara de limón
Tex-Mex Fabuloso	Comino, polvo de ají, cilantro, paprika, cebollas y ajo (fresco o seco), pimiento rojo molido
Sabor de Italia	Ajo fresco, albahaca, orégano, romero, perejil italiano de hoja plana
Pizca de Asia	Curry, jengibre, ajo, cúrcuma, canela, limoncillo, azafrán, cardamomo, hojas de laurel
Delicias Alemanas	Eneldo, cebolleta, tomillo, hojas de laurel, borraja, perejil, mejorana, pimienta blanca, semillas de alcaravea, bayas de enebro
Antojos Caribeños	Clavos, hojas de laurel, nuez moscada, azafrán, anís, pimienta roja y negra, ajo y cebolla frescos, pimienta de Jamaica, orégano, tamarindo
Bocadillos Americanos	Salvia, tomillo, perejil, pimienta de Jamaica, semillas de mostaza, granos de pimienta

Indigestión

Remedios naturales que apagan el fuego

4 razones poco conocidas por las que usted debe beber agua

El agua es esencial para la vida. Transporta nutrientes y elimina las toxinas. Sorprendentemente, los profesionales de la salud están encontrando más y más formas en las que esta refrescante bebida le mantiene sano, incluyendo el hecho de que protege su esófago - el tubo que transporta alimentos y líquidos desde su boca hacia el estómago.

El agua protege el esófago de los ácidos digestivos. Si usted sufre de ERGE (enfermedad del reflujo gastroesofágico), probablemente ciertas bebidas, como el alcohol y el zumo de naranja, pueden agravar sus síntomas.

Las bebidas carbonatadas también pueden empeorar los síntomas de ERGE, causando hinchazón, la cual presiona su estómago. Esto puede forzar a los ácidos a que regresen a su esófago. Al mismo tiempo, las bebidas efervescentes pueden debilitar el esfínter o válvula que protege la membrana de su esófago de los ácidos dañinos.

La acidez estomacal o una sensación de ardor en el pecho, es a menudo un signo de indigestión. Pero la indigestión también puede estar acompañada de dolor abdominal, un estómago con molestias o con sonidos, eructos y gases, náuseas y vómitos, y una sensación de llenura o hinchazón.

Beber agua durante el día ayudará a mantener el esófago libre de jugos digestivos. Pero sea cuidadoso con la cantidad que bebe con las comidas. Algunos expertos en salud dicen que consumir muchos líquidos con su comida puede diluir el contenido de su estómago, lo que hace que su comida sea más difícil de digerir. Trate de beber una hora antes o después de comer.

El agua gana la carrera hacia su estómago. Si usted bebiera media taza de agua y media taza de jugo de limón, el agua llegaría a su estómago más rápido. Eso es lo que pasó en un estudio que también reveló que la gente que bebía jugo de limón tragó con más frecuencia, con pequeñas cantidades de líquido en cada trago. Debido a que a las bebidas ácidas les toma más tiempo llegar hasta el estómago, estas pasan más tiempo en el esófago donde pueden causar más daños. Esta puede ser una buena razón para decir "no gracias" la próxima vez que el camarero pregunte si quiere limón con eso.

El agua reduce el ácido en su barriga. El agua aumenta inmediatamente el pH de su estómago - reduciendo la acidez en sólo un minuto, según un estudio. En el mismo estudio, el agua funcionó más rápido que cualquiera de los antiácidos y los inhibidores de la bomba de protones probados. Los beneficios duraron unos tres minutos.

Un vaso grande de agua ayuda a bajar la medicina. Si una pastilla permanece en su esófago demasiado tiempo, puede causar daño. Además, ciertas píldoras pueden irritar el esófago, incluso si no las atrapan. Estas incluyen antibióticos, analgésicos y fármacos para osteoporosis. Beba un vaso lleno de agua al tomar una píldora en lugar de tomar un sorbo para asegurarse de que su medicina llegue a donde va.

Mastique esto - una manera rápida y fácil de reducir el ácido

A principios de los 90, Lee Kuan Yew ayudó a aprobar una ley que hizo ilegal la importación de goma de mascar en Singapur. Quería que las calles fuesen más limpias, pero lo que no sabía entonces era que masticar chicle tiene realmente algunos beneficios para la salud. Investigaciones convincentes, publicadas desde que se aprobó la ley de Yew, muestran que la goma de mascar puede ser un maravilloso remedio contra el reflujo ácido.

El reflujo es generalmente peor después de las comidas, pero usted puede mejorar sus síntomas al masticar chicle sin azúcar después de comer. El chicle ayuda a eliminar el ácido en el esófago estimulando la saliva y la deglución.

En tres estudios separados, las personas masticaron chicle por un período de 30 minutos a una hora después de comer. Los científicos midieron el pH del esófago antes y después y vieron una disminución significativa en la acidez.

En uno de los estudios, masticar chicle por una hora ayudó a mantener el ácido alejado por cerca de tres horas.

Hoy, en día, nadie será multado por importar goma de mascar – incluso en Singapur. Así que siéntase libre de probar este remedio. Debería funcionar.

Aunque la goma de mascar puede proteger su esófago de los ácidos, a veces causa efectos secundarios incómodos. Masticar chicle aumenta la cantidad de aire que usted deja entrar y le hace tragar más a menudo. Esto- así como los ingredientes como el edulcorante artificial sorbitol en la goma sin azúcar -podría causar gases, hinchazón, y calambres abdominales.

3 maneras de combatir una complicación mortal de ERGE

La ERGE, el síndrome de Barrett y el cáncer de esófago tienen mucho en común. Si usted deja la enfermedad de reflujo gastroesofágico (ERGE) sin tratamiento, podría enfrentarse a complicaciones graves como el síndrome de Barrett o el cáncer de esófago. De hecho, el síndrome de Barret, una dolencia que afecta el revestimiento de su esófago, en realidad aumenta el riesgo de desarrollar cáncer.

Aquí están algunos alimentos que combaten el daño y ayudan a mantener su esófago sano.

Derrote el síndrome de Barret con vegetales antioxidantes.
Buenas noticias para los amantes de los vegetales - los vegetales verdes, verde oscuro, crudos, y crucíferos están llenos de nutrientes que pueden proteger contra el cáncer. Consuma más

comidas como brócoli, repollo, acelga, col rizada, espinaca y mostaza. Están llenos de vitamina C y beta caroteno - antioxidantes que pueden ayudar a combatir los efectos perjudiciales de la ERGE y reducir el riesgo de desarrollar síndrome de Barrett y cáncer de esófago.

Dese un impulso contra el cáncer con las bayas. Las bayas son frutas estelares que puede utilizar para ponerle sabor a una ensalada, alegrar un postre, o revivir una golosina congelada. Los nutricionistas los llaman súper frutos porque están llenos de antioxidantes y nutrientes que combaten el cáncer, incluyendo las vitaminas A, C y E, ácido fólico, selenio, calcio, beta caroteno, luteína y varias antocianinas.

En un estudio en animales publicado en Nutrition and Cancer, las frambuesas negras, fresas y moras bloquearon el crecimiento de los tumores en 24 a 56 por ciento en 25 semanas en comparación con los animales que no comían bayas.

Tómese el tiempo para que el té silencie el daño esofágico. Para algunas personas, el té puede ser un desencadenante de los síntomas de reflujo. Si no le molesta, es posible que desee darle una oportunidad. El té contiene potentes antioxidantes llamados polifenoles. Luchan contra el cáncer de esófago y garganta al interferir con el desarrollo y crecimiento de tumores cancerosos. Los polifenoles del té verde también evitan que las células peligrosas se multipliquen y ayudan a su cuerpo a deshacerse de toxinas y sustancias cancerígenas.

Los estudios demuestran que el café también está vinculado a un menor riesgo de cáncer de esófago y estómago. El café tostado oscuro es más suave para su estómago y tiene menos cafeína que el café tostado claro. Las personas a quienes el café regular les causa acidez a menudo encuentran el café tostado oscuro menos irritante.

El peligro no tan atractivo de beber té caliente

Probablemente le haya pasado antes. Usted se impacientó. O se distrajo. Pensó que su té estaba lo suficientemente frío para beberlo, así que tomó un gran trago, luego tuvo que soportar la sensación de ardor mientras viajaba desde su garganta hasta su estómago. No es gran cosa ¿verdad? Tal vez no. Pero el daño repetido a su esófago podría terminar poniendo su salud en riesgo.

Según un estudio de China, beber té a altas temperaturas, puede aumentar el riesgo de cáncer de esófago. Las personas que bebieron:

- té caliente (140 a 147 grados) eran aproximadamente dos veces más propensas a desarrollar cáncer de esófago que las personas que bebieron té tibio (menos de 140 grados).

- té muy caliente (149 grados o más) tenían aproximadamente ocho veces más probabilidades de desarrollar cáncer de esófago que las personas que bebieron té tibio.

- una taza de té caliente en menos de dos minutos eran alrededor de cinco veces más propensas a desarrollar cáncer que las personas que la tomaron en más de cuatro minutos.

Estos efectos no se limitan sólo al té. Otros alimentos y bebidas calientes pueden tener el mismo efecto. Esto se debe a que las altas temperaturas causan daños en el revestimiento protector del esófago, dejando estas células vulnerables.

Incluso si no desea cambiar a té helado y lattes, puede tomar algunas precauciones adicionales. Añada un cubito de hielo o un poco de leche para refrescar su bebida más rápido. O simplemente espere unos minutos más para dejarlo enfriar.}

Pierda libras y entierre el reflujo

Su reflujo ácido estalla cuando usted come ciertos alimentos. Pero hay otro desencadenante directamente relacionado con los síntomas de la ERGE – su peso. Si su índice de masa corporal (IMC) muestra que usted tiene sobrepeso u obesidad, es más probable que sufra de reflujo sin importar lo que come.

¿Alto contenido de calorías, alto volumen = alta probabilidad de reflujo? Los estudios varían cuando se trata del efecto de las calorías en la ERGE. Un estudio demostró que se produce más ácido en el estómago durante una dieta alta en calorías en comparación con una dieta baja en calorías. Otro dice que es realmente el volumen de la comida lo que cuenta.

Los científicos coinciden en que el aumento de grasa corporal ejerce más presión sobre sus órganos abdominales. Comer menos a la vez puede reducir la presión en el estómago, mientras que una dieta baja en calorías puede ayudarle a deshacerse del peso no deseado, lo cual le quitará un peso de encima.

Una dieta baja en carbohidratos alivia los síntomas de ERGE.
Algunos expertos piensan que la dieta baja en carbohidratos puede ayudar con los síntomas de ERGE y reducir los ácidos. Esto puede deberse a que la proteína y la grasa tardan más en digerirse, lo que le da al ácido estomacal otra cosa que hacer además de escabullirse de nuevo en el esófago.

Generalmente, una dieta baja en carbohidratos incluye carne, aves, pescado, huevos y vegetales como espárragos, brócoli, zanahorias, calabaza y pepino. Evite comer un montón de legumbres, frutas, panes, dulces, pastas y vegetales almidonados, como maíz, guisantes y papas.

Un estudio publicado en Digestive Diseases and Sciences apoya la dieta baja en carbohidratos. El plan de comida incluía menos de 20 gramos de hidratos de carbono al día, pero primero debe hablar con su médico para discutir el mejor plan de alimentación para usted.

Haga callar el "reflujo silencioso" con una dieta baja en ácidos

Las personas que sufren de ERGE están muy familiarizadas con la acidez estomacal. Pero sorprendentemente, algunas personas con reflujo ácido nunca experimentan realmente ardor de estómago.

Un porcentaje menor de personas con ERGE tiene otro síntoma frecuentemente llamado "ardor de garganta". El ardor en la garganta puede ser incómodo, y viene con su propia lista de síntomas. Por suerte, una dieta baja en ácidos puede ayudar a aliviar el ardor.

El ardor de garganta es causado por una condición conocida como reflujo laringofaríngeo (RLF). Este reflujo silencioso se desarrolla cuando el ácido estomacal viaja a través de su esófago hasta su garganta. Los síntomas de RLF incluyen:

- ronquera

- necesidad constante de aclarar su garganta

- sensación de tener un bulto en su garganta

- tos crónica

- dificultad para tragar

- dolor de garganta

- sensación de mucosidad adherida a su garganta

Aunque el RLF es similar a la ERGE de muchas maneras, también difiere en varios aspectos. Típicamente, las personas con RLF tienen reflujo durante el día, o reflujo que se produce en la posición "vertical".

Una dieta baja en ácido parece ser beneficiosa para los síntomas de RLF que no son cubiertos por el tratamiento tradicional del reflujo ácido. En un estudio, la gente comió de una lista de alimentos bajos en ácido durante dos semanas. La lista incluía alimentos como frijoles, panes integrales, pollo, pescado, avena, papas, arroz, leche descremada, pavo y verduras (excepto cebollas, tomates y pimientos). La banana (plátano) y la sandía eran las únicas frutas de la lista. Al final del estudio, el 95% de las personas mostraron mejoras.

> Hipoclorhidria - una condición en la que su estómago no produce suficiente ácido - de hecho puede causar una serie de síntomas de ERGE. Su doctor puede realizar pruebas para determinar si esta es la causa de sus síntomas de reflujo.

4 tés de hierbas que calmarán su estómago

La última cosa en la que quiere pensar es en la comida cuando su estómago comienza a darle problemas. Si usted no tolera los sólidos, pruebe tés de hierbas. Beber té no sólo le ayudará a mantenerse hidratado, algunas hierbas tienen químicos sorprendentes que le ayudan a combatir el dolor de estómago.

Manzanilla. El poder de curación del estómago de la manzanilla comienza con la cabeza de la flor seca blanca y amarilla, que se convierte en un calmante té. Tradicionalmente, la manzanilla se ha utilizado para diversas enfermedades digestivas, incluyendo indigestión, gases, diarrea, calambres estomacales y síndrome del intestino irritable (SII). Los científicos piensan que ayuda relajando los músculos que mueven los alimentos a través de los intestinos, deshaciéndose de los gases y aliviando su estómago.

Haga té vertiendo una taza de agua hirviendo sobre tres cucharaditas de hierba seca y remoje durante 10 a 15 minutos. Beba de tres a cuatro veces al día entre las comidas. Usted puede encontrar fácilmente bolsas de té de manzanilla en su supermercado local, pero puede que no sean tan efectivas.

Menta. La menta es un saborizante popular para la goma de mascar, pasta dental y tés, pero no se sorprenda si oye a alguien sugerirlo para aliviar el síndrome del intestino irritable. Un estudio mostró que las personas que toman 225 miligramos de aceite de menta en cápsulas entéricas dos veces al día durante cuatro semanas habían mejorado los síntomas generales del SII en comparación con las personas que tomaron un placebo. Una palabra de precaución - grandes dosis de aceite de menta pueden ser tóxicas.

La menta también puede ayudar con la indigestión, calambres estomacales, hinchazón y gases, estreñimiento, diarrea, náuseas por comidas o enfermedad del viajero y náuseas postoperatorias. Funciona calmando los músculos del estómago y mejorando la digestión. También puede relajar la válvula que mantiene los ácidos del estómago fuera de su esófago, haciendo que la acidez sea peor. Por esta razón, no se recomienda en personas que tienen ERGE.

Para hacer té de menta, remoje una cucharadita de hojas secas de menta de una taza de agua hirviendo durante 10 minutos. Beba de cuatro a cinco veces al día entre comidas.

Alcaravea. Algunas personas alguna vez creyeron que las semillas de alcaravea convertidas en una poción tenían el poder de mantener a los amantes enamorados. Hoy en día, la alcaravea es más probable verla en una olla de

¿Sufre de gases? Usted no está solo. La mayoría de la gente producir alrededor de una a tres pintas de gas diariamente y evacúa los gases alrededor de 14 veces al día.

chucrut que una poción, pero todavía se utiliza para tratar los gases y otros síntomas de un malestar estomacal.

Para hacer té, vierta una taza de agua hirviendo sobre una cucharada de semillas de alcaravea y deje que el té se repose durante al menos 10 minutos antes de colar las semillas.

Hinojo. El hinojo ayuda a aliviar la indigestión, el estreñimiento, los calambres estomacales, la hinchazón y las náuseas. Usted puede encontrar fácilmente semillas de hinojo en el pasillo de especias de cualquier tienda de comestibles. Para hacer té, ponga una cucharadita de semillas de hinojo en una tetera. Añada agua caliente, deje reposar por unos 15 minutos, luego cuele mientras lo vierte.

Una cura atractiva para el reflujo ácido

¿Qué tienen en común el limpiador de muebles Pledge, el acondicionador TRESemmé y el protector solar de L'Oréal? D - limoneno. Es un compuesto orgánico encontrado en las cáscaras de muchas frutas cítricas, a menudo añadido a los productos para darles sabor y fragancia. Aquí está el giro - los científicos también han descubierto que este ingrediente puede ayudar a calmar su acidez.

En un estudio, las personas con ERGE o acidez crónica tomaron una cápsula que contenía 1.000 miligramos de d-limoneno diaria o inter diaria. Después de 14 días, el 89 por ciento experimentó un alivio completo de los síntomas.

Los científicos no están completamente seguros de cómo el d-limoneno ayuda con la acidez, pero los estudios sugieren que puede proteger las paredes de su estómago del ácido digestivo y apoyar la peristalsis normal, las contracciones musculares ondulatorias que mueven los alimentos a través de su tracto digestivo. Antes de tomar suplementos de d-limoneno, hable con su médico para ver si son adecuados para usted.

Coma esto, no aquello

para la indigestión

leche descremada		leche entera

La leche hace que su estómago produzca más ácido, además de que la grasa puede relajar su esfínter esofágico inferior. Si no puede dejarla, escoja leche descremada.

agua		refresco

Las bebidas carbonatadas pueden agravar los síntomas de indigestión. El aqua limpia su esofago y reduce la acidez de su estómago.

humus/pan pita		chips/salsa

Las comidas condimentadas y grasosas pueden irritar su estómago. En lugar de comer tortillas (chips) y salsa, prueb un poco de humas con pan de pita.

bayas		chocolate

Los alimentos altos en azúcar y grasas pueden ser duros con su estómago. Dígale no al chocolate y sustitúyalo con bayas para un dulce bocadillo que no empeorará su condición.

banana/sandía		naranjas

Los alimentos ácidos como la naranja pueden ser un problema para su esófago y estómago. para obtener alivio, cambie a frutas bajas en ácidos, tales como bananas y sandías.

¿Puede la "hormona del sueño" poner a descansar la acidez?

Usted se toma una píldora de melatonina para que le ayude a dormir, pero probablemente nunca pensó tomarla para la acidez. La melatonina, a veces llamada la "hormona de la noche", le ayuda a determinar cuándo duerme y cuándo se despierta. Uno de sus papeles menos conocidos, sin embargo, ocurre en la digestión.

La melatonina se puede encontrar naturalmente en el revestimiento de su esófago. Ayuda a proteger la vía hacia su estómago del ácido estomacal, los radicales libres y el estrés.

En un estudio, publicado en BMC Gastroenterology, la combinación de melatonina y el inhibidor de la bomba de protones (IBP), omeprazol, mejoró la terapia para la acidez - reduciendo los efectos secundarios y el tiempo de curación. En otro estudio, un suplemento de melatonina con vitaminas y aminoácidos condujo a un aumento del 100 por ciento de reducción de los síntomas en 40 días. Los investigadores han examinado diferentes combinaciones de melatonina, así que hable con su médico antes de comenzar a tomar suplementos.

¿Gases embarazosos? 7 soluciones de cocina para los culpables más comunes

Si alguna vez se ha sentado en un teatro, montado en un ascensor, o disfrutado de una noche en la ciudad, usted sabe que un gas impredecible puede ser una manera rápida de arruinar un momento. Usted puede evitar esas situaciones embarazosas prestando atención a lo que come. Disfrute de estas soluciones sencillas para combatir incluso los ingredientes más gaseosos escondidos en su comida.

Alimento	Por qué causa gases	Solución
Brócoli	La rafinosa es un azúcar complejo que se encuentra en el brócoli, repollo, espárragos, granos enteros y legumbres. Su cuerpo carece de las enzimas que necesita para romper estos azúcares, por lo que las bacterias las descomponen en su intestino grueso, causando los gases.	Dele sabor a su comida con hierbas que combaten los gases como el jengibre o la menta.
Legumbres	La fibra soluble se puede encontrar en frijoles, avena, guisantes y la mayoría de las frutas. La fibra se convierte en una sustancia similar a un gel en sus intestinos, lo cual los hace más difíciles de descomponer.	Pruebe con una variedad menos gaseosa como las judías de careta. Antes de cocinar, remoje los granos durante la noche en agua fría para liberar las enzimas que descomponen los azúcares complejos.
Leche	La lactosa es un azúcar natural presente en la leche, queso, helado y algunos alimentos procesados. Algunas personas tiene menos de la enzima lactasa, lo cual dificulta la descomposición de la lactosa de los productos lácteos.	Cambie a leche sin lactosa como la leche de de almendras.
Cebolla	La fructosa se encuentra naturalmente en vegetales como cebollas, alcachofas, peras y trigo y también se utiliza como edulcorante en alguna sbebidas. Algunas personas no pueden absorber la fructosa correctamente. Al igual que otros azúcares, se digiere en el intestino grueso por bacterias inofensivas, produciendo gas en el proceso.	Cocine con semillas que combaten los gases como el hinojo o la alcaravea.
Gaseosas	Las bebidas carbonatadas como los refrescos y cervezas pueden introducir aire en su tracto digestivo, causando eructos y gases.	Reduzca la efervescencia tomando bebidas no carbonatadas.
Manzanas	El sorbitol se encuentra naturalmente en frutas como manzanas, peras y duraznos y es también un edulcorante artificial en algunos productos dietéticos.	Cambie a frutas con menos sorbitol como banana, sandía y arándano.
Pasta	La mayoría de los almidones, incluyendo el maíz, trigo,y papas, producen gas cuandoson digeridas el intestino grueso. El arroz es una excepción.	Trate de sustituir los vegetales en sus recetas de pastas. El calabacín es perfecto para la lasaña, o puede hornear un espagueti con calabacín.

Efectos secundarios ocultos de los bloqueadores de ácido

¿Fracturas de cadera, problemas cardíacos, trastornos gastrointestinales? Esto no es lo que usted tenía en mente cuando empezó a tomar su bloqueador de ácido pero la investigación demuestra que tomar estos fármacos a largo plazo puede tener algunas consecuencias peligrosas.

Los antiácidos traen consigo la deficiencia de vitamina B12. Las personas mayores que toman inhibidores de la bomba de protones (IBP) como Nexium y Prilosec a largo plazo, tienen un mayor riesgo de deficiencia de vitamina B12. Los IBP bloquean el ácido estomacal que libera la vitamina B12 de los alimentos. En un estudio reciente publicado en la Revista de la Asociación Médica Americana, las personas que tomaron IBP durante más de dos años fueron un 65 por ciento más propensos a tener bajos niveles de B12.

La vitamina B12 se encuentra en productos animales - carne, pescado, leche, queso y huevos - pero también obtiene más del 100 por ciento de valor diario de algunos cereales fortificados. Tenga en cuenta que los IPB pueden reducir la absorción de vitamina B12. Si usted piensa que no está recibiendo suficiente de esta importante vitamina, consulte a su médico.

El calcio inadecuado aumenta el riesgo de fracturas de cadera. El ácido estomacal también juega un papel importante en la salud ósea al ayudar a que su cuerpo absorba el calcio. El uso de los IBP durante períodos prolongados podría aumentar el riesgo de osteoporosis, pérdida ósea y fracturas - particularmente fracturas de cadera.

Los suplementos de calcio pueden ayudar, pero hable primero con su médico. Algunos suplementos, como el carbonato de calcio, se absorben mejor si su estómago tiene más ácido, por lo que tomarlo con bloqueadores de ácido no le hará ningún bien. El citrato de calcio y el gluconato de calcio, por otro lado, trabajan mejor con menor acidez.

Los niveles bajos de minerales empeoran los problemas de estómago. Los estudios también muestran que el ácido estomacal afecta la absorción de hierro. Al igual que con el calcio y la vitamina B12, su cuerpo tiene dificultades para absorber el hierro si no tiene suficiente ácido estomacal. En consecuencia, podría terminar con anemia.

Del mismo modo, los IBP están relacionados con la deficiencia de magnesio. Una deficiencia de magnesio puede conducir a problemas gastrointestinales, como diarrea, enfermedad de Crohn e inflamación intestinal.

Los fallos de los vasos sanguíneos provocan problemas cardíacos. Estudios recientes demuestran que los IBP pueden estar relacionados con el riesgo de sufrir enfermedades del corazón. Un estudio examinó los registros de casi 3 millones de personas y concluyó que el uso de IBP aumentó el riesgo de ataque cardíaco.

Los IBP reducen la producción de químicos que relajan los vasos sanguíneos y protegen las arterias y las venas. Cuando los vasos sanguíneos están contraídos, el flujo sanguíneo se ralentiza o se bloquea. Esto puede conducir a la hipertensión y a enfermedades del corazón.

Enfermedad inflamatoria intestinal

Planes de dieta que conquistan el dolor

3 vitaminas curativas que detienen el dolor intestinal

El ABC podría ser su clave para golpear a la EII. Excepto que en este caso, son las vitaminas A, B y D las que hacen frente a la enfermedad inflamatoria intestinal (EII).

El principal trabajo de su sistema inmunológico es protegerlo de las infecciones. Las enfermedades autoinmunes como la EII aparecen cuando su sistema inmunológico no funciona bien y comienza a atacar sus propias células. Aquí le explicamos lo que pasa.

- Los virus, bacterias, alergias alimentarias y otros elementos en el ambiente pueden provocar que su sistema inmunológico ataque su aparato digestivo.

- Las células inmunitarias de su intestino liberan compuestos que causan inflamación para combatir al invasor.

- Una vez que el sistema inmunológico se enciende y comienza a atacar, no se apaga correctamente. Crea una inflamación crónica, que daña sus intestinos.

Esa inflamación intestinal es el sello distintivo de la EII. Si afecta su intestino delgado, se conoce como enfermedad de Crohn. Si ataca su colon y el intestino grueso, es colitis ulcerosa (CU). Usted no tiene que resignarse a vivir con ninguna de las dos condiciones.

La investigación muestra que estas tres vitaminas son esenciales para contener la EII.

Vitamina A: el secreto para aplastar la inflamación. Es muy cierto que Bugs Bunny, el conejo no tenía EII. Por un lado, es un personaje de dibujos animados. Por otra parte, estaba constantemente saboreando zanahorias. Los vegetales anaranjados como zanahorias y camotes (batatas), y los verdes y frondosos como la espinaca y la col rizada son excelentes fuentes de beta caroteno, que su cuerpo convierte en vitamina A. Y la vitamina A ayuda a la eliminar la inflamación.

Los investigadores dieron a ratones con inflamación tipo EII y daño intestinal una dosis de vitamina A para ver qué pasaba. No sólo el nutriente calma la inflamación en sus intestinos, también ayudó a sanar el tejido intestinal dañado. Los científicos dicen que esto ilustra lo importante que es comer un montón de alimentos ricos en vitamina A, especialmente si usted lucha con problemas inflamatorios como la EII.

Mantenga la enfermedad de Crohn en remisión con la vitamina del sol. El lugar donde vive impacta el hecho de que usted desarrolle la enfermedad de Crohn y la colitis ulcerosa. Vivir en zonas meridionales disminuye su riesgo. Vivir en el norte lo eleva. Lo mismo ocurre con pasar del sur soleado al norte más frío.

Todo está ligado a la vitamina D, la llamada vitamina de sol. Su cuerpo obtiene la mayor parte de su vitamina D de la luz del sol, y los estados del sur reciben más sol que los norteños. Mientras más al norte vive la gente, más bajos sus niveles en la sangre de vitamina D tienden a ser. Los bajos niveles en la sangre lo hacen más propenso a desarrollar la enfermedad de Crohn y sufrir una recaída de la misma.

Que entren los suplementos. Tomar mega dosis de vitamina D – 10,000 Unidades Internacionales (UI) por día - puede ayudar a tratar los brotes de la enfermedad de Crohn activa. Tomar 2,000 UI al día puede ayudar a prevenir una recaída una vez que su enfermedad de Crohn está en remisión.

La vitamina D mejora la salud de la barrera protectora que las recubre sus intestinos y evita que se debilite y "gotee". Las barreras tienen fugas justo antes de una recaída de la enfermedad de Crohn.

Hable con su gastroenterólogo sobre si necesita tomar suplementos, especialmente en invierno, y qué cantidad es segura para usted.

La vitamina B que cura sus intestinos. Los expertos dicen que comer mucha fibra puede calmar la inflamación intestinal, pero puede que no sea una opción si usted tiene daño intestinal o está en medio de un brote de EII. En ese caso, he aquí algunas buenas noticias. La niacina (Vitamina B3) puede tener el mismo efecto.

Las bacterias buenas en su colon prosperan en la fibra. Les ayuda a producir butirato, un compuesto que enciende un interruptor en el colon y las células inmunes, indicándoles que reduzcan la inflamación. El butirato también desencadena las células que recubren el colon para enviar citoquinas. Éstas ayudan a sanar el daño causado por la inflamación de la EII.

Pero usted tiene que comer mucha fibra para aumentar sus niveles de butirato lo suficiente como para obtener estos beneficios. Esa no es una opción para todos. Los científicos descubrieron recientemente que la niacina acciona los mismos interruptores en su intestino.

Tomar grandes dosis de niacina puede tener poderes de curación similares a los que se obtienen al comer mucha fibra. Se necesitan más investigaciones para saber qué cantidad de niacina se requiere para ayudar con la EII, y lo seguras que son esas dosis. Mientras tanto, pregunte a su gastroenterólogo si estos suplementos podrían ayudar.

La dieta EII que podría cambiar su vida

Vivir con la enfermedad inflamatoria intestinal (EII) es como vivir en una montaña rusa. Subidas, bajadas, vueltas inesperadas - usted nunca sabe cuándo se activarán sus síntomas o dónde estará cuando lo hagan. En el pasado, los expertos sólo podían recomendarle que evitara los alimentos desencadenantes. Pero investigaciones recientes revelan un nuevo plan de alimentación que puede transformar su forma de vivir con EII.

Usted experimenta diferentes síntomas dependiendo del tipo de EII que tiene, pero los remedios dietéticos son a menudo similares. Los expertos le animan a beber más líquidos y comer menos alimentos grasos y fibra, así como productos lácteos si usted es intolerante a la lactosa.

Pero ahora los científicos están perfeccionando lo que puede ser un componente esencial de la EII -bacterias intestinales. Los cambios saludables en su dieta podrían impactar estas bacterias, lo que puede reducir la inflamación. Los investigadores se refieren a estos cambios en la dieta como la dieta antiinflamatoria para la enfermedad inflamatoria intestinal. Pero puede llamarla IBD-AID, por sus siglas en inglés.

Equilibre sus intestinos con bacterias beneficiosas. Comer pre- y probióticos ayuda a restaurar el equilibrio de las bacterias en los intestinos. Si su tracto digestivo tiene la proporción incorrecta de bacterias buenas en relación a las malas, podría llegar a tener un desequilibrio con una sobreabundancia de bacterias dañinas. Es por eso que la IBD-AID aboga por los alimentos como estos que combaten la inflamación equilibrando su "flora intestinal".

- frutas y verduras
- fibra soluble (avena cortada, linaza molida, lentejas, legumbres)
- buenas proteínas y grasas (frijoles, nueces, aceite de oliva, aguacate o palta, linaza molida, pescado, soya)
- probióticos (yogur, kéfir, chucrut, kimchi, miso, miel local)
- prebióticos (alcachofas de Jerusalén, espárragos, puerros)

Elimine los bichos causantes de la inflamación. Los investigadores piensan que algunos hidratos de carbono proporcionan alimento para las bacterias que causan la inflamación. La IBD-AID recomienda eliminar los azúcares refinados y ciertos almidones; cualquier alimento que contenga lactosa, incluyendo leche o crema; y granos, con excepción de la avena cortada y en copos.

Repare su intestino con alimentos de textura adecuada. Los alimentos voluminosos y fibrosos pueden dañar un tracto digestivo inflamado o estrecho. Cambiar las texturas de sus alimentos descomponiéndolas antes de comer puede proteger su intestino y ayudarle a absorber nutrientes. Muchas personas comienzan la dieta eligiendo comidas blandas, usando la licuadora y evitando alimentos con tallos y semillas.

Para las personas con un brote activo, los expertos recomiendan comidas suaves, bien cocinadas o en puré. Estos alimentos ayudan a curar su intestino, lo cual restaura el equilibrio de su sistema inmunológico. A medida que sus síntomas mejoran, puede agregar verduras tiernas y alimentos más firmes.

Aprenda del éxito del estudio sobre la IBD-AID. En un estudio publicado en la revista Nutrition Journal, todas las personas que siguieron la dieta IBD-AID durante al menos cuatro semanas experimentaron menos síntomas. Debido a esto, pudieron reducir el uso de sus medicamentos.

Secreto de cocina que puede curar su intestino

Cada vez que cocina papas o arroz, y deja que se enfríen antes de comerlas, está creando un nutriente de superestrella llamado almidón resistente 3 (RS3) que ayuda a combatir sus síntomas de EII.

Este almidón es diferente de otros nutrientes porque su cuerpo no puede digerirlo normalmente. El RS3 viaja sin ser digerido hacia sus intestinos donde las bacterias lo fermentan. Esta fermentación produce ácidos grasos de cadena corta (AGCC) como el butirato. Los científicos sugieren que estos AGCC desencadenan procesos que ayudan activamente a prevenir la inflamación en el intestino.

Un estudio en animales encontró que el RS3 redujo las lesiones inflamatorias de la colitis. Aunque se necesita más investigación, usted puede preguntarle a su médico si los alimentos con almidón resistente son seguros para usted. Si es así, trate de comer más legumbres, frijoles, plátanos y ñame, así como papas y arroz enfriados.

¡Sorpresa! Las bacterias enfrían el fuego de los brotes

Prácticamente desde el momento en que usted nace, las bacterias y otros insectos comienzan a colonizar su intestino. La mayoría de las veces, son buenos para usted. Ocasionalmente, son malos. Y los malos pueden estar detrás de la enfermedad inflamatoria intestinal (EII).

El ADN que heredó de sus padres establece el escenario para la EII haciéndolo más (o menos) propenso a desarrollarla. Pero los microorganismos que viven en su intestino también juegan un papel. Tener demasiadas bacterias o levaduras en parte de su intestino, o tener el tipo equivocado, puede desencadenar el desarrollo de esta enfermedad.

Por ejemplo, la colitis ulcerosa (CU), puede aparecer cuando las bacterias dañinas rompen el revestimiento que protege sus intestinos. Éstos y otros bichos luego dañan sus células intestinales, causando inflamación y desencadenando la EII.

La enfermedad inflamatoria intestinal no sólo afecta a su intestino. También causa depresión, fatiga y aislamiento social. Las bacterias buenas pueden ayudar en eso también. Un nuevo estudio en ratones descubrió que el probiótico VSL # 3 no disminuyó la inflamación, pero sí mejoró "los síntomas de comportamiento" como estos.

Así que, ¿qué hacer? Combatir los bichos malos con bichos buenos. Los científicos ahora saben que ciertas cepas de bacterias y levaduras pueden tratar los brotes de EII y ayudar a mantener la enfermedad en remisión.

La levadura mantiene la enfermedad de Crohn inactiva. Las personas cuya enfermedad de Crohn está en remisión tenían más probabilidades de permanecer en remisión si tomaban 1 gramo al día de la levadura Saccharomyces boulardii, más el fármaco Mesalamine. Otros estudios sugieren que también podría tratar los brotes. Compre suplementos que contengan esta levadura, como FloraStor.

Dígale adiós a los problemas de la CU con probióticos. Envíe su colitis ulcerosa de vacaciones permanentes. Las bacterias presentes en los alimentos probióticos fáciles de encontrar y en suplementos pueden ayudar a mantener la CU en remisión por más tiempo.

■ Tomar el producto probiótico VSL # 3 junto con su fármaco estándar para la EII podría ayudar a poner la CU activa en remisión. Puede incluso funcionar mejor que los medicamentos solos. La gente que participó en estudios encontró alivio al tomar entre 900 y 3.600 mil millones de bacterias diariamente. El VSL # 3 se vende en paquetes individuales de 450 mil millones o dobles de 900 mil millones, el cual requiere receta médica. Así que hable con su médico acerca de la dosis adecuada para usted.

■ Si ya está en remisión, trate de comer productos lácteos que contienen Bifidobacteria (B.) con sus medicamentos para la CU para mantenerla de esa manera. Eso funcionó para las personas que bebieron un poco más de 3 onzas de una bebida láctea fermentada cada día, hecha con B. breve, B. bifidum y L. acidophilus. Busque estas bacterias en suplementos o en productos lácteos fermentados como el kéfir. El kéfir de marca Lifeway, por ejemplo, contiene dos de cada tres de estas cepas bacterianas.

■ Los suplementos que contienen Lactobacillus GG, como Culturelle, también puede ayudar a mantener la colitis ulcerosa en remisión.

Siga el mismo plan para la pouchitis. A veces la CU daña tanto su intestino que usted necesita que le sea removido parte del él. En ese caso, los cirujanos crean una bolsa en el estómago para reemplazar la sección faltante. Si la bolsa se inflama, tiene pouchitis.

Los probióticos también podrían tratar esto. En varios estudios, el VSL # 3 ayudó a la mayoría de las personas con pouchitis a mantener su condición bajo control y en remisión de hasta un año. Sólo una de cada 10 personas que tomaban VSL # 3 tuvo un brote de pouchitis en un estudio, en comparación con cuatro de cada 10 personas que tomaron un placebo.

Errores con la EII que incluso las personas inteligentes cometen

Tenga cuidado con ese vaso de agua helada, especialmente cuando sus síntomas aparecer. Tomar una bebida helada a veces puede causar calambres, advierte la Fundación de Crohn y Colitis de

América (CCFA, por sus siglas en inglés). ¿Quién lo hubiera sabido, verdad? Pero no se detenga ahí. Aquí están algunos otros errores poco conocidos que podrían estar entre usted y sentirse mejor.

Una dieta no es adecuada para todos. Si un gemelo idéntico tiene la enfermedad inflamatoria intestinal (EII), el otro gemelo sólo tiene un 27 por ciento de probabilidades de desarrollar la enfermedad de Crohn (EC) o un 15 por ciento de probabilidades de sufrir colitis ulcerosa (CU). Esto es válido aunque sus cuerpos son casi exactamente iguales. La EII definitivamente no es una enfermedad de talla única.

Esta cualidad también puede ayudar a explicar por qué no se puede garantizar que alguna dieta funcione para todas las personas con EII - porque incluso cuerpos similares pueden reaccionar de manera diferente a los mismos alimentos. Lo que desencadena los síntomas de EII en una persona puede no afectar a otra en lo absoluto. Además de eso, los investigadores dicen que no se ha demostrado que ningún alimento o grupo de alimentos en particular cause los síntomas de EII en todas las personas.

La eliminación de la mayoría de los alimentos no es la respuesta. Usted puede estar tentado a comer menos alimentos para ir por lo seguro, pero los expertos advierten que usted puede eliminar demasiados alimentos saludables de su dieta. Aún peor, usted no puede garantizar que eliminará todos los alimentos que desencadenan sus síntomas. Afortunadamente, un estudio sobre la enfermedad inflamatoria intestinal ha encontrado una forma prometedora de crear una dieta con menos restricciones alimenticias.

Los investigadores reclutaron a personas con enfermedad de Crohn en remisión y las dividieron en dos grupos. Un grupo tomó esteroides mientras otro intentó una dieta de exclusión. Después de eliminar ciertos alimentos, personas del grupo de dieta posteriormente los reintrodujeron uno por uno. Cualquier alimento que causó un problema fue eliminado permanentemente.

Con este enfoque, cada participante creó una dieta individualmente adaptada la prevención de sus brotes. El estudio mostró que tuvieron mejores resultados a largo plazo que las personas que usaron esteroides.

¿Quiere probar esto? Hable primero con su médico, para que pueda ayudar a crear su dieta de eliminación personalizada de manera segura y eficaz. Una vez que haya completado esta dieta, usted puede ser capaz de experimentar con otras dietas para mejorar sus resultados aún más.

Tomar bebidas deportivas equivocadas empeora las cosas. Una investigación canadiense muestra que las personas con EII activa consumen más bebidas deportivas y bebidas endulzadas que las personas que están en remisión. Pero tenga cuidado cuando sus síntomas estén brotando. El exceso de azúcar de las bebidas alcohólicas puede desencadenar más diarrea gracias al agua extra que es arrastrada hacia los intestinos. Entonces, ¿qué debería hacer?

El CCFA recomienda bebidas deportivas durante un brote para ayudarle a mantenerse hidratado - pero sólo si las bebidas deportivas son bajas en azúcar. También recomiendan zumo de fruta diluido.

Para obtener aún más nutrición e hidratación, sugieren incluir una reserva de vegetales como parte de la sopa o añadirlos al arroz. La adición de vegetales al arroz puede ser una idea particularmente buena. Un estudio de más de 2,000 personas con EII encontró que el arroz, el yogur y las bananas ayudaron a las personas a sentirse mejor durante un brote.

> Los lavaplatos contienen emulsionantes igual que los alimentos. Para asegurarse de que estos emulsionantes no entran en sus alimentos y bebidas, enjuague sus platos a fondo después de lavarlos.

Tenga cuidado con los alimentos con emulsionantes. ¿Ha comido cualquier polisorbato-80 últimamente? Usted puede reírse, pero probablemente lo haya hecho. El polisorbato-80 es un emulsionante añadido a los alimentos para darles la textura correcta y una vida útil más larga.

Según la investigación animal reciente, emulsionantes como el polisorbato-80 pueden alterar las bacterias en su intestino, distorsionando el equilibrio de una manera que fomenta la inflamación en sus intestinos. Los científicos detrás de la investigación sugieren que este proceso ayuda a aumentar las probabilidades de sufrir EII y otras enfermedades inflamatorias.

Investigaciones anteriores también sugieren que estos emulsionantes pueden desempeñar un papel en la enfermedad inflamatoria intestinal. Por eso algunos expertos aconsejan a las personas con EII, evitar los alimentos procesados y ricos en grasa, porque estos alimentos a menudo contienen emulsionantes.

Aceite de pescado: ¿un peligro para su colon?

Los ácidos grasos omega-3 son unos muy conocidos luchadores contra la inflamación, pero tenga cuidado - demasiado de ellos puede causar que su sistema inmunológico funcione mal. Y eso podría aumentar su riesgo de colitis ulcerosa (CU), un trastorno autoinmune; o cáncer de colon si usted ya tiene CU, sugiere la investigación.

Comer pescado y otros alimentos ricos en omega-3 está bien. El problema comienza cuando usted come cuatro o cinco de ellos diariamente además de tomar suplementos de omega-3.

Es más fácil que nunca sobrecargarse, también. Más y más alimentos están siendo fortificados con estas grasas "buenas", incluyendo huevos, pan, mantequilla, aceites y jugo de naranja. Pregúntele a su médico cuánto omega-3 es seguro obtener a partir de los suplementos, o enfóquese en obtenerlo naturalmente de los alimentos.

Dolor en las articulaciones

Alimentos que combaten el dolor

Combatientes comprobados del dolor que debería comer a diario

¿Está comiendo alimentos que causan dolor de artritis o alimentos que la combaten? Los científicos dicen que algunos alimentos naturalmente contienen compuestos que han sido probados para aliviar el dolor articular. Descubra cómo pueden cambiar la química de su cuerpo y ayudarle a sentirse mejor.

Cenas con comida del mar que alejan el dolor. Algunos pescados no harán nada por aliviar el dolor de la artritis, pero pescados como estos contienen un ingrediente especial que puede hacer una verdadera diferencia.

> ¿No tiene tiempo para comprar y preparar salmón congelado o fresco? El salmón rosado enlatado tiene más de 1,000 miligramos de omega-3 en sólo 3 onzas de pescado.

- Pruebe el arenque – el pez diminuto con súper poderes. Coma solo un filete de arenque, y obtenga más de 3,000 miligramos (mg) de ácidos grasos omega-3. Estos aceites de pescado hacen que su cuerpo produzca compuestos que reducen la inflamación y controlan el dolor. Los estudios han descubierto que pueden ayudar a aliviar la rigidez matutina y las articulaciones sensibles en personas que tienen artritis reumatoide (AR). El omega-3 también puede luchar contra la osteoartritis (OA) al ayudar a bloquear la producción de los compuestos causantes de la inflamación. Pero el arenque no es el único pescado rico en omega-3.

- Saboree el salmón que acaba con el dolor y agregue condimentos. Sólo 4 onzas de salmón pueden contener hasta 3,000 mg de omega-3.

Para obtener aún más omega-3, haga un escabeche para su salmón, e incluya el orégano como ingrediente. El orégano tiene más omega-3 que cualquier otra especia a excepción de los clavos de olor. Sólo una cucharada de orégano tiene más grasas omega-3 que una taza entera de arroz silvestre cocido.

■ Experimente con sardinas. Las sardinas enlatadas son ridículamente convenientes, aun así aportan más de 1,000 mg de omega-3 en una porción de 3 onzas. Mézclelas con lo siguiente: mostaza, aceitunas, tomates, salsa picante o jugo de limón. Sírvalas con galletas, tostadas, o incluso en un sándwich.

■ Compare la trucha con la tilapia. Tanto la trucha arcoíris como la tilapia contienen omega-3, pero también contienen ácidos grasos omega-6. Estas grasas omega-6 pueden hacer que su cuerpo produzca compuestos que causan inflamación. Aunque su cuerpo no puede vivir sin grasas omega-6, la mayoría de los estadounidenses comen mucho más de los que necesitan. Algunos expertos dicen que usted puede hacer al omega-3 incluso más potente si reduce las grasas omega-6. Los alimentos altos en omega-6 incluyen carne y alimentos fritos, así como aceite de maíz, aceite de cártamo, aceite de soja y cualquier alimento que contenga estos aceites. Incluso la tilapia y el aceite de canola tienen más ácidos grasos omega-6 que el omega-3. Afortunadamente, un filete de trucha arco iris tiene más de 1.600 mg de omega-3. Eso es cuatro veces más omega-3 como omega-6.

> Busque alimentos enriquecidos con omega-3 si usted es un vegetariano que no come påescado. Puede encontrarlo en algunas marcas de jugo, yogur, huevos y otros productos.

■ Abadejo - el pescado ligero que contiene un gran combatiente del dolor. Los ácidos grasos omega-3 no sólo se encuentran en los pescados con sabor fuerte como el salmón y las sardinas. Un medio filete de abadejo tiene más de 800 mg de omega-3. Hornéelo o áselo con una salsa para ayudar a retener la humedad.

■ Eperlano arcoíris - el mejor pescado de degustación del cual nunca ha oído hablar. Una porción de 3 onzas de eperlano arco iris no sólo ofrece un montón de omega-3, sino también más de la mitad del valor diario de selenio y vitamina B12. Aún más, este pescado es fácil de preparar, así que pruébelo asado, cocido al horno o a la parrilla.

¡Sorpresa! Omega-3 en vegetales, semillas y nueces. Las semillas de linaza, semillas de chía y nueces son todas grandes fuentes de omega 3 de base vegetal. Mezcle pequeñas cantidades de semillas de linaza o semillas de chía en aderezos de ensalada, sopa, harina de avena, batidos o yogur. Para añadir aún más omega-3, sirva sus pescados u otros platos principales con una guarnición de nabos, brócoli chino, coliflor o espinaca.

Aceites saludables que alivian el dolor. El aceite de linaza es rico en omega-3, así que mézclelo en sus aderezos de ensalada para ayudar a combatir la inflamación. Pero no se detenga ahí. Un viejo favorito de la cocina y muy prometedor alimento puede ayudar también.

■ El aceite de oliva extra virgen combate el dolor con dos fuentes. Este popular aceite no sólo aporta omega-3 – también contiene oleocantal, un poderoso nutriente que combate los mismos compuestos causantes de la inflamación al igual que el ibuprofeno. El oleocantal puede incluso ayudar a combatir el dolor y la inflamación como una pequeña dosis de analgésico. Para asegurarse de que usted posee un aceite de oliva extra virgen que contiene oleocantal, pruebe una cucharadita de aceite. Si pica en la garganta cuando lo traga, tiene oleocantal. Para combatir el dolor con oleocantal, usted necesita casi cuatro cucharadas de AOEV –cerca de 52 gramos de grasa. Eso es más grasa que la que contienen un Cuarto de Libra Doble con queso de McDonald's.

> Algunos mariscos son altos en mercurio, el cual puede ser particularmente peligroso para niños pequeños, mujeres embarazadas y mujeres que puedan quedar embarazadas. Buenos ejemplos de mariscos bajos en mercurio - pero altos en omega-3 - incluyen arenque, salmón, sardinas, trucha arco iris, abadejo arcoíris, anchoas, mejillones y sábalo.

Para mantener su peso, reemplace 52 gramos de grasa no saludable de su dieta actual con AOEV. Póngase creativo: utilice este aceite en aderezos para ensaladas, pastas, verduras y mucho más.

■ Haga amistad con el aceite de camelina. ¿Quiere un aceite saludable que no necesita ser refrigerado? El aceite de camelina podría ser el indicado para usted. Hecho a partir de la semilla de camelina, este aceite tiene más omega-3 que omega-6, un montón de vitamina E, y grasas mono insaturadas más saludables que las del aceite de linaza. También tiene un punto de humo de 475 grados, por lo que puede utilizarlo cuando cocina. El aceite de camelina puede no estar extensamente disponible todavía. Si no se puede encontrar en las tiendas locales, verifique en línea.

Especia común bloquea el dolor de la artritis, igual que las medicinas

La artritis es un dolor en el cuello - y en todas partes de su cuerpo. Pero usted puede aliviar el dolor de la artritis con este increíble alimento. Sólo tiene que añadir una cucharada de cúrcuma a sus platos favoritos. No podía ser más fácil.

Súper-nutriente lucha contra el dolor de la osteoartritis igual que un potente analgésico. Esta sabrosa especia no sólo le da al curry y a la mostaza su color amarillo dorado. La cúrcuma contiene un poderoso fitonutriente llamado curcumina. Cuando se trata de aliviar los dolores tanto de la osteoartritis (OA) como de la artritis reumatoide (AR), los estudios sugieren que la curcumina funciona tan bien como los Antiinflamatorios No Esteroideos (AINE), como el ibuprofeno y la aspirina.

Eso puede sonar demasiado bueno para ser verdad, especialmente si usted toma un analgésico como el ibuprofeno. Pero los científicos de Tailandia los pusieron a prueba. Pusieron a competir el extracto de curcumina contra el ibuprofeno en un estudio de 107 personas con OA en la rodilla. Después de seis semanas, la habilidad de caminar y subir escaleras, así como el dolor, habían mejorado tanto en las personas tomando curcumina como en los que tomaron ibuprofeno.

Pero eso es sólo el comienzo. Un ensayo clínico de 2010 probó un suplemento de cúrcuma llamado Meriva durante ocho meses. Meriva combina el equivalente de 200 miligramos (mg) de curcumina al día con fosfatidilcolina para ayudar a su cuerpo a absorber y utilizar la curcumina. Para el final del estudio, el dolor, la rigidez y la función de la rodilla habían mejorado en un 50 por ciento en personas con OA de rodilla que tomaron Meriva. Y cuando los investigadores compararon las velocidades de caminata en una caminadora, las personas que tomaron Meriva habían mejorado tres veces más que las personas que utilizaron los mejores tratamientos disponibles para la artritis. Las pruebas demostraron que la curcumina ayuda a bloquear los compuestos inflamatorios en el cuerpo. La curcumina reduce incluso la ciclooxigenasa-2 (COX-2), el compuesto que el celecoxib (Celebrex) bloquea para silenciar el dolor. Eso puede explicar por qué las personas que no tomaron Meriva utilizaron menos analgésicos que las personas que no lo hicieron.

Libere esta especia dorada sobre la artritis reumatoide. Un reciente estudio piloto encontró que la curcumina puede luchar contra el dolor, la hinchazón y la sensibilidad en las articulaciones causadas por la AR al menos tan eficazmente como el fármaco de prescripción, diclofenaco. La cúrcuma también parece bloquear la destrucción de las articulaciones, de acuerdo a una investigación animal en la Universidad de Arizona en Tucson. Los expertos añaden que una proteína de "interruptor principal" en sus articulaciones desencadena la respuesta inflamatoria de su cuerpo y ayuda a causar el dolor articular de la AR. La cúrcuma inhibe esta proteína, y esa puede ser la razón por la cual ayuda.

Piense con originalidad como Kraft. Kraft Foods eligió recientemente la cúrcuma como uno de los nuevos agentes colorantes para reemplazar los colorantes en sus macarrones y queso Kraft. Así que, ¿por qué no captar la señal de Kraft, y probar estas ideas para agregar la cúrcuma a sus propios platos?

- Añada una pizca de cúrcuma a sus aderezos para ensaladas.
- Espolvoree la cúrcuma en vegetales salteados como cebolla, pimientos morrones o coliflor
- Agregue cúrcuma a los platos con arroz.
- Espolvoree un poco de cúrcuma sobre las papas horneadas o asadas.

- Mezcle media cucharadita de cúrcuma en un cuarto de taza de aceite de oliva, y páselo por los espárragos o por el maíz en la mazorca.

- Póngale sabor a la sopa de lentejas o a un tazón de chile con una pizca de cúrcuma.

- Revuelva sus huevos con un poco de cúrcuma o mezcle un poco en una ensalada de huevo.

- Prepare un humus picante mezclando curry en polvo con garbanzos.

¿Dolor de Gota? Un súper alimento que previene los ataques

Comer sólo media taza de cerezas durante dos días reduce el riesgo de ataques de gota en un 35 por ciento, descubrió un estudio de la Universidad de Boston. Y recientemente, otro estudio encontró que el concentrado de jugo de cereza ácida Montmorency redujo los niveles de ácido úrico en las personas, la principal causa del dolor de gota. Así que pruebe esto.

Coma de 10 a 12 cerezas frescas todos los días si puede. Pero ya que las cerezas frescas sólo duran un día más o menos, puede que prefiera las cerezas secas o congeladas, jugo de cereza, o jugo concentrado de cereza.

La investigación sugiere que las cerezas dulces Bing pueden ser menos eficaces y tomar más tiempo para trabajar que las cerezas agrias, así que elija cerezas Montmorency o concentrado de jugo para mejores resultados. Para minimizar el sabor agrio, incluya cerezas congeladas o frescas en cereales, yogur, avena, o ensalada. Mezcle concentrado de zumo de cerezas ácidas con otros jugos para mejorar el sabor.

Protéjase de las rodillas enfermas con un simple cambio

Una vitamina puede reducir el riesgo de artritis de rodilla en un 50 por ciento. Para algunas personas, comer un puñado diario de almendras puede ser suficiente para marcar la diferencia. Averigüe si usted - o un ser querido - es uno de ellos.

Lo que descubrieron los investigadores. Un estudio de Carolina del Norte verificó los niveles sanguíneos de las personas de dos tipos de vitamina E, -alfa-tocoferol y gamma-tocoferol. Los investigadores descubrieron que la relación de alfa a gamma fue el factor más importante con respecto a si ciertas personas desarrollaron artritis de rodilla o no. En el estudio, los afroamericanos y hombres con los niveles más altos de alfa-tocoferol comparados con los de gamma-tocoferol, también tenían 50 por ciento menos riesgo de sufrir artritis de rodilla

La investigación sugiere que ambas versiones de la vitamina E pueden ayudar a luchar contra la artritis, gracias a sus poderes antioxidantes y anti-inflamatorios. Pero la cantidad de cada uno en su dieta puede ser más importante de lo que usted cree, y aquí está el por qué.

Los estadounidenses generalmente obtienen un montón de gamma-tocoferol en sus dietas, gracias a las altas ingestas de aceites de canola, maíz y soja. Aunque el gamma-tocoferol es un combatiente más potente de la inflamación y mejor antioxidante que el alfa-tocoferol, los investigadores de Carolina del Norte tienen pruebas de que su cuerpo puede usar el alfa-tocoferol de manera más eficiente. También sugieren que el cuerpo puede estar diseñado para utilizar la mayor parte de su alfa-tocoferol antes de usar gamma-tocoferol.

Por qué las almendras pueden traer alegría a las articulaciones. Si los investigadores están en lo cierto, comer almendras puede ser una opción inteligente porque ellas aportan mucho más alfa-tocoferol que gamma-tocoferol. Sorprendentemente, muchas personas se quedan cortos de vitamina E, dicen los investigadores. En este estudio, los afroamericanos tenían niveles más bajos de ambos tipos de vitamina E.

Si usted no está obteniendo suficiente de esta vitamina en su dieta, las almendras, avellanas y semillas de girasol son una buena manera de empezar a agregar más. Sólo recuerde, los alimentos como estos son altos en calorías. Puesto que ser obeso aumentaría sus probabilidades de artritis de rodilla, no se arriesgue. Coma estas nueces y semillas en lugar de otros alimentos ricos en grasa para proteger sus rodillas - y controlar su peso.

Detenga el avance de la artritis

Consuma suficiente vitamina C, y reducirá su riesgo de osteoartritis y gota - o por lo menos evitará que la artritis empeore. Las mujeres necesitan 75 miligramos (mg) de vitamina C al día, y los hombres necesitan 90 mg. Pero eso no significa que debe comer frutas cítricas y jugos a diario. Para asegurarse de que obtiene suficiente vitamina C, incluso cuando los cítricos no son una opción, coma alimentos deliciosos, sin cítricos, como estos.

Alimento	Mg de vitamina C en 1 taza
Jugo de tomate, enlatado	170
Kiwi rebanado	167
Trozos de piña	93
Fresas en mitades	89
Lechosa	88
Col rizada cruda, cortada	87
Colinabo, crudo	84
Brócoli, crudo, cortado	81
Bolitas de melón	65
Coliflor crudo, cortado	52

No se pierda esto: el dolor de rodilla ha sido vinculado a la escasez de una vitamina

¿Dolor en las articulaciones y músculos? Usted no tiene que vivir con dolores y molestias. Aliviar el malestar puede ser tan fácil como aumentar su ingesta de una simple vitamina.

Sus dolores y molestias pueden significar que no está recibiendo suficiente vitamina D. Lo que usted no conoce realmente puede hacerle daño, sugiere la investigación. Un estudio reciente en mujeres posmenopáusicas descubrió que aquellas que tenían los niveles sanguíneos más bajos de vitamina D tenían los peores problemas con el dolor articular. Es más, otro estudio encontró que los afroamericanos con menores niveles de vitamina D fueron más sensibles al dolor en el antebrazo y en la rodilla. Otras investigaciones también han vinculado los bajos niveles sanguíneos de vitamina D al dolor crónico, incluyendo el dolor muscular y otros dolores que pueden no ser artritis.

Cómo la vitamina D ayudó a las personas a sentirse mejor. Varios estudios sugieren que la vitamina D puede ayudar a aliviar su dolor. Por ejemplo, un estudio examinó a personas europeas que acudieron al médico por dolores músculo- esqueléticos, los cuales pueden afectar las articulaciones, los huesos y los músculos. Los participantes del estudio también carecían de vitamina D. Después de tomar suplementos para aumentar sus niveles de vitamina D, los participantes reportaron menos dolor también. Pero eso no es todo.

En una investigación rumana, los residentes de un hogar de cuidados que presentaban una deficiencia de vitamina D comenzaron a comer pan fortificado con 125 microgramos de vitamina D todos los días. Después de hacer esto durante un año, no sólo reportaron tener menos dolor, sino que también tenían mejor capacidad de caminar y calidad de vida.

La vitamina D puede incluso ayudar al dolor de la artritis reumatoide (AR). Un estudio de la India encontró que las personas con AR que tomaron un suplemento de calcio y vitamina D con su medicación de AR, obtuvieron un alivio del dolor significativamente mejor que el de las personas que sólo tomaron medicamentos.

El riesgo de la vitamina D que nunca debe ignorar. Demasiada vitamina D puede ser peligrosa. Antes de empezar a tomar suplementos de vitamina D, Pregúntele a su médico si tiene una deficiencia de vitamina D. Él puede probar esta deficiencia y crear un plan personalizado para remediar su escasez de vitamina D, si usted la tiene.

Pero eso no significa que sólo debe esperar. Empiece a comer más alimentos ricos en vitamina D. Las buenas opciones incluyen salmón enlatado o sardinas, huevos, trucha arco iris, caballa del Pacífico y leche fortificada, suero de leche, e incluso ponche de huevo.

8 alimentos que debería probar si usted tiene AR

¿Está usted desaprovechando una oportunidad para aliviar sus articulaciones doloridas? Las personas que tienen artritis reumatoide son más propensas a tener niveles sanguíneos bajos del mineral selenio, dicen los expertos. La investigación preliminar sugiere que este mineral ayuda a aliviar los síntomas de la artritis controlando los niveles de los radicales libres dañinos, así que asegúrese de obtener suficiente selenio de su dieta.

Pruebe estos ocho alimentos para ayudar a aumentar sus niveles de este valioso mineral. Los amantes de la carne y el pescado pueden probar con el pollo, carne de cerdo y pechuga de pavo, así como de pez roca y atún claro enlatado. Tanto los vegetarianos como los carnívoros pueden obtener selenio extra de nueces del Brasil, nueces comunes y semillas de girasol.

Tome ajo para protegerse contra la artritis de cadera

¿Por qué un gemelo desarrollaría artritis mientras que el otro no? Durante años, cientos de mujeres gemelas participaron en un proyecto de investigación para ayudar a responder a esa pregunta. Los científicos recientemente descubrieron un hábito alimentario que podría marcar una diferencia.

Agregue más cebolla y ajo a sus recetas. Los investigadores encontraron que los gemelos que comían más ajo, cebolla, puerro, cebollino y chalota eran menos propensos a sufrir artritis de cadera.

Estos vegetales de la familia allium, contienen compuestos que pueden ayudar a proteger las articulaciones de su cadera. Los investigadores sugieren que los compuestos llamados disulfuro de dialilo (DADS) y sulfuro de dialilo (DAS) son los candidatos más probables.

Los estudios de laboratorio han encontrado que tanto el DADS como el DAS pueden aplastar las enzimas que contribuyen a la osteoartritis y destrucción del cartílago. Aunque los investigadores dicen que no pueden garantizar que el hecho de comer más cebolla, ajo y otros vegetales de la cepa allium reducirá el riesgo de artritis, hay una manera deliciosa que usted puede descubrir.

Ha oído que el perejil puede ayudarle a deshacerse del aliento con olor a ajo, pero investigadores la Universidad del Estado de Ohio descubrieron algo aún mejor. Comer unas pocas rebanadas de manzana con su comida con ajo desarma los compuestos que causan aliento con olor a ajo. Otros alimentos que pueden ayudar incluyen leche, jugo de limón y té verde.

5 maneras deliciosas de comer más de estos vegetales sabrosos. Usted probablemente ya mezcla el ajo en su puré de papas y pone cebollas en sus hamburguesas. Ahora, utilice estos consejos para agregar más de estos sabrosos vegetales a su menú.

- Añada puerros o chalotas a las tortillas, risottos y estofados, o simplemente utilícelos en lugar de cebollas en cualquier receta.

- Haga una deliciosa salsa dip para su fiesta al combinar yogur con ajo finamente picado y cebollino.

- Incluya el ajo picado y crudo en salsas, huevos cocidos o pizzas.

- Lance algunas cebollas picadas en sofritos, sopas de vegetales, chile y guisos de vegetales.

- Esparza algunas cebollas rojas en tacos, ensaladas o pizza.

Construya mejores articulaciones con brócoli

Algunas personas aman el brócoli lo suficiente como para mezclarlo con tortillas, mientras que otras lo evitan como la peste. Pero una vez que lea esto, usted deseará agregar el brócoli a los platos de pastas, sopas, sofritos y cualquier otra cosa que se pueda imaginar.

La vitamina que usted debe obtener todos los días. El brócoli está lleno de nutrientes, pero su alto contenido de vitamina K puede ser particularmente importante. Según un estudio de la Facultad de Medicina de la Universidad de Boston, incluso una deficiencia leve de vitamina K puede aumentar el riesgo de OA de rodilla.

Los expertos sugieren que la vitamina K puede proteger contra la artritis por dos razones.

- Las personas que obtienen menos vitamina K tienen niveles sanguíneos más altos de 14 compuestos que causan inflamación. Estas son malas noticias porque la inflamación puede contribuir al daño del cartílago causado por la artritis.

- Su cuerpo usa ciertas proteínas para proteger su cartílago. Pero si no recibe suficiente vitamina K, estas proteínas pueden no ser capaces de prevenir el daño a su cartílago.

La vitamina K también puede ser importante si ya tiene artritis. Un estudio reciente de casi 800 adultos mayores encontró que la artritis empeoró más rápidamente en personas con niveles sanguíneos más bajos de vitamina K. Así que comer más brócoli - y otros alimentos ricos en vitamina K - puede ser una manera inteligente de ayudar a defenderse contra la artritis. Otras buenas fuentes de vitamina K incluyen nabos, acelgas, col rizada, espárragos y berro de jardín. La vitamina K puede interactuar con la warfarina (Coumadin) y otros medicamentos anticoagulantes. Si usted toma alguna de estas medicinas, hable con su médico antes de agregar más Vitamina K a su dieta.

Protéjase de la artritis y el cáncer. El sulforafano es famoso por ayudar a prevenir el cáncer, pero un estudio británico sugiere que también puede bloquear un compuesto causante de la inflamación que promueve el daño a sus articulaciones. Sin embargo, usted puede desaprovechar fácilmente el sulforafano del brócoli si no sabe qué lo compone y qué lo descompone.

El sulforafano no existe hasta que la acción de masticar o cortar el brócoli fresco produce una enzima llamada mirosinasa que se combina con el compuesto del brócoli, glucorafanina. Pero el hervirlo o freírlo destruyen la mirosinasa, así que prepare su brócoli al vapor. El vapor puede incluso hacer que se libere sulforafano extra.

El brócoli congelado también puede haber perdido su mirosinasa, pero usted puede arreglar ese problema. Aderece su brócoli con mostaza picante, rábano picante, wasabi, repollo rallado crudo, berro o rábano. La mirosinasa presente en estos alimentos puede darle a su brócoli el impulso que necesita producir sulforafano.

¡Alivio para la gota! 5 alimentos prohibidos que puede comenzar a de nuevo

Las legumbres y guisantes secos, espárragos, hongos y avena probablemente fueron excluidos del menú cuando comenzó su dieta anti-gota, pero una nueva investigación sugiere que usted puede comerlos de nuevo - si tiene cuidado.

En un estudio reciente, las personas con gota que comieron más purinas eran casi cinco veces más propensas de tener un ataque de gota en comparación con las personas que comieron menos. Pero definir cuáles alimentos ricos en purina elegir puede ser la clave.

Otro estudio descubrió que las personas que comían más purinas provenientes de los alimentos de origen animal se enfrentaron a mucho mayores probabilidades de un ataque de gota que los que la obtuvieron de vegetales. La razón - los vegetales son naturalmente mucho más bajos en purinas que las fuentes animales. Los expertos dicen que el truco es comerlos con moderación.

¿Su bebida favorita está ayudando o lastimando sus articulaciones?

Elegir la bebida equivocada podría significar años de dolor. Por ejemplo, las mujeres que beben al menos un refresco azucarado al día tuvieron 63 por ciento más probabilidades de desarrollar artritis reumatoide, descubrió un estudio reciente.

Sin embargo, la leche puede ayudar a algunas personas que ya tienen osteoartritis (OA). Su elección de bebidas puede incluso ayudarle a prevenir los ataques de gota. Esta es la primicia que necesita saber.

Buenas noticias para los amantes de la leche. Las mujeres pueden retardar el progreso de la OA de rodilla bebiendo leche descremada o baja en grasa. Un estudio de cuatro años encontró que las mujeres que bebían leche cada semana desarrollaban menos daño articular en las rodillas que las mujeres que no lo hicieron. Las mujeres que bebieron siete o más vasos por semana obtuvieron los mejores resultados.

Por qué el alcohol es una espada de doble filo. Un estudio británico sugiere que los hombres que promedian ocho o más cervezas por semana tienen muchas más probabilidades de sufrir OA de rodilla que los hombres que beben menos. Sin embargo, las personas que beben cuatro o más vasos de vino semanalmente pueden reducir su riesgo. Los investigadores sugieren que los polifenoles en el vino pueden ayudar a proteger sus articulaciones Sólo recuerde, el alcohol puede aumentar su riesgo de cáncer y otros problemas graves de salud, por lo que los expertos sugieren que los hombres se limiten a dos bebidas al día, y las mujeres deben parar después de una. Una bebida equivale a 12 oz. de cerveza, 5 oz. de vino, o 1 1/2 oz. de licor fuerte.

Sea aún más cuidadoso si usted tiene gota. Una o dos bebidas alcohólicas - de cualquier tipo- le hacen un 36 por ciento más propenso a tener un ataque de gota, muestra la investigación. Beba más que eso, y su riesgo de sufrir un ataque será 50 por ciento más alto.

Cómo el té puede proteger sus articulaciones. La investigación preliminar sugiere que los compuestos del té verde pueden ayudar a reducir la inflamación y la destrucción del cartílago. Aún más, los animales alimentados con los polifenoles del té verde tenían niveles más bajos de compuestos inflamatorios en sus articulaciones artríticas.

Por qué no intentar beber dos o tres tazas de té verde al día. Los expertos sugieren que usted debe preparar el té verde a unos 175 a 185 grados aproximadamente. Si no tiene un termómetro, ponga a hervir el agua, pero espere de dos a tres minutos antes de verter.

3 suplementos contra el dolor que no son sólo publicidad

¿Cansado de gastar su dinero ganado con tanto esfuerzo en suplementos que son más publicidad que otra cosa? Afortunadamente, los científicos han realizado estudios sobre algunos suplementos para la artritis con el fin de verificar si funcionan. Aquí hay tres que pasaron la prueba, demostrando que podrían ayudar a reducir el dolor y hacerle sentir mejor.

ASU. Los compuestos encontrados en la palta o aguacate (palta) y el aceite de soja denominados insaponificables podrían hacer que su artritis de rodilla sea menos dolorosa. Cuando se combinan en un solo suplemento, se llaman lípidos insaponificables aguacate-soja (ASU, por sus siglas en inglés)

Una revisión danesa de estudios encontró que 300 miligramos (mg) tomados diariamente pueden reducir el dolor de la osteoartritis de rodilla (OA). También puede reducir la necesidad de analgésicos.

Los estudios también muestran que los ASU pueden reducir los compuestos causantes de la inflamación en su cuerpo, proteger las células en sus articulaciones e incluso promover la reparación de su cartílago. Pero encontrar la dosis correcta puede ser difícil, y algunas personas alérgicas al látex pueden no ser capaces de tomar ASU con seguridad. Hable con su médico antes de intentarlo.

Incienso indio. Puede que usted recuerde el incienso como un regalo llevado al niño Jesús por los Tres Reyes Magos de Oriente. El incienso indio puede llegar a ser un regalo para las personas con artritis.

Un estudio sobre un extracto de incienso indio llamado 5-Loxin sugiere que puede comenzar a trabajar en tan poco como siete días y puede reducir el dolor hasta dos tercios en un plazo de tres meses. La investigación muestra que otros extractos de incienso indio también pueden aliviar el dolor y mejorar los síntomas de OA.

Los expertos creen que un compuesto llamado ácido acetil-11-keto-beta-boswélico (AKBA, por sus siglas en inglés) es el ingrediente activo en el incienso indio. Los productos que redujeron con éxito el dolor de la artritis en estudios contenían al menos 20 por ciento de AKBA o ácidos boswéllicos.

Si desea probar el incienso indio, aclárelo con su médico. Si él lo aprueba, revise en sus tiendas locales de alimentos saludables. Puede encontrar este remedio bajo su otro nombre, Boswellia. Si no puedes encontrarlo localmente, Boswellia puede estar disponible en línea y por correo en fuentes como estas:

- Amazon *www.amazon.com*

- The Vitamin Shoppe *www.vitaminshoppe.com*
  llamada gratuita 866-293-3367)

Aceite de pescado. Si su médico dice que necesita más grasas omega-3 de la que los peces pueden proporcionar, los suplementos de aceite de pescado pueden ser la forma económica, fácil y natural de obtener alivio de los síntomas de la artritis reumatoide.

Una revisión canadiense de la investigación sobre el aceite de pescado encontró que tomar suplementos de aceite de pescado por tres o cuatro meses reduce el dolor en las articulaciones, la rigidez matutina, el número de articulaciones dolorosas y el uso de analgésicos en personas con AR.

En otro estudio, las personas con AR temprana que tomaron por lo menos 3 gramos (g) de aceite de pescado al día junto con su medicación tuvieron mejores resultados que los que no lo hicieron. Los que tomaron aceite de pescado retrasaron el uso de medicamentos y necesitaron menos AINE para controlar su dolor e inflamación. También fueron más propensos a lograr la remisión de sus síntomas.

Pero tenga en cuenta que tomar más de 2 g de aceite de pescado puede suprimir su sistema inmunológico, causar interacciones medicamentosas y efectos secundarios, y afectar los resultados de las pruebas de laboratorio. Obtenga la aprobación de su médico antes de comenzar a tomar suplementos de aceite de pescado.

Tome un consejo de los británicos para aliviar sus articulaciones

Las fresas con crema son un postre favorito tradicional para los espectadores de los campeonatos de tenis de Wimbledon en Londres - y esta deliciosa fruta debe ser un favorito para usted también. Este es el por qué.

Un estudio encontró que las personas con osteoartritis de rodilla podrían ralentizar su progresión al consumir por lo menos 152 miligramos (mg) de vitamina C diariamente. Una taza de fresas en mitades proporciona casi su ración diaria recomendada (RDA del inglés Recommended Dietary Allowances) de vitamina C. Pero ya que 152 mg es más que la RDA, es posible que deba agregar una naranja a su día para alcanzar esa cantidad. Todavía las fresas tienen más que ofrecer además de la vitamina C.

Al igual que las cerezas, las fresas contienen al menos una antocianina que puede ayudar a combatir el dolor y la inflamación. Además, los estudios de laboratorio sugieren que los extractos de fresa pueden inhibir las enzimas COX que promueven la inflamación en su cuerpo.

Para hacer su propia versión de fresas con crema, combine las fresas con un poco de yogur descremado de vainilla.

¿Tiene dolor? Frijoles y granos al rescate

¿Qué tienen en común Luisiana y China? Luisiana es famoso por los frijoles rojos y el arroz, y en China se sirven frijoles mung y gachas de arroz. Combos de frijol y granos como estos son buenas fuentes de un combatiente de la inflamación que usted puede liberar contra la artritis y la gota hoy mismo.

Si usted tiene artritis reumatoide o gota, una sobrecarga de inflamación en su cuerpo está provocando su dolor. Una señal de tener demasiada inflamación son los altos niveles sanguíneos de un compuesto llamado Proteína C-reactiva (PCR).

Para reducir sus niveles de PCR, debe reducir la inflamación. Las legumbres y los granos integrales pueden ayudar. Una revisión de los estudios sugiere que una porción de granos integrales puede reducir la PCR en un 7 por ciento. La Fundación para la Artritis también dice que los alimentos ricos en fibra pueden ayudar a reducir la PCR. Los granos integrales y legumbres tienen mucha fibra, por lo que ambos son aceptables.

Para obtener los mejores resultados a partir de la fibra, granos y legumbres, recuerde estos consejos.

- Tenga cuidado con granos y productos de granos que no son integrales. Estos incluyen arroz blanco y muchos panes, pastas, cereales y productos horneados. Para encontrar granos integrales, compruebe el sello de grano integral del Consejo de Granos Integrales. Si usted no lo encuentra, verifique la lista de ingredientes y busque términos como "integral", "granos de trigo", "avena entera", "avena integral" o el nombre de otro grano seguido de la palabra "entero". Elija arroz integral sobre arroz blanco, y coma alimentos como palomitas de maíz y harina de avena.

- Aumente gradualmente la cantidad de fibra en su dieta para que no experimente gases, hinchazón, diarrea y otros síntomas desagradables.

- Haga las paces con las legumbres. Algunas personas no comen legumbres porque les preocupan los gases, pero usted puede prevenirlos. Condimente un plato de legumbres con ajedrea, cambie el agua varias veces mientras cocina legumbres secas - o pruebe Beano.

Músculos & tendones

Nutrición que cura

Coma proteína para prevenir la debilidad muscular

Si le resulta difícil sujetar su taza de café de la mañana, levantarse de su sillón reclinable favorito, o incluso agacharse para atar a su perro para su paseo por la tarde, usted puede estar experimentando sarcopenia. Esta condición debilitante produce una pérdida gradual de músculo y fuerza y es común a medida que envejece.

¿A dónde fueron mis músculos? Desde el momento en que usted alcanza la edad de 50 años, su masa muscular cae en un promedio de 1 a 2 por ciento cada año. Usted puede estar muy familiarizado con los síntomas - problemas para moverse Y una sensación de debilidad. Dicho esto, si no sufre de esta condición, es probable que usted conozca a alguien que sí.

La parte más angustiosa de la sarcopenia es cuánto puede alterar su calidad de vida.

- Cuando se siente inestable, es más probable que sufra una caída, y eso lo pone en riesgo de lesiones significativas.

- ¿Demasiado débil para levantarse y moverse? Eso puede conducir al aumento de peso, lo que generalmente significa problemas de salud adicionales.

- Si su condición empeora, incluso podría perder su capacidad de vivir solo.

Afortunadamente, aunque la sarcopenia afecta a casi una de cada tres personas mayores de 60 años, usted puede protegerse con proteínas y ejercicio, y recuperar su independencia.

La proteína le ayuda a mantenerse fuerte en sus años dorados.
El viejo dicho: "Eres lo que comes", es verdaderamente cierto cuando se trata de la proteína. Este nutriente es el componente básico de los músculos. Sin ella, su cuerpo simplemente no puede permanecer fuerte. Un estudio de la Universidad Tufts revela que las personas que comen carne de res, pollo y otras fuentes de proteína tienen más masa muscular.

Si usted es mayor, necesita alrededor de 1 gramo de proteína por kilogramo de peso corporal. Por ejemplo, una persona de 140 libras, necesitaría 64 gramos de proteína al día - que es menos de lo que encontrará en una orden de pollo agridulce.

Pero no consuma compulsivamente su cuota entera en una sola sesión. Los nutricionistas recomiendan comer un poco en cada comida. Debido a que usted no tiene la capacidad de almacenar el exceso de proteínas, comer alimentos ricos en proteínas durante todo el día le dará a su cuerpo la oportunidad de aprovechar la mayoría de ellas. Por ejemplo, usted podría agregar claras de huevo a su desayuno, pavo en el almuerzo, y legumbres en la tarde.

Fortalezca su cuerpo con ejercicio. No hay manera de evitarlo. Usted mantendrá sus músculos más tiempo si está activo además de comer mucha proteína. Aunque usted no tiene que entrenar con la pasión de un fisicoculturista, el entrenamiento de resistencia tal como levantar peso es una buena idea.

Combata la pérdida de músculo con alimentos. Muchos nutrientes trabajan junto con la proteína en la batalla por el músculo, así que asegúrese de obtener suficiente de ellos cuidando de sus comidas.

■ La vitamina D es importante para mantener la fuerza y la función muscular. Si usted tiene una deficiencia de ella, eso podría contribuir a su debilidad muscular. El salmón enlatado es una deliciosa opción. Está lleno de proteínas y vitamina D.

- Los ácidos grasos omega-3 favorecen la síntesis de proteínas, una parte esencial del crecimiento, reparación y mantenimiento de los músculos. Eso haría de los pescados grasos una elección inteligente, ya que contiene tanto omega-3 como proteínas.

- Las proteínas y otros nutrientes encontrados en los productos lácteos también ayudan con la función muscular. ¿Tiene un antojo de yogur? Sírvaselo.

Recuerde, usted no se limita a la carne, pescado y aves de corral para obtener la proteína que necesita. Las leguminosas, guisantes y semillas de calabaza con sabrosas alternativas de alta proteína. Para una merienda rápida, tome un puñado de almendras para mantenerse en marcha.

¡Escápese de la carne! Obtenga un montón de proteínas con estas combinaciones

¿Qué es lo primero que piensa cuando escucha la palabra "proteína"? ¿Es carne? La carne es una gran cosa en los Estados Unidos. De hecho, el estadounidense promedio come alrededor de 270 libras de carne cada año. Pero tal vez usted no es un fanático de la carne o, por razones médicas, tiene que reducir su consumo. Usted puede obtener toda la proteína que necesita combinando sus vegetales y granos para obtener una comida completa llena de proteína.

Las proteínas complementarias perfeccionan su dieta. Cuando usted no obtiene todos los aminoácidos esenciales que necesita, su cuerpo no es capaz de usar las proteínas como se supone que debe hacerlo. Ciertos alimentos tienen bajas cantidades de aminoácidos esenciales o proteínas "incompletas". Al combinar dos o más de ellos para formar proteínas complementarias, usted puede obtener suficientes aminoácidos esenciales en su dieta.

Algunos investigadores sugieren que la combinación de alimentos como éstos no es necesaria, siempre y cuando usted consuma una variedad de alimentos a base de plantas. Pero otros dicen que el simple hecho de mezclarlos puede no permitir que usted obtenga suficiente de ciertos aminoácidos esenciales porque las proteínas vegetales no tienen tantos aminoácidos como proteínas animales.

Ellos argumentan que una combinación de alimentos a base de plantas elevará la calidad de las proteínas de su comida.

En lo que todo el mundo está de acuerdo es en que muchas proteínas vegetales contienen cantidades más limitadas de aminoácidos por porción en comparación con fuentes animales. Puede que le resulte difícil obtener suficientes aminoácidos sin poner atención a las proteínas complementarias.
Afortunadamente, hay una manera fácil de asegurarse de obtener todos los nutrientes que necesita.

Por qué los combos de proteínas son el camino a seguir. Las leguminosas, los granos y las nueces contienen fibra, lo que le ayuda a sentirse lleno sin todas las calorías. Están llenos de vitaminas B y minerales como calcio, hierro, zinc, potasio y magnesio. También son excelentes para su corazón y ayudan a reducir los riesgos asociados con las enfermedades cardíacas. Los productos lácteos, especialmente el yogur y la leche, proveen vitamina D, potasio y calcio - nutrientes importantes para mantener la masa ósea. Se consideran proteínas completas, lo que las hace excelentes agregados para una dieta vegetariana.

Cómo hacer combinaciones para obtener un bocadillo lleno de proteína. Si usted escoge o no combinar proteínas complementarias, lo más importante es que usted obtenga una dieta balanceada en nutrientes. No tiene que comer proteínas complementarias en la misma comida para obtener los beneficios. Siempre que las coma dentro del mismo día, usted puede lograr una dieta rica en proteínas que es tan saludable como comer carne. Por ejemplo, las leguminosas proporcionan los aminoácidos isoleucina y lisina en abundancia, pero tienen menos metionina y triptófano. Los granos son lo contrario, haciéndolos una combinación perfecta para las legumbres. Aquí están los mejores alimentos para combinar una comida completa llena de proteína:

- Granos y productos lácteos

- Granos y leguminosa

- Nueces o semillas y leguminosa

Cómo combinar proteínas para una comida completa

Los alimentos proteicos como granos, lácteos, leguminosas, nueces y semillas tienen cantidades bajas de algunis aminoácidos esenciales. Obtenga las cantidades correctas de proteínas simplemente sirviendo dos tipos de alimentos "vegetarianos" juntos. Aquí hay unas completas ideas de proteína que usted puede incluir en cualquier comida.

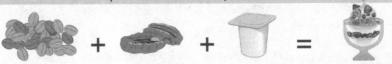

Granos + **Nueces** + **Lácteos** = **Yogur parfait**

Comience el día con un parfait. Combine una taza de yogur natural (13g de proteína), 1/4 de taza de avena (7g) y pacanas (3g) y un puñado de fresas y arándanos.

23 g proteína

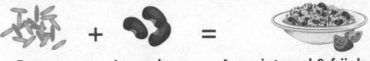

Granos + **Legumbres** = **Arroz integral & frijoles rojos**

Una taza de cada uno de este dúo clásico es perfecta con un tomate para un almuerzo cargado de proteínas. Agregue sus propios condimentos a su arroz (5g) y leguminosas (15g) para sabor.

20 g proteína

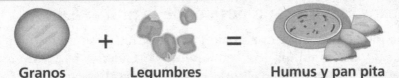

Granos + **Legumbres** = **Humus y pan pita**

Póngale sabor a media taza de humus (10 gramos de proteína) con una cucharada de cebollino y pimientos dulces verdes. Sirva con un pan pita grande (6g).

16 g proteína

Granos + **Semillas** + **Legumbres** + **Lácteos** = **Ensalada de quinoa y frijoles negros**

La ensalada no tiene por qué ser aburrida. Mexcle media cabeza de lechuga verde (2 gramos de proteína) con algún aderezo alto en proteínas como media taza de quinoa (4g) y frijoles negros (8g), 1/4 de taza de queso feta (5g) y una cucharada de semillas de girasol (3g).

22 g proteína

¿Puede un abrazo hacerle fuerte?

La oxitocina es conocida como la "hormona del amor" por una razón. Este producto químico se produce en su cerebro cuando da un abrazo, tiene un bebé, o mira a los ojos a su leal cachorro. No es sorprendente que juegue un gran papel en el romance y el apego.

Los investigadores ahora están descubriendo un vínculo entre la oxitocina y el envejecimiento muscular. La hormona es necesaria para el recrecimiento del tejido porque estimula la liberación de calcio y activa la función específica de cada proteína - dos grandes contribuyentes de los músculos fuertes. Una escasez del producto químico podría dar lugar a la sarcopenia. Aunque acurrucarse con un ser amado probablemente no detenga el envejecimiento de los músculos, la oxitocina aprobada por la FDA puede ser una forma segura para prevenir el envejecimiento muscular.

3 de los mejores analgésicos de la naturaleza

¿Cuándo se convierte una afición en un dolor en el codo o un proyecto casero en un hombro adolorido? Cuando ha usado en exceso una articulación o tendón y se inflama. Las tareas repetitivas - como pintar una habitación o rastrillar las hojas - pueden conducir a la bursitis o a la tendinitis, dos condiciones que usted puede querer abordar sin medicación.

- La bursitis es la inflamación de los pequeños sacos llenos de líquido que se encuentran entre huesos, músculos y tendones. A menudo es causada por el uso excesivo o estrés repetitivo en una articulación, como cuando hace labores de jardinería o juega tenis.
- La tendinitis es, con mayor frecuencia, el resultado de movimientos repetitivos o de una lesión. Esto ocurre más a menudo a medida que envejece porque, a medida que los tendones se vuelven menos flexibles, son más propensos a las lesiones.

Muchas personas toman medicamentos antiinflamatorios no esteroides (AINE) para estas condiciones, sosteniendo así una industria multimillonaria. Pero estos fármacos no están libres de riesgo. Los AINE son la causa más común de muertes relacionadas con fármacos notificadas a la Administración de Alimentos y Medicinas. Usted puede probar los combatientes naturales de la inflamación y evitar los efectos secundarios de los medicamentos para el dolor.

Deshágase del dolor de la inflamación con aceite de pescado. Los ácidos grasos poliinsaturados omega- 3 están entre los más eficaces anti-inflamatorios naturales. Estos ácidos grasos, que se encuentran principalmente en el aceite de pescado, ayudan a detener la inflamación crónica desencadenada por ciertas células inmunes. Para probar los efectos de los suplementos de aceite de pescado sobre el dolor relacionado con la inflamación, los investigadores pidieron a 250 personas que usaban AINE, tomar 2,400 miligramos (mg) de aceite de pescado al día durante dos semanas, luego reducir la dosis a 1,200 mg, mientras se eliminaban gradualmente los AINE. Los resultados:

- El cincuenta y nueve por ciento dejó de tomar medicamentos AINE para el dolor después de dos meses tomando aceite de pescado.
- El sesenta por ciento informó que su nivel general de dolor había mejorado.

Coma cúrcuma para condimentar su vida y tratar la inflamación al mismo tiempo. La curcumina es un pigmento amarillo que se encuentra naturalmente en la cúrcuma, una planta de la familia del jengibre. Un antioxidante y anti-inflamatorio, la curcumina se considera a menudo una alternativa natural a los AINE para el tratamiento de la inflamación.

La forma más fácil de obtener un beneficio de la curcumina es comiendo cúrcuma. Puede agregarla a platos de verduras y carne, arroz y sopas para añadir sabor y color. Al cocinar, asegúrese de agregar pimienta negra a la mezcla. La piperina encontrada en la pimienta negra ayuda a su cuerpo a absorber la curcumina.

Para obtener la cantidad de curcumina tomada en estudios recientes, usted tendría que comer dos cucharadas de cúrcuma tres veces al día. El Centro Médico de la Universidad de Maryland sólo recomienda 1 1/2 cucharaditas de polvo de cúrcuma molida al día, por lo que es posible que usted desee añadir suplementos de curcumina. Para obtener mejores resultados, tome entre 400 y 600 miligramos de polvo estandarizado tres veces al día.

Pruebe el antiinflamatorio que crece en los árboles. La salicina que se encuentra en la corteza del sauce blanco trabaja de forma similar a la aspirina, pero con menos efectos secundarios. Aunque el extracto de la corteza del sauce es más costoso, los estudios demuestran que tal vez puede ser más eficaz que el celecoxib y la aspirina en la protección contra la inflamación y los efectos nocivos del estrés oxidativo.

Usted puede tomar la corteza del sauce de varias maneras. El té y las cápsulas son los más populares.

■ Hierba seca: 1 a 2 cucharaditas de corteza seca en 8 onzas (1 taza) de agua caliente, de tres a cuatro tazas diarias

■ Hierba en polvo: 240 mg de salicina estandarizada al día por hasta 12 semanas

Hable con su médico antes de tomar corteza de sauce porque puede ser peligrosa para las personas que toman ciertos medicamentos, como anticoagulantes y aquellas personas con condiciones médicas graves como diabetes, asma, presión arterial alta o trastornos gastrointestinales. Del mismo modo, nunca debe dar corteza de sauce a los niños.

Recoja esta fruta temprano para construir músculos más grandes

El mismo equipo de investigación que descubrió que un compuesto en las cáscaras de manzana mejora el tamaño y la fuerza en ratones ha encontrado otro constructor de músculo - esta vez en su huerta. La tomatidina, un compuesto natural de las plantas de tomate, es aún más eficaz para combatir la pérdida de músculo, aumentar la fuerza y mejorar la recuperación. Hasta ahora, las pruebas se han realizado solamente en ratones. A pesar de que se necesitan más pruebas, los científicos confirman que puede obtener tomatidina comiendo tomates verdes.

¿Le duele el cuerpo? 3 maneras de comer para sentirse mejor ahora

El dolor insoportable en cada músculo no es algo que cualquiera pueda conocer, pero si usted está sufriendo de fibromialgia, entonces sabe lo que se siente. La fibromialgia es un síndrome que nadie entiende completamente. Actualmente, manejar los síntomas es el único tratamiento disponible. Debido a que el autocuidado es tan esencial, es útil saber que usted puede aliviar el dolor de la fibromialgia desde su cocina.

Los vegetarianos tienen el secreto para el manejo de la fibromialgia. La fibromialgia afecta a unos 5 millones de personas. En medio de noches de insomnio, rigidez matinal, dolores de cabeza y espasmos en las piernas, los que sufren de este síndrome suelen experimentar dolor muscular y fatiga. La investigación sugiere que una dieta vegetariana cruda puede ayudar con todos los síntomas de la fibromialgia. Un estudio examinó los efectos de una dieta vegana sobre los síntomas de la fibromialgia. Los resultados fueron prometedores.

- Las personas experimentaron mejoras significativas en el dolor, rigidez, calidad del sueño y salud general.

- La mayoría de los participantes tenían sobrepeso al inicio del estudio y la dieta vegana cruda los llevó a reducciones significativas en el índice de masa corporal.

Antioxidantes -la cura natural para los músculos doloridos y punzantes. Los antioxidantes están relacionados con el estrés oxidativo y la fibromialgia. El estrés oxidativo causa inflamación y puede empeorar el progreso de la enfermedad - incluyendo la respuesta al dolor. Los científicos creen que los antioxidantes ayudan a disminuir el estrés oxidativo bloqueando los efectos de los radicales libres.

En un estudio reciente, 50 mujeres de mediana edad con fibromialgia tomaron:

- 500 miligramos (mg) de vitamina C

- 200 mg de vitamina E

- 13 mg de semillas de Nigella sativa (de cuatro a cinco semillas)

Después de ocho semanas de tomar antioxidantes diariamente, sus marcadores de dolor disminuyeron. Es fácil agregar bocadillos ricos en antioxidantes a su dieta. Los cítricos, bayas y vegetales de color verde oscuro son altos en vitamina C. Puede obtener vitamina E de aceites vegetales, nueces y granos integrales.

Detenga el dolor antes de que comience con el jugo de cerezas agrias. Los médicos alientan a los pacientes con fibromialgia a ejercitarse para fortalecer los músculos y mejorar la flexibilidad. Sin embargo, el ejercicio puede conducir a un brote de fibromialgia - síntomas agravados y dolor muscular de aparición tardía (DMAT). El jugo de cereza agria contiene antiinflamatorios y antioxidantes, y puede reducir la pérdida de fuerza asociada con el DMAT. En un estudio, la gente bebió 10.5 onzas de jugo de cerezas agrias dos veces al día durante 10 días. En general, los marcadores de dolor en general mejoraron y las personas con fibromialgia pudieron mantener su fuerza más tiempo después del ejercicio.

En otro estudio, los voluntarios tomaron jugo de cerezas agrias cinco días antes, el mismo día, y por 48 horas después de una carrera de maratón. Los resultados mostraron que el jugo de cerezas agrias es efectivo para la actividad intensa.

La razón por la que es tan eficaz no está completamente clara, pero los investigadores tienen algunas teorías.

- El jugo de cerezas agrias contiene antocianinas. Los científicos piensan que estos pigmentos mejoran la capacidad de los adultos para resistir el daño oxidativo. Para probar la teoría, la gente bebió aproximadamente 8 onzas de jugo de cerezas agrias dos veces al día durante 14 días. Beber el jugo mejoró las defensas antioxidantes y redujo el daño oxidativo.

- Otra forma en que el jugo de cerezas agrias puede ayudar es reduciendo la inflamación y el daño muscular.

Por qué esta 'cura' sólo le enloquecerá

Coma una banana (platano) si tiene un calambre, dicen algunas personas, pero ¿funciona realmente? Los investigadores dicen que no. Aunque las bananas pueden aumentar sus niveles de potasio, tomará entre 30 y 60 minutos que hagan efecto - demasiado tiempo para que le haga algún bien. Aquí está la buena noticia – la banana (platano) sigue siendo un alimento sano, contiene muchos nutrientes importantes además del potasio, como vitamina C, vitamina B6 y manganeso.

Detenga el dolor post-entrenamiento con curas de cocina

El jugo de cereza no es el único alimento que puede combatir los músculos adoloridos. Desde los calambres al dolor después del ejercicio, hay un alimento que puede ayudar.

El multi- talentoso jengibre también alivia el dolor muscular.
El jengibre se utiliza en los países del mundo como especia, condimentos e incluso medicina herbaria. Debido a su efecto antiinflamatorio, el jengibre puede reducir el dolor muscular causado por el ejercicio. Varios estudios demuestran que si usted toma jengibre antes del ejercicio, sentirá menos dolor después.

- En un estudio, 36 personas tomaron 2 gramos de un suplemento de jengibre crudo, un suplemento de jengibre tratado con calor, o un placebo durante 11 días. El dolor muscular se redujo significativamente en las personas que tomaron los suplementos de jengibre.

- En un estudio similar, el jengibre disminuyó el dolor muscular causado por lesiones en el codo relacionadas con el ejercicio.

Un chorrito del jugo de los encurtidos cura calambres en segundos. Los calambres son uno de los tipos más furtivos de dolor muscular. Aunque los científicos no están seguros de cómo el jugo de los encurtidos trabaja para detener los calambres, los estudios demuestran que reduce los calambres un 45 por ciento más rápido que si usted no bebe nada. En un estudio, publicado en la revista de la Universidad Americana de Medicina Deportiva, la gente bebía alrededor de 2.5 onzas de jugo de encurtidos. Los calambres musculares desaparecieron entre 12 y 219 segundos - un promedio de 85 segundos.

Aunque el jugo de los encurtidos puede ayudarle a deshacerse de los espasmos musculares rápidamente, la mejor manera de combatir los calambres es detenerlos antes de que comiencen. Reduzca sus posibilidades de sufrir calambres siguiendo estos consejos.

- Coma alimentos ricos en vitaminas y minerales, especialmente magnesio y calcio.
- Beba mucha agua.
- Estire suavemente antes y después de hacer ejercicio.

Comida rápida: la vía rápida hacia la pérdida de músculo

Atragantarse de comidas de alto contenido de grasa puede alterar la manera en que sus músculos procesan los nutrientes, dice un estudio de 12 hombres sanos, de edad universitaria. Un aumento en la dieta del 30 al 63 por ciento de grasa cambió la capacidad de los músculos para descomponer y usar los nutrientes. Este efecto sucede sorprendentemente rápido - en sólo cinco días.

Otros estudios dicen que una dieta de alto contenido de fosfato está vinculada al envejecimiento prematuro, una causa de pérdida severa del músculo. Alimentos como el queso y el pudín contienen altas cantidades de fósforo, pero ahora a algunos alimentos y bebidas tradicionalmente bajos en fósforo les han añadido fósforo. Tenga cuidado con:

- tés helados y aguas saborizadas
- bebidas carbonatadas y otras bebidas embotelladas
- productos crudos de carne y aves de corral
- barras de cereales para desayuno
- cremas no lácteas

El fósforo añadido puede ser etiquetado como ácido fosfórico, polifosfato y otros ingredientes que terminan en "fosfato".

Salud bucal

14 alimentos que ponen una sonrisa en su cara

Yogur: una taza al día mantendrá alejado al dentista

Usted ha oído hablar de la conexión mente-cuerpo, pero ¿qué hay de la conexión boca-cuerpo? Usted puede sorprenderse al saber que los problemas bucales pueden tener un gran impacto en el resto de su cuerpo. De hecho, los estudios sugieren que los problemas de salud como la diabetes, enfermedades del corazón e incluso las dificultades del embarazo, están conectadas a menudo a la salud bucal.

Afortunadamente, un tratamiento cremoso que a usted ya le encanta puede ayudar a mantener sus dientes y encías fuertes y darle el impulso de confianza que viene con una boca limpia y sana.

El yogur es maravilloso para su boca. Junto con la fuerza del calcio que protege sus dientes y la proteína, el yogur contiene millones de bacterias "buenas", llamadas probióticos. Estos se encuentran naturalmente en su cuerpo, así como en los alimentos y suplementos. Estos beneficiosos microbios ayudan a su cuerpo al frenar el crecimiento de bacterias dañinas, favorecer la buena digestión, potenciar su sistema inmunológico y aumentar su resistencia a las infecciones.

Lo que mucha gente no sabe es que estos chicos buenos también son increíblemente útiles en su boca.

- En un estudio, las personas tomaron tabletas que contenían probióticos tres veces al día. Después de sólo ocho semanas, los científicos vieron menos acumulación de placa e inflamación en el tejido de las encías en comparación con los que no tomaron probióticos.

- Hay que reconocerlo, el mal aliento puede ser embarazoso. Pero usted puede combatirlo comiendo yogur natural, sin azúcar de manera regular. En un estudio, comer yogur dos veces al día durante seis semanas disminuyó el mal aliento en el 80 por ciento de los voluntarios.

- Las llagas bucales pueden hacer que comer, sonreír o incluso hablar sea doloroso. Afortunadamente, los estudios sugieren que los probióticos bloquean las úlceras reincidentes que aparecen en la boca. El *Lactobacillus acidophilus* y el *Lactobacillus bulgaricus*, dos probióticos de yogur, son un par de guerreros cuando se trata de luchar contra las bacterias malas que habitan en lugares como su boca.

El ácido láctico mantiene las encías saludables. Al igual que los probióticos, el ácido láctico es producido en su cuerpo y también se encuentra en alimentos como el yogur. Los investigadores descubrieron que los alimentos ricos en ácido láctico ayudan a proteger contra la infección en los espacios entre las encías y los dientes, así como contra el daño en los tejidos, ambos signos reveladores de enfermedad periodontal.

Una deliciosa manera de satisfacer sus necesidades de productos lácteos. Dos de cada tres estadounidenses no cumplen con el requerimiento diario establecido por las Guías Dietéticas para los Estadounidenses, que es de tres porciones de 8 onzas (1 taza) de productos lácteos bajos en grasa o sin grasa diariamente. Usted puede ayudar a darle a su cuerpo los lácteos que necesita merendando una taza de yogur todos los días.

Preste atención a los ingredientes. Evite errores comunes de compra siguiendo estos consejos para asegurarse de sacar el máximo provecho de su yogur.

- Compruebe el contenido de azúcar de su yogur, y tenga cuidado con la fruta falsa. No querrá deshacer todas las cosas buenas del yogur comiendo productos llenos de azúcar e ingredientes artificiales.

- Busque "cultivos vivos y activos" en la etiqueta del yogur para asegurarse de que el yogur contenga cantidades significativas de probióticos. Si no ve este sello, revise la lista de ingredientes y vea si contiene *L. bulgaricus*, *S. thermophilus*, o *L. acidophilus*.

Dele a sus dientes una oportunidad de luchar con los alimentos adecuados

**Queso
Pollo
Nueces
Leche**

MEJOR
Los quesos y carnes ayudan a proteger el esmalte dental neutralizando los ácidos y proporcionando el calcio y fósforo necesarios para fortalecer sus dientes.

**Manzanas
Peras**

MODERADO
El alto contenido de agua equilibra los azúcares naturales que se encuentran en frutas firmes, las cuales tambiém puedan estimular la saliva, combatiendo as bacterias y protengiendo contra la caries.

**Naranjas
Limones
Caramelos
Refrescos**

PEOR
Los alimentos azucarados y frutas ácidas ayudan a las bacterias a producir ácidos dañinos. Los alimentos pegajosos pueden empeopar el problema.

5 secretos contra la caries que su dentista nunca le dijo

Usted está tranquilo y confiado, descansando pacientemente en el área de recepción, sin mostrar señales de estrés o ansiedad mientras asimila los sonidos y olores familiares. Sorpresa - usted está en el dentista. Y está disfrutando cada minuto de paz y comodidad sabiendo que su boca pasará cada prueba. Nunca pensó que se sentiría de esa manera, ¿verdad? Pero usted puede, y usted puede hacerlo sin gastar una fortuna. Aquí hay cinco formas naturales -y asequibles- de hacer que usted y su dentista sonrían.

Vuélvase hacia la vitamina D para derrotar la caries. La vitamina D juega un papel importante en la construcción y mantenimiento del hueso. Los científicos han encontrado que también detiene el crecimiento de microorganismos y combate la inflamación. Al revisar más de 20 estudios sobre casi 3,000 niños, los investigadores concluyeron que la vitamina D puede ayudar a prevenir la caries y reducir el número de cavidades.

Si le gusta la comida del mar, tiene la oportunidad perfecta para obtener más vitamina D de su dieta. Incluya 3 onzas de salmón rosado con hueso en su próxima comida, y obtendrá el 133 por ciento de su valor diario. El atún y el camarón también están "nadando" en vitamina D.

Para una sonrisa perfecta, diga "queso". El esmalte es la sustancia más dura en el cuerpo humano, pero aun así no puede soportar los efectos dañinos de la placa. En un estudio, se les dio a los niños diferentes alimentos para masticar durante tres minutos. Después de 30 minutos, el pH de la placa fue mayor en el grupo del queso - lo que significa que fue menos ácido - lo que se traduce en menores posibilidades de caries.

"Cuanto mayor sea el nivel de pH por encima de 5.5, menor será la probabilidad de desarrollar cavidades ", explica Vipal Yadav, autor principal del estudio.

¿Son las caries contagiosas?

Lo crea o no, lo son. Al igual que un virus, las bacterias productoras de cavidades pueden propagarse a través del beso y por compartir las bebidas y la comida. Algo tan simple como probar la comida de su hijo para ver si está demasiado caliente puede propagar gérmenes dañinos. Los niños pequeños son vulnerables a la bacteria común *Streptococcus mutans*.

En su adultez, probablemente haya desarrollado una inmunidad a muchos de estos microorganismos. Pero su boca alberga más de 500 tipos de bacterias, así que para evitar contaminar a otra persona, recuerde cepillarse y usar hilo dental con frecuencia.

Construya encías fuertes con su taza de té verde. Hasta el siglo XVIII, la gente creía que unos gusanos que dañaban los dientes se arrastraban hasta ellos y causaban la caries. Afortunadamente, los dentistas ahora saben que caries son causadas por bacterias que se alimentan del azúcar en su boca y crean ácidos que disuelven el esmalte.

Si bebe té verde, puede estar armándose para luchar contra estos gérmenes En un estudio, la gente se enjuagó dos veces al día durante un minuto con un enjuague bucal que contenía 2 por ciento de té verde. Después de 28 días, vieron una caída significativa en sus niveles de placa y gingivitis, demostrando que el té verde promueve las encías saludables y reduce la acumulación de placa.

Despierte y luche contra las caries con su bebida matutina. Estudios demuestran que el consumo de café puede ayudar a prevenir las caries porque posee compuestos antioxidantes que combaten las bacterias. Lo mejor es beberlo negro porque la adición de leche y azúcar disminuye los efectos antibacterianos y anti caries.

En un estudio, un extracto de *Coffea canephora*, también conocido como robusta, demostró combatir las caries al descomponer los microorganismos pegajosos que causan la placa dental. La variedad robusta se encuentra principalmente en el café instantáneo, *espressos* y mezclas de café.

Mastique goma de mascar sin azúcar para una boca más limpia. ¿Creería usted que el chicle puede realmente ser bueno para usted? En un pequeño estudio, los voluntarios masticaron goma de mascar por hasta 10 minutos. Los investigadores descubrieron que se eliminaron unas 100,000,000 de bacterias de la boca y fueron atrapadas en cada pieza de chicle. Ellos teorizan que comer chicle diariamente puede ayudar a disminuir la cantidad de bacterias en su boca y contribuir con su salud bucal a largo plazo.

La última tendencia dental puede ser más moda que realidad

Blanquear los dientes, eliminar las bacterias, fortalecer sus encías e incluso prevenir el mal aliento - ¿en 15 minutos? Los defensores de una manía dental llamada enjuague con aceite (oil pulling) dicen que puede hacerlo todo. Los estudios preliminares sugieren que este antiguo remedio popular indio podría ser beneficioso para su salud bucal, pero no todo el mundo está de acuerdo.

El enjuague con aceite implica batir una cucharada de girasol, de sésamo, coco, u otro aceite comestible en su boca durante 15 a 20 minutos todos los días.

La teoría dice que cuando usted "arrastra" el aceite alrededor su boca y entre sus dientes, las bacterias se adhieren a ella. Cuando usted escupe el líquido, las bacterias se van con él.

Algunas personas se enjuagan mientras toman su ducha por la mañana, pero si usted hace esto, no lo escupa por el desagüe, ya que podría obstruir las tuberías.

---

3 formas económicas de refrescar su boca

¿Buscando otras soluciones naturales de enjuague bucal? Haga gárgaras de bicarbonato de sodio, agua salada o peróxido diluido entre 30 y 60 segundos varias veces al día para combatir las bacterias y la placa.

- El bicarbonato de sodio es barato y fácilmente disponible. Para hacer un enjuague bucal, disuelva una cucharadita de bicarbonato de sodio en un vaso de agua.

- El agua salada es particularmente eficaz para las heridas en la boca, pero no debe utilizarse a largo plazo. Para este enjuague, mezcle 1/4 cucharadita de sal con una taza de agua tibia.

- El peróxido de hidrógeno debe diluirse, así que mezcle una cucharadita de peróxido en media taza de agua.

De nuevo, no lo utilice a largo plazo. Si usted no quiere hacer el suyo propio, busque enjuagues bucales naturales, sin alcohol que no contengan colores artificiales, sabores o conservantes. Otra opción es un enjuague bucal con xilitol, un alcohol de azúcar natural que evita que las bacterias se peguen a los dientes.

Arrastre la placa con aceite de coco. El aceite de coco parece ser el último grito. Los avisos en línea y los bloggers afirman que puede ser utilizado para cocinar, en cosméticos y para mejorar su salud.

Recientemente, los científicos han descubierto que el aceite de coco mantiene la boca sana luchando contra la formación de placa, que es la causa primaria de las caries y la inflamación de las encías. Un estudio informó que el enjuague con aceite era tan eficaz como el enjuague antiséptico, antibacteriano clorhexidina contra la placa inducida por la gingivitis.

El aceite de sésamo ayuda a eliminar el mal aliento. En otro estudio, el aceite de sésamo funcionaba tan bien como la clorhexidina contra el mal aliento y las bacterias asociadas con él. Otros estudios con aceite de sésamo tuvieron los mismos resultados, lo que revela una reducción significativa del Streptococcus mutans, un importante contribuyente a la caries dental.

No tire el cepillo de dientes por los momentos. Una técnica como el enjuague con aceite puede ser excelente para los países en desarrollo, pero en lugares donde los productos comerciales están fácilmente disponibles, ¿vale la pena tomarse el tiempo para eso? Algunas personas quieren ir por la ruta natural para evitar los productos químicos y el alcohol en enjuagues bucales, que pueden remover la protección bucal y causar sequedad.

Pero la Asociación Dental Americana (ADA) sostiene que ningún estudio ha proporcionado evidencia clara de que el enjuague con aceite combate las caries, blanquea los dientes, o mejora la salud bucal. Además, no mencionan efectos secundarios adversos como diarrea, malestar estomacal o la posibilidad de inhalar el aceite hacia sus pulmones. Por lo tanto, la ADA no apoya el enjuague con aceite como sustituto de la higiene oral estándar.

Y para muchos dentistas, el enjuague con aceite no supera los beneficios del tratamiento moderno. "Ya es suficientemente difícil conseguir que la gente se cepille los dientes correctamente, y mucho más que se enjuaguen con aceite durante 15 a 20 minutos", dice el Dr. David Murphy, DDS. "Puede ser eficaz, pero teniendo productos más fáciles de usar y que llevan menos tiempo y son más eficaces, no tiene sentido para mí recomendar el enjuague con aceite."

En lugar de ello, el Dr. Murphy recomienda invertir en un cepillo eléctrico y asegurarse de obtener una nutrición adecuada. "En general, la boca es sólo un reflejo de la salud de su cuerpo".

Las mejores maneras absolutas de curar la boca reseca

Después de someterse a una radioterapia en el cuello, Joe tuvo un problema. Sin importar lo que hiciera, no podía evitar que su boca se secara. Finalmente recurrió a llevar un atomizador con él por todas partes.

Si su boca se ha estado sintiendo como el desierto del Sahara últimamente, usted sabe cómo se sentía Joe. La boca seca puede ser irritante, pero también puede causar problemas dentales. Sepa qué alimentos comer y evitar, alivie su boca seca de una vez por todas.

Su boca debería estar nadando en saliva. A lo largo de su vida, su boca produce mucha saliva – suficiente para llenar una piscina, lo crea o no. Pero a veces sus glándulas salivales no trabajan bien. La Xerostomia, o boca seca es el resultado.

La boca seca es el efecto secundario de más de 400 medicamentos y muchas enfermedades, incluyendo el síndrome de Sjogren y la diabetes. Usted puede sorprenderse al saber que enfermedades como éstas pueden afectar la salud de su boca junto con el resto de su cuerpo.

Combata la boca seca evitando ciertos alimentos. Algunos ingredientes y alimentos pueden agravar la boca seca, lo que conduce a labios agrietados, infecciones y llagas bucales. Ayude a su boca esquivando estos causantes de desastres

La boca seca estimula el crecimiento de las bacterias que causan el mal aliento. El té verde actúa como desinfectante y desodorante. Enjuáguese con él para reducir temporalmente el mal aliento de manera más efectiva que con chicle o mentas sin azúcar.

- Tómese la cafeína con calma.
  El café, el té y la soda pueden saber bien por el momento, pero se arrepentirá más tarde cuando su boca se sienta como algodón.

- Manténgase alejado de los aperitivos pegajosos. Alimentos como la mantequilla de cacahuete y el pan suave pueden adherirse a su paladar.

■ Limite la sal y las especias. Cuando su boca está seca, los alimentos salados o picantes pueden causar dolor y hacerle sentir incluso más incómodo.

■ Manténgase alejado de los alimentos secos. Las galletas dulces y saladas, así como los bocadillos secos absorben la humedad de su boca

■ Evite el alcohol. El alcohol es deshidratante y su boca sufrirá por ello. Esto también incluye el alcohol en el enjuague bucal,

Consejos deliciosos para una boca feliz. La saliva protege sus dientes de la descomposición y le permite masticar y tragar. Siga estos consejos para añadir humedad a su boca y poder comer más fácilmente.

■ Beba agua durante todo el día. El agua diluye el moco y hace que la masticación y la deglución sean menos difíciles.

■ Mastique chicle sin azúcar. Masticar chicle o chupar caramelos duros sin azúcar ayuda a estimular el flujo de saliva.

■ Coma alimentos suaves y húmedos. Pruebe frutas y vegetales mezclados con un alto contenido de agua, pollo y pescado cocido suavemente, helados en palito y batidos.

■ Humedezca su comida. Usted puede hacer esto con el caldo, sopa, salsas y yogur.

■ Meriende con piña fresca - le ayudará a diluir su saliva. Pero no lo intente si tiene llagas bucales.

3 maneras naturales (y sin dolor) de vencer al herpes labial

El herpes labial, también conocido como ampollas febriles, puede ser doloroso y embarazoso. Pero quizás lo peor de él es su imprevisibilidad No pierda su tiempo en preocuparse por su próximo brote. Aplique estos remedios naturales tan pronto como sienta el hormigueo para eliminar el herpes labial rápidamente.

La lisina es la primera línea de ataque. Si usted sufre de estas ampollas dolorosas, no está solo. Alrededor del 90 por ciento de los adultos han sido expuestos al virus del herpes simple, lo que las causa. Los estudios demuestran que la lisina, un aminoácido responsable de la reparación y crecimiento del tejido, lucha contra el aminoácido arginina, lo que ayuda a que el virus del herpes se reproduzca. ¿Quiere evitar que el herpes labial regrese? Obtenga más lisina, y menos arginina de su dieta.

Si usted es propenso al herpes labial, los expertos recomiendan que consuma entre 500 y 3,000 miligramos de lisina al día comiendo alimentos ricos en lisina como pescado, carnes magras, pollo, leche y queso. Al mismo tiempo, reduzca la cantidad de alimentos con alto contenido de arginina que usted consume, limitando el chocolate, las nueces, semillas, cerveza, coco y granos.

Muchos alimentos tienen ambos aminoácidos, así que busque los alimentos que tengan mucha más lisina. Atún, salmón, requesón y yogur son algunos ejemplos.

El extracto de mora destruye la infección antes de que comience. Usted pasará menos tiempo luchando con las ampollas con este compuesto anti-inflamatorio y antiviral a menudo utilizado para prevenir y tratar las infecciones de las encías. Un estudio mostró que el extracto de mora inactivó el virus del herpes en sus primeras etapas. Los científicos dicen que el extracto se puede utilizar de forma tópica para las infecciones por herpes. Es un remedio barato, y a manera de bono extra, ¡usted puede utilizarlo para darle sabor a productos cocidos al horno y postres!

Disminuya la duración de los brotes con bálsamo de limón. *Melissa officinalis*, más comúnmente conocida como bálsamo de limón, forma parte de la familia de la menta. En un estudio, los participantes aplicaron una crema que contenía 1 por ciento de bálsamo de limón al herpes labial cuatro veces al día durante cinco días. Por el segundo día de tratamiento, las personas que aplicaron el bálsamo de limón mostraron mejoras significativas en comparación con las que usaron una crema placebo.

Encontrará más consejos para usar bálsamo de limón en el apartado *Llegue a la raíz de los problemas de la piel con estas 7 hierbas en el capítulo Enfermedades de la piel y pérdida de cabello.*

Salud reproductiva

Conocimiento nutricional para tiempos cambiantes

Dele la espalda a los sofocos

La celebridad Rosie O'Donnell cambió su corte de pelo para hacer sus episodios de calor más fáciles de soportar - pero se puede hacer más que eso. Reduzca los alimentos picantes, y pruebe estas ideas que ya han ayudado a otras mujeres.

Refresque los sofocos con fruta. Los investigadores australianos descubrieron que las mujeres que comieron la dieta más rica en frutas tenían un riesgo 20 por ciento menor de tener sofocos y sudores nocturnos que las que comieron menos. Esta dieta incluía albaricoques, fresas, piñas, sandías y mangos.

Las mujeres que comían los alimentos y dulces más altos en grasa realmente tuvieron más riesgo de sofocos y sudores nocturnos. Usted puede coincidir con este perfil de altas grasas y azúcares si come un montón de tortas, pasteles de carne, galletas, mermelada y chocolate.

¿Realmente no puede comer mucha fruta ahora mismo? No hay problema. Otro grupo de mujeres redujo su riesgo de sofocos y sudores nocturnos tanto como las amantes de la fruta, dicen los investigadores. Estas mujeres comieron una dieta estilo mediterráneo con mucho ajo, ensalada de vegetales, pimientos, champiñones, pasta y vino tinto.

Derrote el calor con la fabulosa comida del mar. Un delicioso pescado y los suplementos de aceite de pescado pueden ayudar a reducir el número de sofocos que tiene cada día, gracias a sus saludables ácidos grasos omega-3.

El ácido eicosapentaenoico (EPA, por sus siglas en inglés) puede ser particularmente útil. Las mujeres canadienses que tomaron 500 miligramos (mg) de etil-EPA tres veces al día durante dos meses reportaron menos sofocos. Pescados como el salmón y el arenque pueden ayudarle a obtener parte del EPA que usted necesita, así que empiece a comerlos por lo menos dos veces a la semana. También, pregunte a su médico si puede tomar suplementos de EPA con seguridad.

Haga de la salvia su aire acondicionado herbal. La salvia que está en su jardín no sólo es buena para cocinar. Dos estudios sugieren que tomar extracto de salvia durante dos o tres meses puede ayudar a aliviar los síntomas de la menopausia, especialmente los sofocos y sudores nocturnos.

Las mujeres que tomaron 280 mg de extracto de salvia libre de tujona por dos meses, experimentaron 40 por ciento menos sofocos al día y el resto de los calorones fueron menos intensos.

Las mujeres que tomaron 120 mg de extracto de salvia y 60 mg de extracto de alfalfa durante tres meses, también eliminaron o redujeron los sofocos y sudores nocturnos. La salvia es generalmente segura para la mayoría de las personas, pero altas dosis y algunas formas de preparación pueden causar convulsiones, especialmente en aquellas con epilepsia o enfermedades convulsivas.

¿No quiere tomar una píldora de salvia? Beba té de salvia en su lugar. Vierta una taza de agua caliente sobre dos cucharaditas de hojas de salvia fresca o una cucharadita colmada de salvia seca. Deje reposar entre 8 y 10 minutos. Cuele, endulce con miel si lo desea, y beba.

Los suplementos de salvia pueden no ser adecuados para todos, y pueden causar efectos secundarios o interactuar con problemas de salud o pruebas de laboratorio, así que hable con su médico antes de probarlos. Mientras tanto, un té suave de salvia podría funcionar.

¿La soya realmente funciona? La soya contiene compuestos parecidos a los estrógenos llamados fitoestrógenos. Aunque se creía que éstos eran la respuesta a los síntomas de la menopausia, la investigación sugiere ahora que sólo algunos productos de soya pueden ayudar. Los estudios sugieren que los productos de soja que proporcionan al menos 15 mg de genisteína diariamente son mucho más propensos a ayudar con los sofocos que los productos con cantidades menores de este compuesto.

Antes de tomar un suplemento de soja aquí hay tres cosas que usted debe saber.

- Algunos estudios sugieren que la soja puede aumentar el riesgo de sufrir la enfermedad de Alzheimer, mientras que otros estudios sugieren que mejora la capacidad mental.

- Los científicos no saben si los fitoestrógenos pueden aumentar el riesgo de cáncer de mama como el estrógeno después de la menopausia, por lo que recomiendan comer alimentos de soja en lugar de tomar suplementos.

- Algunos expertos están preocupados por el hecho de que los suplementos de soja puedan tener un posible vínculo con el riesgo de cáncer endometrial, pero comer alimentos de soja puede reducir este riesgo.

Hable con su médico antes de probar suplementos de soya o alimentos de soya, especialmente si usted toma inhibidores de la MAO. Si su médico le da luz verde para comer soya, los alimentos buenos para probar incluyen aquellos ricos en genisteína como tempeh, miso y semillas de soya enlatadas.

La súper semilla que alivia el dolor del SPM

No tire esas semillas de su calabaza de Halloween a la basura. Podrían ser la clave para prevenir el síndrome premenstrual (SPM). Hasta el 40 por ciento de las mujeres sufren una serie de síntomas mensuales que incluyen ansiedad, hinchazón, irritabilidad, depresión, dolores de cabeza, cansancio excesivo y antojos de alimentos. Pero un poderoso ingrediente en las semillas de calabaza puede ayudarle a evitar todo eso.

El hierro especial previene los síntomas del SPM. Las semillas de calabaza son una fuente sorprendentemente buena de un tipo especial de hierro llamado hierro no heme. Recientemente, un estudio de 10 años de más de 3,000 mujeres encontró que las que comían más hierro no heme tenían menos probabilidades de sufrir alguna vez de SPM.

El hierro no heme puede ayudar porque apoya los procesos cerebrales que pueden combatir o prevenir los síntomas del SPM.

El hierro no heme proviene principalmente de las plantas, mientras que el hierro heme solo se encuentra en productos de origen animal como la carne, las aves de corral y el pescado. Su cuerpo absorbe mucho menos hierro a base de plantas que los animales, por lo que necesita comer un montón de hierro no heme para reducir su riesgo de SPM.

Las semillas de calabaza pueden ayudar porque usted obtiene cerca de 9 miligramos de hierro no heme de sólo un cuarto de taza de semillas. Eso es más que la cantidad diaria recomendada de 8 mg para adultos mayores de 51 años. Cómalas solas como un aperitivo, o añádalas a su *trail mix*, batidos, ensaladas, sofritos, avena, cereales, magdalenas o incluso pesto.

También puede necesitar otros alimentos para obtener suficiente hierro no heme de su dieta. Las buenas opciones incluyen lentejas, frijoles blancos, frijoles rojos, harina de avena instantánea fortificada, frijoles de Lima, jugo de ciruelas, espinaca cocida, frijoles negros, o una papa al horno con piel. Algunos expertos incluso recomiendan probar cereales fortificados con hierro si no puede obtener suficiente hierro no heme de otras fuentes.

Solo recuerde, usted puede también conseguir hierro heme y no heme en las carnes, su multivitamínico, u otros suplementos. Así que vaya por lo seguro - revise sus suplementos y pregúntele a su médico si alguno de sus medicamentos contiene altas cantidades de hierro.

Las vitaminas le dan una ventaja contra el síndrome premenstrual. Los estudios sugieren que el calcio, la riboflavina (B2), la tiamina (B1) y la vitamina D también pueden ayudar a prevenir el SPM. Los pescados, los productos lácteos con poca grasa, y los cereales fortificados pueden ayudarle a obtener más vitamina D y calcio. Los cereales fortificados también proporcionan mucha tiamina y riboflavina.

Otros alimentos ricos en tiamina incluyen avena, cebada descascarada, arroz, pistacho, chuletas de cerdo y té de hibisco. Para obtener más riboflavina, pruebe las almendras, pechuga de pavo asado, queso feta y leche en polvo.

La forma de limpiar las semillas de calabaza sin complicaciones

Usted no necesita gastar mucho tiempo y esfuerzo para limpiar las semillas que acaba de quitar de la calabaza. En lugar de luchar para separar las semillas de la pulpa, lance todo eso en un colador, enjuague bajo agua corriente, y siga estos pasos.

Llene un recipiente con agua tibia, vacíe el colador en él, y deje que las semillas se remojen durante unos minutos. Elimine cualquier semilla libre de pulpa que flote en la parte de arriba y devuélvala al colador.

Frote las semillas restantes entre sus manos mientras las mantiene bajo el agua tibia. A medida que las semillas limpias flotan a la superficie, muévalas colador. Siga frotando las semillas cubiertas de pulpa y quite las limpias hasta que todas las semillas estén limpias.

Enjuague las semillas en el colador bajo agua corriente una última vez. Extiéndalas sobre una toalla limpia o toalla de papel, y deje secar.

Hombres: maneras sin dolor de reducir los viajes al baño

¿Cansado de levantarse para ir al baño varias veces en la noche? Una "picante" solución puede ser justo lo que necesita. Los estudios sugieren que los sabrosos ingredientes de algunos deliciosos platos de pasta realmente pueden ayudar.

Los problemas urinarios pueden ser un síntoma de varias enfermedades, así que vea a su médico para averiguar cuál de ellas tiene. Si su médico le dice que es hiperplasia prostática benigna (HPB) o agrandamiento de la próstata, usted no está solo. La mitad de todos los hombres mayores de 50 tienen este problema, pero usted puede hacer algo al respecto – y una comida fabulosa puede ayudar.

Salsa para pastas: la sustancia adecuada para luchar contra los síntomas de la próstata. Una sustanciosa salsa de tomate no es sólo deliciosa - es también una rica fuente del poderoso licopeno, defensor de la próstata. Los científicos encontraron que tomar 15 miligramos (mg) de licopeno todos los días durante seis meses alivió significativamente los síntomas de la próstata y ayudó a retardar el progreso de la HPB.

Los expertos no están seguros de por qué el licopeno ayuda, pero sus poderes antioxidantes combaten la inflamación y el daño causado por los radicales libres en su próstata. Como resultado, el licopeno puede ayudar a reducir los molestos síntomas urinarios. También puede ayudar a tener niveles más bajos de un compuesto relacionado con el riesgo de HPB.

Aunque los hombres en el estudio del licopeno tomaron suplementos, usted puede obtener 15 mg de licopeno de media taza de salsa para espagueti o marinera. También puede disfrutar de 15 mg de licopeno de sabrosas opciones como una taza de jugo de tomate en lata o cóctel de jugo de tomate; media taza de salsa de tomate enlatado con champiñones; o un tazón de 8 onzas de sopa de tomate, minestrón o sopa de tomate y arroz. Otras buenas fuentes de licopeno incluyen tomates secados al sol, sopa de almejas al estilo Manhattan y puré de tomate.

Agregue robustos vegetales de jardín para resultados aún mejores. Una investigación de la Universidad de California encontró que los hombres que comían más vegetales tenían menos síntomas urinarios y eran menos propensos a sufrir de HPB en primer lugar.

Para convertir la salsa de pasta en salsa de vegetales de jardín, puede agregar vegetales típicos como calabacín, pimientos, apio, zanahorias, cebollas y ajo, o pruebe nuevas opciones. Al igual que el licopeno, los vegetales contienen altos niveles de combatientes de la inflamación y antioxidantes para ayudar a reducir los síntomas de la próstata.

Cómo detener la HPB antes de que comience. Si no ha desarrollado síntomas de HPB, una serie de alimentos deliciosos pueden ayudar a prevenirla. Por ejemplo, pruebe la *pasta e fagioli*, esa suculenta sopa de leguminosas con pasta hecha con aceite de oliva, ajo, pasta de tomate, cebollas y especias.

Las investigaciones sugieren que las personas que comen más leguminosas y sopas reducen su riesgo de HPB hasta un 26 por ciento. Y las personas que consumen más cebolla y ajo reducen ese riesgo hasta un 60 por ciento. Comer más frutas cítricas también puede ayudar.

Por qué los hombres de verdad comen más frijoles cocidos

Hombres, la próxima vez que tengan una comida al aire libre, obtengan una ayuda extra de los frijoles cocidos. Tienen un nutriente especial que protegerá su próstata.

El zinc es el ingrediente mágico. Su próstata contiene una mayor cantidad de zinc que la mayoría de los otros tejidos, y los estudios han demostrado que los hombres con hiperplasia prostática benigna (HPB) tienen niveles más bajos de zinc que los hombres con próstatas normales. Una dieta rica en zinc puede ayudarle a mantener su próstata saludable y reducir el riesgo de HPB.

Una taza de frijoles cocidos suministra 13 miligramos (mg) de zinc - más de los 11 mg recomendados diariamente para los hombres. Otras buenas fuentes de este mineral esencial son las ostras, carne de res magra, pavo, cereales fortificados y semillas de calabaza.

Sea mejor en la alcoba a cualquier edad — sin fármacos

Uno de cada cuatro hombres que ve a un médico a causa de la disfunción eréctil (DE) es menor de 40 años, descubrió un reciente estudio italiano. Afortunadamente, no importa cuán joven sea, los fármacos y los tratamientos médicos no son su única opción. Soluciones naturales como éstas pueden tener resultados asombrosos.

Por qué una ración diaria de pistachos podría significar mejores noches. Un pequeño estudio realizado en hombres con disfunción eréctil encontró que comer 3 1/2 onzas de pistachos diariamente durante tres semanas mejoró las puntuaciones en el Índice Internacional de la Escala de la Función Eréctil en un 50 por ciento. Los científicos también tomaron exploraciones que ayudan a medir si un hombre tiene suficiente flujo de sangre sin restricciones para lograr una erección - y una de esas medidas aumentó en más de un 20 por ciento en tres semanas.

Comer pistachos también redujo el colesterol total y el LDL "malo" mientras que aumentó el colesterol HDL "bueno". Eso es importante porque los problemas como arterias obstruidas, enfermedades del corazón y más de 70 por ciento de los casos de DE - y colesterol contribuye a estos problemas. Los investigadores sugieren que comer pistachos puede ayudar de varias maneras.

- Los pistachos son una buena fuente del aminoácido arginina, que puede ayudar a prevenir o limitar el flujo sanguíneo restringido causado por el endurecimiento o estrechamiento de las arterias. La arginina no sólo ayuda a mantener las arterias flexibles por sí misma, sino que también aumenta el óxido nítrico, que relaja las paredes de los vasos sanguíneos.

- Las peligrosas moléculas conocidas como radicales libres causan estrés oxidativo, lo que contribuye a las arterias obstruidas y disminuye el óxido nítrico, el cual ayuda a mantener las arterias flexibles. Afortunadamente, los pistachos están llenos de antioxidantes, que han probado combatir el estrés oxidativo.

Si desea intentar esto, tenga en cuenta que los participantes del estudio comieron 570 calorías de frutos secos en el almuerzo todos los días. Coma sus pistachos en lugar de carne, queso u otro ingrediente de su almuerzo rico en calorías de manera que usted no gane peso y empeore la DE.

Destierre el problema con fresas que abren las arterias. Estas deliciosas bayas son ricas en vitamina C, lo que ayuda a promover el buen flujo de la sangre. No se preocupe si no es temporada de fresas en el lugar donde usted vive. Las fresas congeladas se mantienen frescas por más tiempo y están disponibles durante todo el año.

Otras grandes fuentes de vitamina C incluyen kiwis, pimientos dulces, cóctel de jugo de verduras y, por supuesto, naranjas y zumo de naranja.

La vitamina D también puede darle un impulso en la habitación. Investigadores descubrieron recientemente que los hombres con DE eran más propensos a tener una deficiencia de vitamina D, especialmente si sus problemas fueron causados por arterias obstruidas o estrechas. Si usted sufre de DE, pídale a su médico que revise sus niveles.

Disfrute de una segunda taza de café "relajante". Si usted ama su taza de café matutino, está a punto de amarla aún más. Eso es porque la cafeína puede ayudar a prevenir la DE.

Investigadores de la Universidad de Texas encontraron que los hombres que bebieron entre 85 y 303 miligramos (mg) de cafeína al día – el equivalente a dos o tres tazas de café – eran menos propensos a tener disfunción eréctil.

Los investigadores sospechan que la cafeína ayuda a relajar los vasos sanguíneos, promoviendo el buen flujo necesario para prevenir la DE.

Sólo tenga cuidado de evitar bebidas altas en azúcar o calorías, porque ganar peso puede aumentar sus probabilidades de sufrir síntomas de DE.

Cómo combatir la DE causada por problemas de próstata. Si tiene un agrandamiento de la próstata u otras condiciones prostáticas, ellas pueden interferir con el flujo sanguíneo necesario para una erección. Si los problemas de la próstata están contribuyendo a sus síntomas de la DE, vea el apartado Hombres: maneras sin dolor de reducir los viajes al baño en la página 223 para consultar los alimentos que pueden ayudar y considere probar un suplemento natural como pygeum o serenoa.

Los estudios sugieren que tomar cápsulas de 75 a 200 mg de extracto de pygeum puede aliviar los síntomas de HPB si se toma por lo menos por un mes. También puede probar la serenoa. Estudios de suplementos han tenido resultados diversos, pero aun así pueden ayudar a algunos hombres. Sólo sea consciente de que la serenoa puede interactuar con ciertos medicamentos y puede no ser adecuado para todos.

Consulte con su médico antes de intentar cualquiera de estos suplementos para asegurarse de que usted los puede tomar con seguridad.

¿Sus medicamentos prescritos pueden causar DE?

El mismo medicamento de venta libre que usted usa para las alergias estacionales podría ser la razón de que usted tenga disfunción eréctil (DE). Tanto Allegra (fexofenadina) como Benadryl (difenhidramina) pueden causar este problema. Aún peor, la difenhidramina es un ingrediente en muchas medicinas combinadas para el resfriado o las alergias, por lo que puede que usted ni siquiera se dé cuenta de que la está tomando.

Muchos otros medicamentos pueden causar DE, incluyendo fármacos de prescripción para la acidez estomacal como la cimetidina (Tagamet), algunos tipos de medicinas para la hipertensión como la clonidina (Catapres), estimulantes con anfetaminas combinadas (Adderall), fármacos para el corazón como digoxina (Lanoxin), analgésicos opiáceos como la codeína y el oxycodone, pastillas para dormir como zolpidem (Ambien), antidepresivos como la paroxetina (Paxil), y muchos otros medicamentos de los que usted no sospecha.

No deje de tomar un medicamento recetado sin hablar con su médico primero, porque eso podría ser peligroso o incluso potencialmente mortal. En lugar de eso, pregúntele a su médico cuáles de sus medicamentos pueden causar DE. Es posible que pueda cambiar a otro.

Enfermedades respiratorias

Nutrientes estrella para una mejor respiración

Respire más fácilmente con 3 súper vitaminas

Imagínese sentado bajo el sol disfrutando de una ensalada de frutas llena de rodajas de kiwi, fresas y trozos de piña cubiertos con almendras picadas y semillas de girasol. ¿Suena relajante? Debería, especialmente si tiene dificultad para respirar. Porque usted acaba de cargarse con las vitaminas que sus pulmones necesitan para respirar tranquilo.

Vea su camino libre para abrir las vías respiratorias. Parece que la vitamina C hace más que aumentar su inmunidad contra los resfriados. También evita que sus vías respiratorias se tensen durante el ejercicio. Los expertos piensan que son las propiedades antioxidantes de la vitamina C las que hacen la respiración más fácil.

Cuando usted entrena, su cuerpo libera células inflamatorias tales como histamina, leucotrienos y prostaglandinas, lo que puede estrechar sus vías respiratorias En un estudio en animales, la vitamina C disminuyó las contracciones causadas por estos bronco constrictores. Aproximadamente una de cada 10 personas sufre de problemas respiratorios inducidos por el ejercicio, y sorprendentemente, casi la mitad de los atletas competitivos también.

Los investigadores en varios estudios pequeños dieron a la gente que tienen problemas de asma inducida por el ejercicio (AIE), dosis de vitamina C por vía oral o por vía intravenosa. En un estudio, la mitad de los participantes respiraron más fácilmente después de tomar la vitamina C. En otro, la vitamina C redujo la gravedad de los problemas respiratorios posteriores al ejercicio.

Y no es sólo asma. Las personas con enfermedad pulmonar obstructiva crónica (EPOC) también se sintieron aliviadas con la vitamina C, informa un estudio de la Universidad de Utah. Los científicos dieron a los pacientes con EPOC la vitamina por vía intravenosa. Los participantes no sólo respiraron mejor durante el ejercicio, sentían menos fatiga muscular, un efecto secundario de la EPOC.

Esquive problemas pulmonares con esta vitamina "D" ivina. Para tener una excelente salud pulmonar, propóngase obtener un montón de vitamina D. Estudios muestran que las personas con bajos niveles de vitamina D sufren más asma y ataques de EPOC y tienen un mayor riesgo de contraer neumonía. Los expertos creen que la vitamina D funciona mediante el refuerzo del sistema inmunológico y la reducción de la inflamación en los pulmones.

- Cuando los investigadores en Israel estudiaron a más de 21,000 personas con asma, encontraron que aquellos con deficiencia de vitamina D tenían 25 por ciento más probabilidades de sufrir brotes que aquellos que estaban dentro del rango normal. Algunos expertos creen que aumentar los niveles de vitamina D en personas con asma severa podría incluso prevenir y tratar la enfermedad. Y esta súper vitamina también puede proteger a los pulmones de desarrollar infecciones que desencadenan el asma.

- La vitamina D redujo los brotes de EPOC en personas con bajos niveles, descubrieron científicos británicos. Y en las personas con niveles normales de vitamina D, los suplementos redujeron la gravedad y duración de los ataques de EPOC.

- Si tiene deficiencia de vitamina D, tiene dos veces y media más probabilidades de contraer neumonía en comparación con niveles altos, según un estudio realizado en Finlandia.

Respire con facilidad con este nutriente "E"sencial. Puede no ser tan popular como las C y D, pero la vitamina E es igual de importante para su salud pulmonar.

Tanto las mujeres fumadoras como las no fumadoras mayores de 45 años que tomaron 600 miligramos (mg) de vitamina E cada dos días durante 10 años redujeron su riesgo de desarrollar EPOC en un 10 por ciento, encontró un estudio de la

Universidad de Cornell y el *Brigham and Women's Hospital*. La vitamina E no afectó el asma en este estudio.

La vitamina E también protege sus pulmones de la dañina contaminación del aire, sugiere un estudio de la Universidad de Nottingham en Inglaterra.

Los científicos dicen que las pequeñas partículas y productos químicos crean dañinos radicales libres que dañan sus pulmones. Pero la vitamina E actúa como un antioxidante, luchando contra este daño oxidativo. También evita la inflamación pulmonar.

Proteja sus pulmones con estos alimentos saludables. Mientras que la mayoría de los estudios utilizan suplementos o métodos intravenosos para aumentar la ingesta de vitaminas, usted puede conseguir su dosis a partir de alimentos rebosantes de vitaminas C, D, y E sabiendo qué comprar.

- Ya sabe que los jugos y frutas cítricos como las naranjas y el pomelo son ricas en vitamina C. Agregue bayas, mangos, kiwi, lechosa, piña y sandía a la mezcla. Además, obtenga su dosis de vegetales con vitamina C con col, espinaca, brócoli, pimientos verdes y rojos, vegetales de hoja verde, zapallo de invierno, coliflor, camotes (batatas) y papas blancas.

- Su cuerpo produce naturalmente la vitamina D a partir de la exposición al sol, pero no mucho, especialmente a medida que envejece. Pero usted puede obtener vitamina D de una serie de alimentos. Pescados grasos como el atún, el salmón, la caballa, y otros alimentos como el queso, el hígado de res, las yemas de huevo y los hongos contienen algo de vitamina D. Además, se le añade a la leche fortificada, cereales, jugo de naranja y yogur. Aun así, puede que no sea suficiente, así que pídale a su médico que revise sus niveles para ver si necesita un impulso adicional.

- Meriende con semillas, almendras y cacahuetes y obtendrá un bocado de vitamina E. También obtiene esta vitamina amigable para los pulmones a partir de vegetales de hoja verde y jugos fortificados y cereales de desayuno.

Por qué no debe comer manzanas (y otros alimentos) durante la temporada de alergias

Este es un escenario estacional demasiado familiar si usted sufre de alergias: está afectado por los estornudos, picazón en los ojos, y goteo nasal. Usted se sopla la nariz, limpia sus ojos, y masajea sus senos paranasales mientras se pregunta, "¿Alguna vez terminará?" Y luego muerde un pedazo de fruta como una manzana o un melocotón. Y sus síntomas empeoran. ¿Qué está pasando?

Se llama "síndrome de polen de alimentos" (SPA) o "síndrome de alergia oral" (SAO). Y sucede cuando usted tiene una alergia a un polen y luego reacciona a un alimento con antígenos similares. Los expertos llaman a esta respuesta alérgica "reactividad cruzada" – cuando su sistema inmune piensa que una proteína del polen es similar a una proteína presente en un alimento.

Un estudio italiano encontró que las personas con alergias al pasto sufrían reacciones peores a ciertos alimentos que las personas con alergias a los ácaros del polvo. Esos incluyen melocotones, sandías, apio y tomate.

> ¿Alérgico al látex? Puede que tenga un problema con las manzanas, plátanos, aguacates (paltas) o kiwis. Estas frutas contienen proteínas similares a las de látex de caucho natural que son altamente alergénicas.

Un estudio alemán encontró que alrededor del 70 por ciento de las personas con alergias al polen del árbol de abedul también tuvieron reacciones a ciertos alimentos como peras, manzanas, zanahorias y nueces.

Las reacciones a estos alimentos pueden causar picazón e hinchazón de la piel, labios, lengua, boca, garganta y rostro así como dolor abdominal, calambres y migrañas. Los médicos sugieren evitar estos alimentos, especialmente durante la temporada de alergias.

Pero si no puede vivir sin ellos, estas opciones le pueden ayudar a evitar las reacciones alérgicas. Pruebe hornear o cocinar los alimentos en el microondas para descomponer las proteínas ofensivas. O sustituir las frutas y vegetales enlatados por frescos. También puede quitarles la piel. Allí es donde se encuentra la mayor parte del alérgeno nocivo.

Consulte el cuadro siguiente para obtener más información sobre los alimentos que desencadenan reacciones si tiene alergia al polen.

Alérgico a	Puede también reaccionar a
Ambrosia	sandía, cambur, pepino, calabacín
Abedul	pera, ciruela, manzana, melocontón, kiwi, cereza, apio, zanahoria, hinojo, perejil, almendras, nueces
Pasto	melecotón, sandía, naranja, tomate, ajo, cebolla, apio, maní, cerdo, clara de huevo
Artemisa	sandía, zanahoria, apio, pimientos morrones, semillas de girasol
Látex	manzana, cambur, sandía, kiwi, aguacate, lechosa, papa, tomate, castañas

5 cosas que nunca supo sobre el asma

Mucha gente tiene experiencia de primera mano con el asma - de hecho, alrededor de 25 millones de estadounidenses. Pero algunas personas, incluso los pacientes con asma, no conocen los últimos descubrimientos médicos. Y lo que usted no conoce, podría hacerle daño.

La cafeína aumenta la función pulmonar, ayudándole a respirar con facilidad. Es posible que usted no pueda saltar su café matutino sin pasarla mal el resto del día. Pero otro grupo de personas está bebiendo café por razones diferentes. La cafeína expande las vías aéreas de sus pulmones, incrementando el flujo de aire para que pueda respirar más fácilmente.

Incluso una pequeña cantidad de cafeína - menos de 5 miligramos (mg) por 2.2 libras de peso corporal - parece ayudar a sus pulmones hasta por dos horas. Eso equivale a 320 mg para una persona promedio de 140 libras. Si usted la consumiera toda del café, - menos de dos tazas.

Las bebidas gaseosas agravan los síntomas del asma. El refresco nunca ha tenido una buena reputación. Y últimamente, han estado bajo el fuego por su papel en algunos problemas de salud bastante graves, incluyendo el asma.

Los refrescos contienen aditivos y azúcares que pueden empeorar los síntomas del asma. Por ejemplo, un colorante alimenticio, que Estados Unidos ha prohibido ahora, es un alérgeno conocido que puede intensificar los síntomas del asma y posiblemente incluso causar cáncer. El problema es que muchas personas con asma parecen amar sus refrescos. En un estudio de más de 16,000 personas, más del 13 por ciento de los participantes con asma bebían más de dos tazas de refresco todos los días.

Si usted es sensible a los sulfitos, evite las frutas secas. Pero la fruta es buena para usted, ¿verdad? Bueno, sí. Pero si tiene asma, puede ser sensible a un escurridizo ingrediente que se puede encontrar en las frutas secas - los sulfitos.

Los sulfitos son compuestos a base de azufre que se agregan a los alimentos para potenciar los sabores y conservar la frescura. Además de estar en los frutos secos, se pueden encontrar en el vino, el jugo de uva blanca, camarones, cerezas al marrasquino, mermeladas, jaleas, y muchos otros productos.

Los sulfitos pueden causar reacciones alérgicas, especialmente si usted tiene asma. Alrededor del tres al 10 por ciento de las personas con asma tienen una sensibilidad al sulfito. Si experimenta opresión en el pecho, calambres abdominales, diarrea, urticaria o problemas respiratorios al comer alimentos que contienen sulfito, usted también puede ser sensible al aditivo.

Una dieta alta en grasa debilita el efecto de los inhaladores. Estudios muestran que las personas con asma grave comen más grasa que las personas sanas. Además, son los hábitos alimenticios occidentales - bajos niveles de antioxidantes, altos en grasa y demasiados alimentos procesados - podría aumentar el riesgo de asma al desencadenar más químicos que causan inflamación en su cuerpo.

Y ese no es el único problema. Los investigadores dicen que las grasas saturadas podrían reducir su respuesta a los inhaladores evitando que el fármaco llegue a las vías respiratorias.

En un estudio, un adicional de 10 gramos de grasa cada día aumentó las probabilidades de asma grave en un 48 por ciento. Eso es alrededor de tres rebanadas de tocino o una rebanada extra de pizza con queso.

Deje que la naturaleza le ayude a respirar mejor

¿Atrape un pez y recuperará el aliento? Es verdad. Estudios demuestran que el aceite de pescado puede proteger contra el asma y otras reacciones inflamatorias como alergias.

El aceite de pescado es rico en ácidos grasos poliinsaturados omega-3, tales como ácido eicosapentaenoico (EPA) y ácido docosahexaenoico (DHA). Los científicos piensan que estos ácidos grasos pueden regular la inflamación al evitar que su cuerpo produzca sustancias que desencadenan una respuesta inflamatoria.

Incluir pescado graso como salmón, caballa y sardinas a su dieta le dará a sus pulmones un impulso adicional de protección contra la inflamación.

El pycnogenol, un extracto tomado de la corteza de un pino es un ingrediente herbario que también podría aliviar los síntomas del asma.

En un estudio de seis meses, la gente tomó 100 miligramos de pycnogenol además de corticosteroides inhalados, la mitad en la mañana y la mitad en la noche. Más de la mitad de los participantes fueron capaces de reducir la dosis de su inhalador prescrito, y ninguno tuvo que recurrir a una dosis más alta.

La sal puede ser una causa oculta de los síntomas. Una vez, la sal era un instrumento monetario. De hecho, la palabra salario viene de una palabra en latín que significa "dinero salado". Pero en el mundo de hoy, la sal es algo de lo que usted quiere menos si tiene asma. El sodio presente en la sal es el problema - una serie de estudios muestran que una dieta alta en sodio puede empeorar síntomas del asma, particularmente al hacer ejercicio.

Una dieta restringida en sal de aproximadamente 1,500 mg de sodio por día puede reducir la gravedad del asma inducida por el ejercicio. Los investigadores han encontrado que comer menos sal puede ayudar a los pulmones y reducir los síntomas y el uso de medicamentos.

La sal se oculta en los alimentos procesados y en las comidas de restaurante, así que puede que usted encuentre difícil restringirla. Elija carnes frescas, frutas y vegetales- porque contienen la menor cantidad de sodio. Las bebidas deportivas son generalmente altas en sodio, así que limítelas durante el ejercicio.

3 aceites que dañan sus pulmones - y 2 que los curan

¿Sabía que los aceites que usa para cocinar y hacer aderezos para ensaladas y adobos pueden afectar sus pulmones? Los aceites contienen dos formas distintas de vitamina E. Dependiendo de la forma presente en su aceite favorito, podría estar perjudicando o ayudando a su respiración. Esta es toda la verdad.

Triple amenaza para el asma. Los aceites de maíz, soja y canola tienen una forma de vitamina E llamada gamma-tocoferol. Los países que utilizan estos aceites tienen una tasa más alta de asma, dicen los investigadores. En Los Estados Unidos, por ejemplo, el gamma-tocoferol es cuatro veces más alto en los niveles de plasma sanguíneo que en los países que utilizan más aceites de girasol. Las tasas de asma se han disparado en los EE.UU. durante los últimos 40 años, coincidiendo con el mayor uso de aceites de maíz, frijol y aceite de canola.

En un estudio a largo plazo sobre más de 4,000 adultos, un alto nivel de gamma-tocoferol en la sangre se asoció con una caída del 10 al 17 por ciento en la función pulmonar. Eso es casi como tener asma, dice el investigador guía Joan Cook-Mills, profesor asociado de medicina en alergias/inmunología la Universidad Northwestern. "La gente tiene más problemas para respirar ", dice. "Ellas toman menos aire, y es más difícil de expulsar".

Cook-Mills cree que el gamma-tocoferol puede aumentar la actividad de una cierta proteína que conduce a la inflamación en las vías aéreas.

Dúo dinámico para sus pulmones. Los aceites de oliva y de girasol hacen lo contrario - disminuyen la inflamación pulmonar y promueven la función pulmonar. Eso es porque son ricos en alfa-tocoferol, otra forma de vitamina E.

Los países que utilizan más aceites de oliva y de girasol tienen las menores tasas de asma. Y en el estudio de Northwestern, las personas con los niveles más altos de alfa-tocoferol mostraron los mejores resultados cuando tomaron exámenes de aliento para medir la capacidad pulmonar y la salud.

Una forma deliciosa de disfrutar más aceite de oliva en su dieta es hacer su propio aderezo para ensaladas. Aquí está una receta que querrá repetir muchas veces.

- 1 rama de orégano fresco o 1 cucharadita de orégano seco

- 1 rama de tomillo fresco o 1/2 cucharadita de tomillo seco

- 1 diente de ajo picado

- 3/4 taza de aceite de oliva

- 1/4 taza de vinagre balsámico

- sal y pimienta al gusto

Coloque los ingredientes en un recipiente. Mezcle y vierta en una botella con un embudo.

4 maneras de contraatacar la EPOC

Los científicos predicen que la enfermedad pulmonar obstructiva crónica (EPOC) se convertirá en la tercera causa de muerte global en el 2030. Eso es suficiente para quitarle el aliento a alguien. La EPOC es una combinación letal de dos dolencias pulmonares - enfisema y bronquitis crónica. Pero tomar estos sencillos pasos podría salvarle de esta debilitante enfermedad.

Llénese de fruta y pescado para adecuar la carga respiratoria. El secreto para unos pulmones sanos puede estar en su dieta diaria. Las personas con EPOC que comieron pescado, queso, pomelo y bananas tenían pulmones más saludables y menos síntomas agravantes que aquellos que no comieron esos alimentos, reportaron investigadores en la Universidad de Nebraska.

Otro estudio de Harvard mostró que las personas que comieron una dieta estilo mediterráneo, rica en frutas, pescado, granos enteros y vegetales, redujeron su riesgo de desarrollar EPOC a la mitad en comparación con aquellas personas que siguieron una dieta occidental de azúcares refinados, alimentos procesados y curados, así como carnes rojas.

Y un estudio publicado en la revista médica BMJ encontró que las personas que comieron más nueces, granos enteros, ácidos grasos omega-3 y grasas poli-insaturadas redujeron sus probabilidades de contraer EPOC versus los que comían carnes procesadas, granos refinados y bebidas azucaradas.

Los científicos piensan que las sustancias antioxidantes y anti-inflamatorias en los alimentos sanos protegen sus pulmones de la EPOC.

Deje de beber refrescos. Piense dos veces antes de ir por su gaseosa preferida. Un estudio australiano encontró que el 15 por ciento de las personas con EPOC bebió más de dos tazas de refrescos al día. Los investigadores dicen que cuanto más beba, mayor es su riesgo de desarrollar EPOC. Ellos piensan que la gran cantidad de azúcares añadidos a los refrescos promueve la inflamación pulmonar. Además, demasiado azúcar añadido puede conducir a la obesidad, un factor de riesgo de EPOC.

Excluya las carnes curadas derrotar la EPOC. Sí, el tocino y las salchichas saben bien. Pero ¿vale la pena comerlos si sabotean sus pulmones?

Las personas mayores de 45 años que frecuentemente comían carne curada eran más propensas a sufrir de una función pulmonar más baja y un mayor riesgo de desarrollar EPOC que aquellas que no comían carnes curadas, encontró un estudio de la Universidad de Columbia. Por cada porción adicional que comieron al mes, elevaron su riesgo de desarrollar EPOC en un 2 por ciento.

Los científicos dicen que son los nitritos en las carnes curadas los que las hacen tan peligrosas. Los nitritos dañan sus pulmones tanto como el humo del tabaco lo hace al desencadenar el desarrollo del enfisema.

Disfrute de aire fresco con ginseng. Los chinos han utilizado el Panax ginseng por miles de años para tratar dolencias respiratorias. Y la medicina occidental puede finalmente estar poniéndose al día.

Los investigadores australianos encontraron que el ginseng actúa como un anti- inflamatorio y antioxidante para los pulmones. Son los compuestos naturales llamados ginsenosides que hacen al Panax ginseng tan poderoso. Los ginsenosides ayudar a combatir la inflamación y la reducir la producción de oxidantes dañinos.

Luche contra una enfermedad mortal con zinc

¿Podría su pavo de Acción de Gracias ayudarle a evitar la neumonía? Junto con alimentos como la carne de vaca, el cerdo enlatado y los frijoles, y el cereal Total Raisin Bran, podría hacerlo. El secreto es su alto contenido de zinc. La investigación muestra que realmente puede hacer una diferencia.

■ Un estudio de 118 personas con neumonía encontró que el 58 por ciento de los hombres y el 76 por ciento de las mujeres tenían bajos niveles de zinc en la sangre. La mayoría de los pacientes con bajo contenido de zinc se recuperaron durante su hospitalización, pero a más de la mitad le tomó más de dos semanas recuperarse.

■ Los residentes de un hogar de ancianos con niveles normales de zinc tenían menos episodios de neumonía que aquellos con bajos niveles de zinc, encontró un estudio anterior. Aquellos con niveles normales de zinc que tenían neumonía necesitaron menos antibióticos y se recuperaron más rápidamente que las personas con bajo contenido de zinc.

Así que si le preocupa la neumonía, coma alimentos altos en zinc como los mencionados anteriormente para ayudarse a obtener suficiente de este mineral. Otras buenas fuentes incluyen estofado de ostras enlatado, semillas de calabaza y maní tostado.

Aumente la potencia de su vacuna contra la neumonía

Nadie quiere tener neumonía. Es por ello que usted se vacuna. Pero, ¿y si pudiera darle un impulso extra a su vacuna simplemente comiendo más frutas y verduras?

Eso es lo que los investigadores encontraron durante un estudio en personas de 65 a 85 años de edad. Un grupo comió menos de tres porciones de frutas y vegetales al día, mientras que otro grupo comió cinco o más. A las 12 semanas, se les administró la vacuna Pneumovax II, que contiene extractos de 23 tipos de la bacteria Streptococcus pneumoniae.

Cuando su sistema inmunológico encuentra bacterias dañinas como éstas, produce anticuerpos que ayudan a su cuerpo a reconocer y matar a los agentes malos. Entonces se quedan para ayudar a proteger contra futuros ataques. El grupo que comió frutas y vegetales adicionales había aumentado la actividad de los anticuerpos, lo que equivale a una protección adicional.

Enfermedades de la piel y pérdida de cabello

33 curas simples de la despensa

Reduzca su tiempo de curación con miel

De los Egipcios a los Aztecas hasta la cocina moderna, la miel ha dejado su marca en el mundo como un alimento maravilloso. La gente lo ha usado durante siglos para todo tipo de cosas, incluyendo la curación de heridas. Pero, ¿no es extraño untarse miel en toda la piel? Los egipcios no pensaban así, y tampoco los científicos. Estudios recientes apoyan sus efectos terapéuticos sobre la piel, y ahora es su turno de descubrir las muchas cualidades curativas de este líquido espeso y dorado.

Rica y compleja, la miel es una mezcla de proteínas, aminoácidos, vitaminas, minerales y antioxidantes. Contiene pequeñas cantidades de vitamina C y varias vitaminas B, así como minerales como calcio, hierro, zinc, potasio y selenio. No es de extrañar que Winnie-the-Pooh fuese un fanático. Todos estos nutrientes se suman a algunos beneficios sorprendentes.

Cure una quemadura o herida cinco días más rápido. La investigación demuestra que la miel acelera la cantidad de tiempo que tarda una herida en curarse - en un estudio, un promedio de cinco días más rápido que los métodos tradicionales. Al mismo tiempo, limpia, elimina los olores, minimiza las cicatrices y reduce la inflamación y el dolor. Los investigadores han realizado extensas pruebas a la miel, reportando mejoras en quemaduras, úlceras de la piel e infecciones. Aunque no es una cura para todo, los científicos dicen que la miel es buena para muchos tipos de enfermedades de la piel.

El alto contenido de azúcar, el bajo contenido de agua y la acidez de la miel previenen el crecimiento de bacterias dañinas. Pero un tipo de miel es más útil que otros. La miel de Manuka es una miel de grado médico cosechada en Nueva Zelanda y Australia. Es el único tipo que querrá poner sobre las heridas porque, a diferencia de muchas otras mieles, no pierde su eficacia al exponerse al calor y a la luz.

Dígale a la piel seca y escamosa que se largue. Las abejas son los únicos insectos en el mundo que fabrican un alimento que la gente puede comer. Pero la miel no es sólo para comerla. Usted puede utilizarla para agregar resplandor a su piel. Esta dulce sustancia es un humectante. Mantiene la piel hidratada y proporciona una barrera protectora que crea un ambiente húmedo para curar heridas.

La miel estimula el crecimiento de tejidos y la producción de colágeno. Esta increíble proteína es vital para la elasticidad de la piel. Pero no piense que la miel es sólo para su cara. Es perfectamente segura para otras partes de su cuerpo como pies y codos secos.

Cuidado con las "imitaciones" de miel. Aunque la leyenda urbana de que las abejas no duermen no es verdadera, lo que sí es cierto es que trabajan duro. Así que asegúrese de que está adquiriendo la mejor miel del lugar.

- Evite las mieles de mesa. Por lo general tienen menos actividad antibacteriana que la miel de grado médico. Además, los estudios revelan que muchos productos vendidos en las tiendas no son realmente miel verdadera.

- El Factor Único de Manuka (UMF, por sus siglas en inglés) refleja el contenido y la pureza de la miel de Manuka. Para asegurarse de que está adquiriendo una miel de calidad, busque en la etiqueta una calificación 10 UMF, que a menudo es etiquetada como "Miel de Manuka UMF" o "Miel de Manuka Activa."

- Si desea saber qué compañías tienen licencia para usar la marca UMF, vaya al sitio web del Factor Único de Manuka de la Asociación de la Miel en www.umf.org.nz y haga clic en "Licenciatarios." La miel de Manuka puede ser costosa. Usted querrá estar seguro de que está comprando la verdadera.

■ Busque miel cruda no pasteurizada que no haya sido filtrada y calentada, un proceso que elimina muchos nutrientes.

■ Si le gusta comer miel mientras se cura, recuerde que aun así contiene una gran cantidad de azúcares. Las mieles naturalmente más oscuras como la miel de Manuka tienen más antioxidantes, así que prefiéralas.

Sea dulce con su piel

Es sencillo. Sólo extienda una cucharadita de miel uniformemente sobre su cara y relájese durante 10 a 15 minutos antes de enjuagar con agua tibia.

También puede agregar jugo de limón, avena finamente molida, puré de aguacate (palta) o aloe vera para una mascarilla facial extra-nutritiva.

3 maneras deliciosas de conseguir una piel siempre joven

Una mujer de 50 años de edad, logró salir en los titulares a principios de 2015, al afirmar que no había sonreído o reído en 40 años para evitar las arrugas. Resulta que ella no es la única que ha tomado estas medidas extremas. Su rostro suele ser el primero en delatar los signos del envejecimiento, pero usted no tiene que dejar de sonreír para disfrutar de una apariencia saludable. Manténgase feliz y joven con estos alimentos que usted puede fácilmente insertar en su apretada agenda.

Piense "naranja" para combatir las arrugas. La piel es su órgano más grande y la primera línea de defensa contra las enfermedades. Por esa razón, cualquier cosa que dañe su piel puede ser perjudicial para su salud. Los carotenoides son poderosos antioxidantes que protegen su piel. Estos pigmentos se encuentran comúnmente en los alimentos anaranjados tales como zanahorias, camotes (batatas), calabazas y mangos. Cuando los come, los carotenoides se acumulan en la piel. Según estudios recientes, las personas con altos niveles de antioxidantes en su piel tienen menos arrugas definidas y signos de envejecimiento prematuro.

Evite que el daño del sol se meta bajo su piel con aceite de oliva. Envejecer es una causa natural de la piel caída, pero los estudios dicen que la exposición al sol es responsable del 80 por ciento de la evidencia de que usted no es tan joven como solía ser. Piel seca, manchas marrones, arrugas y pérdida de elasticidad son las banderas rojas del daño solar.

En un estudio de casi 3,000 personas, los científicos midieron las arrugas, firmeza del tejido y anomalías de la pigmentación para examinar los beneficios de comer aceite de oliva. Aprendieron que comer más ácidos grasos mono insaturados del aceite de oliva redujo el riesgo de daño solar en hombres y mujeres. Dos cucharaditas o más al día le darán los mejores resultados. No olvide que el aceite de oliva no es sólo para cocinar. Usted puede ponerlo en su piel para una crema hidratante instantánea.

Prevenga el envejecimiento de la piel con uvas. La prevención es la mejor manera de detener el envejecimiento de la piel por factores ambientales. Para protegerse contra la acción nociva de los radicales libres, coma un montón de frutas ricas en antioxidantes y vegetales.

Las uvas contienen una serie de nutrientes que protegen contra el sol, incluyendo vitamina C, calcio, fósforo, magnesio y hierro.

En los últimos años, los científicos han estado estudiando un antioxidante llamado resveratrol. Es abundante en la piel de las uvas rojas y tiene propiedades anti-envejecimiento únicas. Los hallazgos sugieren que el resveratrol puede ser útil para prevenir problemas de piel asociados con el envejecimiento. Sin embargo, se necesitan más estudios para encontrar la mejor manera de obtener el máximo de este antioxidante.

Mientras tanto, siga sonriendo y no se preocupe por esas arrugas. Los estudios muestran que la risa ayuda a aliviar el estrés y aumentar el flujo sanguíneo.

Qué comer para tener piel, cabello y uñas sin edad

Su piel, cabello y uñas actúan como su primera línea de defensa. Mantenga los suyos saludables asegurándose de obtener suficiente de los nutrientes adecuados.

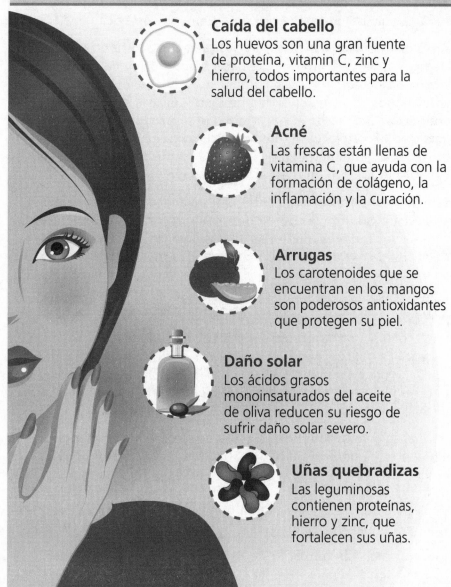

Caída del cabello

Los huevos son una gran fuente de proteína, vitamin C, zinc y hierro, todos importantes para la salud del cabello.

Acné

Las frescas están llenas de vitamina C, que ayuda con la formación de colágeno, la inflamación y la curación.

Arrugas

Los carotenoides que se encuentran en los mangos son poderosos antioxidantes que protegen su piel.

Daño solar

Los ácidos grasos monoinsaturados del aceite de oliva reducen su riesgo de sufrir daño solar severo.

Uñas quebradizas

Las leguminosas contienen proteínas, hierro y zinc, que fortalecen sus uñas.

Manos envejecidas: 4 secretos que detienen el reloj

Sólo una mirada puede revelar su edad. No son sus líneas de expresión o las patas de gallo. En esta era del bótox y el lifting de ojos, las manos son el verdadero reflejo del tiempo. Sus manos trabajan duro, y son dejadas a menudo sin protección en condiciones adversas. ¿No se merecen el mismo amoroso y tierno cuidado que le da al resto de su piel? Siga estos eternos consejos para las manos sanas que usted no tiene por qué ocultar.

Alise unas manos ásperas y agrietadas con aceite de extracto de trigo. Sucede cada invierno. El aire seco, el agua caliente, y los jabones ásperos hacen que su piel se vuelva escamosa y con una picazón que ninguna cantidad de loción parece ser capaz de conquistar. No ayuda el hecho de que su producción natural de aceite se ralentice con el tiempo, a menudo debido a las hormonas. No tiene que esconder sus manos. Utilice aceite de extracto de trigo para tener una piel suave todo el año.

La vitamina E que se encuentra en este aceite es buena para la piel seca y con envejecimiento prematuro. En un reciente estudio francés, las mujeres que tomaron cápsulas de 350 miligramos de aceite de extracto de trigo durante tres meses cada día experimentaron un aumento significativo en la hidratación de la piel. Y hay más -el aceite de extracto de trigo aplicado a su piel, la aliviará y suavizará, y también reducirá la aspereza y la irritación.

La verdad sin tapujos sobre el agua y la piel seca. Lo ha leído en revistas de belleza, pero ¿es realmente cierto que beber más agua puede ayudar a su piel? Obtener suficiente agua es necesario para su piel, pero a pesar de lo que lee, el agua potable no va a deshacerse de su piel seca si usted ya está hidratado.

Su piel se compone aproximadamente de un 30 por ciento de agua, por lo que no es ninguna sorpresa que el H2O tenga un vínculo directo con la piel flexible y rellena. Si usted está deshidratado, beber agua puede ayudar al espesor y la densidad de la piel, pero tenga en cuenta que no evitará las arrugas u otros signos de envejecimiento.

Una flor amarilla puede impedir que se ponga negra o azul. La piel se vuelve frágil a medida que envejece, lo que le permite hacerse moretones fácilmente. Aunque mantenerse hidratado puede ayudar bebiendo más agua no va a deshacerse de su "piel de papel de seda". Obtenga ayuda de una flor.

El árnica es una planta perenne con pétalos amarillos, parecidos a los de las margaritas. También llamada tabaco de montaña, reduce la inflamación y los moretones. Usted puede colocar un poco en su piel después de una lesión para evitar hematomas, pero no lo ponga en la piel rota. El árnica está disponible como un aceite esencial al 2 por ciento o en cremas, geles y ungüentos. Busque árnica montana en la lista de ingredientes.

Trate su piel y dígale "adiós"" a las manchas de la edad. Los daños solares y los constantes hematomas aumentan sus probabilidades de perder la coloración de la piel. Pero ¿sabía usted que la raíz de regaliz puede ayudar a aclarar su piel? Usted puede pensar solamente en el regaliz como un dulce, pero la verdad es que es una planta perenne con una larga historia en la medicina tradicional china. Los científicos informan que los ingredientes principales del regaliz dispersan la pigmentación de la piel y evitan la decoloración debido a la radiación ultravioleta del sol.

La raíz de regaliz, también conocida como *glycyrrhiza glabra*, se puede encontrar en tés, cosméticos y caramelos dulces. El extracto de regaliz está disponible en farmacias y tiendas de alimentos saludables. Debido a que esta hierba puede causar efectos secundarios graves, consulte a su médico antes de usarla. Si él lo aprueba, siga las instrucciones de dosificación cuidadosamente.

¿Está usted deshidratado?

Haga la prueba de hidratación. Pellizque la piel en la parte posterior de su mano entre dos dedos y sostenga por unos pocos segundos antes de soltar. La piel normal rápidamente retrocede Si su piel se hunde lentamente hacia su posición normal, puede que usted esté deshidratado.

---

4 tratamientos caseros que fortalecen las uñas débiles naturalmente

Sus uñas se enganchan en su toalla mientras se está secando. Se astillan al cerrar la puerta del auto. Usted nunca sabe si su próxima visita a la tienda será la última para ellas.

¿Le suena familiar? Mientras más usa sus manos, más probabilidades hay de que sus uñas se dañen. Y si ya están débiles, usted puede esperar serios daños. Afortunadamente para usted, las uñas saludables están justo en la punta de sus dedos.

Lee Redmond tiene el record Guinness de las uñas más largas del mundo en un par de manos femeninas. Ella dejó crecer sus uñas durante 30 años, alcanzando finalmente una longitud total de 28 pies y 4.5 pulgadas.

Combata las uñas quebradizas con carne y frijoles. ¿Cansado de unas uñas secas, débiles, fáciles de quebrar? Cuarenta millones de estadounidenses saben cómo se siente.

Sus uñas están hechas de la misma proteína que el cabello - la queratina. La queratina requiere la ayuda de minerales como el hierro y el zinc para mantenerse dura, y las deficiencias tienen un gran impacto en la durabilidad de las uñas.

Pero hay buenas noticias - usted puede luchar contra el síndrome de uñas quebradizas con algunos de sus alimentos favoritos. Carne de res, pavo, pollo y frijoles - como los pintos, negros, rojos y garbanzos - están llenos de proteínas, hierro y zinc. ¿Quién iba a saber que una jugosa hamburguesa o sándwich de pollo a la parrilla con una guarnición de frijoles al horno podría ayudar a sus uñas?

Riegue sus uñas. Tan simple como suena, las uñas secas pueden ser un signo de que usted necesita beber más agua. Las uñas son resistentes al agua, pero su dureza tiene mucho que ver con la hidratación. Añada un largo y fresco vaso de agua a su rutina matutina bebiendo más de un sorbo al tomar su suplemento vitamínico y mineral. Mantenerse hidratado pronto se convertirá en un hábito.

Traiga la salud de vuelta con la biotina. La biotina, también conocida como vitamina B7, es una vitamina del complejo B. Las personas que no reciben suficiente biotina a menudo tienen cabello y uñas quebradizos. La biotina fortalece, engrosa e hidrata las uñas, evitando que se partan y agrieten.

Además de eso, la biotina ayuda a la liberación de energía de los carbohidratos, grasas y proteínas para que pueda tener más energía y sentirse más saludable.

La biotina se encuentra naturalmente en la carne, yemas de huevo, leche, pescado, nueces e incluso algunos vegetales, incluyendo la acelga.

Este frondoso vegetal también es una buena fuente de vitamina A, vitamina C, vitamina E y vitamina K. Obtendrá más nutrientes de la acelga cocida porque es más fácil de digerir y absorber.

Porcentaje diario en la acelga		
	Cocida	Cruda
Vitamina A	314	44
Vitamina K	716	374
Vitamina C	53	18
Proteínas	7	1

Aceite de oliva para uñas y cutículas secas. Los remedios de cocina no son sólo acerca de comer. Usted puede frotarse un gran protector de uñas que se encuentra justo en su despensa. El aceite de oliva suaviza su piel e hidrata sus cutículas. Este rico aceite es excelente para la piel seca a normal.

La importancia de obtener los nutrientes adecuados en su dieta se hace más evidente a medida que envejece. Dé en el clavo haciendo elecciones saludables.

Llegue a la raíz de los problemas de la piel con estas 7 hierbas

Las hierbas son las estrellas nacientes de la medicina natural. De hecho, los estadounidenses gastan miles de millones de dólares en remedios herbales cada año. Pero mientras la industria está floreciendo, también lo hacen los reclamos a la salud. Cada producto promete curar algún tipo de dolencia. ¿Cómo sabe usted qué comprar? En primer lugar, pruebe las hierbas que están respaldadas por la investigación. Aquí están siete, que los científicos dicen que pueden hacer maravillas en su piel.

Aceite de árbol de té. *Melaleuca alternifolia*, o aceite de árbol de té, a menudo es llamada "primeros auxilios en una botella". Es buena para ampollas, quemaduras, erupciones cutáneas, acné y heridas infectadas. En un estudio, el acné de los participantes mejoró frotando un gel a base de agua con 5 por ciento de aceite de árbol de té durante tres meses. Ellos experimentaron menos problemas con la sequedad, irritación, picazón y ardor que los que usaron una crema con 5 por ciento de peróxido de benzoilo.

Forma de la hierba	Cómo usarla	Con qué frecuencia
Aceite esencial	1 gota de aceite sin diluir directamente sobre llagas bucales, acné verrugas plantares y callos (cubrir verrugas y callos con vendaje)	según sea necesario

Hamamelis. Esta hierba proviene de la corteza y las hojas del arbusto de Hamamelis virginiana. Su ingrediente maravilla es el tanino, un astringente que ayuda a tensar la piel. El hamamelis reduce la inflamación asociada con el acné. No se recomienda para el consumo.

Forma de la hierba	Cómo usarla	Con qué frecuencia
Extracto	1-2 cdtas en una taza de agua	aplicar la solución 2 veces al día
Geles y lociones	busque productos con altos porcentajes de hamamelis	siga las instrucciones de la etiqueta

Manzanilla. Esta hierba es el elemento básico del té a la hora de acostarse, pero ¿sabía que la manzanilla también tiene propiedades anti-inflamatorias, antibacterianas y propiedades de curación de heridas? Puede reducir la inflamación en su boca y garganta al hacer gárgaras con ella. Los químicos naturales de la manzanilla también alivian la inflamación de la piel. Use crema de manzanilla para calmar la piel tensa y seca y tratar el acné, quemaduras, ampollas, eczema y urticaria.

Forma de la hierba	Cómo usarla	Con qué frecuencia
Tintura	30-60 gotas en 1 taza de agua caliente	3 veces al día
Crema	compre un producto que contenga entre 3 y 10 por ciento de manzanilla	siga las instrucciones de la etiqueta
Aceite Esencial	5-10 gotas de aceite en una bañera de agua caliente	según sea necesario
Flores secas	¼ de libra de flores secas en una bañera de agua caliente	según sea necesario
Té	2-3 cdtas. de manzanilla en una taza de agua hirviendo	3-4 veces al día

Lavanda. La palabra lavanda viene del verbo latino que significa "lavar". Los romanos a menudo usaban *Lavandula angustifolia* para bañarse y lavar la ropa, pero hoy en día, mucha gente lo usa para tratar heridas. Cura al estimular el crecimiento celular, matando bacterias y evitando cicatrices. Aunque el aceite esencial es tóxico si se toma por vía oral, el aceite de lavanda es perfectamente seguro para el tratamiento de problemas de la piel como el acné, inflamación y quemaduras solares.

Forma de la hierba	Cómo usarla	Con qué frecuencia
Aceite esencial	1-4 gotas por cucharada de aceite base (almendras y oliva)	masajee en la piel según sea necesario
Aceite esencial	5-6 gotas en una bañera de agua caliente	según sea necesario para relajación

Aloe vera. Más conocido por tratar las quemaduras, el aloe también puede ayudar a manejar el acné y el eczema, así como aliviar las erupciones cutáneas, picaduras y picaduras. La investigación demuestra que el gel del aloe vera trata con eficacia pequeñas quemaduras de segundo grado. Además, en un estudio, el aloe mejoró los síntomas de la psoriasis por más del 80 por ciento.

Forma de la hierba	Cómo usarla	Con qué frecuencia
Planta viva	remueva el gel de la hoja y aplíquelo a la piel	según sea necesario
Geles y lociones	busque productos con altos porcentajes de gel de aloe	siga las instrucciones de la etiqueta
Crema	0.5 por ciento aloe vera	3 veces diarias para la psoriasis

Bálsamo de limón. Esta hierba, también conocida como *Melissa officinalis*, trata el herpes labial o ampollas de fiebre, causadas por el virus del herpes simple. En un estudio de 116 adultos que aplicaron 1 por ciento de extracto de bálsamo de limón en crema hasta cinco veces al día, el 96 por ciento de ellos reportó una curación completa después de ocho días. Obtendrá mejores resultados si aplica una compresa al primer signo de un herpes labial. El bálsamo de limón también ha sido utilizado tópicamente para tratar heridas leves y otras irritaciones de la piel.

Forma de la hierba	Cómo usarla	Con qué frecuencia
Aceite esencial	5 gotas de aceite por cucharada de aceite base	masajee en la piel según sea necesario
Aceite esencial	3 gotas de aceite en una bañera de agua caliente	según sea necesario
Té	¼-1 cdta. de bálsamo de limón seco en una taza de agua caliente	hasta 4 veces al día
Compresas	2-4 cdtas. de bálsamo de limón seco en 1 taza de agua hirviendo.	hasta 4 veces al día

Té verde. La investigación muestra que los polifenoles en esta famosa hierba protegen contra los efectos de la radiación ultravioleta y el daño solar. En estudios con ratones, el té verde se utilizó tópicamente para disminuir el envejecimiento prematuro de la piel y el daño UV causante de cáncer. El extracto de té verde actúa como anti-inflamatorio y antioxidante y puede mejorar los síntomas de la rosácea reduciendo la sensibilidad a la luz UV del sol.

Forma de la hierba	Cómo usarla	Con qué frecuencia
Té	1 cdta de hojas de té en una taza de agua caliente	2-3 tazas al día (240 a 320 miligramos de polifenoles)
Suplementos	100-750 mg de extracto de té verde	siga las instrucciones de la etiqueta

Póngale freno a las erupciones con 4 alimentos que combaten el acné

"Una parte nunca puede estar bien a menos que el todo esté bien", escribió Platón hace más de 2,000 años. Sus palabras siguen siendo verdaderas hoy.

El acné es una condición de la piel que puede causar angustia emocional y marcar su piel. Es el resultado de una sobreproducción de sebo, el aceite que lubrica el cabello y la piel, demasiadas células muertas de la piel, y las bacterias, que desencadenan la inflamación y la infección.

Los estudios indican que ciertos alimentos pueden agravar el acné, como los productos lácteos, chocolate y alimentos ricos en carbohidratos incluyendo pan, rosquilllas (*bagels*) y papas fritas. Agregue más de estos súper alimentos anti-acné a su día y ponga fin a los granos.

Coma antioxidantes para una piel muy feliz. Las bayas están repletas de antioxidantes y otros nutrientes que ralentizan el proceso de envejecimiento y neutralizan los radicales libres destructivos - esos tipos molestos que causar daño celular y desencadenan la inflamación.

■ Las fresas están llenas de vitamina C - un ingrediente esencial para la construcción del colágeno. La vitamina C ayuda a controlar la inflamación, estimular la curación y combatir la infección.

■ Las bayas de Goji, también conocidas como cambroneras, ha sido utilizadas en la medicina tradicional china por más de 2,000 años. Contienen beta caroteno, que se convierte en vitamina A en el cuerpo y lucha contra la infección.

■ Los arándanos contienen gran cantidad de fibra, vitaminas, minerales y antioxidantes. Los antioxidantes juegan un papel protagonista en la prevención de las arrugas y otros signos de envejecimiento.

Súper frutas como el arándano y las bayas de Goji tienen altas cantidades de flavonoides como antocianinas. No sólo estos nutrientes dan su color intenso, sino que también combaten la inflamación y promueven la buena circulación.

Desinfectante para manos de hierbas celestiales

Para un desinfectante de gran olor hecho en casa, todo lo que tiene que hacer es mezclar:

- 5 gotas de aceite esencial de lavanda

- 5 gotas de aceite esencial de romero

- 30 gotas de aceite esencial de árbol de té

- 1/4 cucharadita de aceite de vitamina E

- 1 cucharada de extracto de hamamelis

- 1 taza de gel de aloe vera.

Almacene en un recipiente limpio para unas manos libres de gérmenes sobre la marcha.

Vuélvase loco con el selenio, el combatiente de la inflamación.
Las nueces de Brasil son ricas en antioxidantes y son una buena fuente de magnesio, fósforo y cobre. En un pequeño estudio, las personas que comieron grandes cantidades de nueces del Brasil registraron una disminución a largo plazo de los indicadores de inflamación. El selenio es uno de los nutrientes que ayuda a reducir la inflamación relacionada con el acné.

Las nueces del Brasil son ricas en selenio. De hecho, una taza contiene 3,643 por ciento del valor diario (VD). Aunque el selenio protege las células contra las toxinas, demasiado puede causar una condición conocida como toxicidad del selenio. Cada nuez contiene casi 100 microgramos de selenio – alrededor de 137 por ciento del VD. No exagere. Una o dos nueces al día es bastante.

> Estudios muestran que las civilizaciones no influenciadas por la cultura occidental tienen menos casos de acné. Sus dietas incluyen un montón de frutas, verduras y pescado.

Deshágase de las espinillas con una variedad de vegetales verdes.
Los vegetales de hoja verde tienen una reputación por estar llenos de nutrientes.

- La vitamina A, que se encuentra en la col rizada y otros vegetales verdes, ayuda a formar y mantener sanos la piel y los tejidos blandos.

- El zinc repara el tejido y fortalece la resistencia de su cuerpo a la infección. Se encuentra en la espinaca y la col rizada, actúa como un anti-Inflamatorio y antibacteriano y puede disminuir la producción de sebo.

- La vitamina E también mejora el acné en personas con bajo nivel de vitamina E en su sangre, según investigaciones. Cocine un poco de acelga o nabos verdes para una dosis de esta vitamina de la belleza.

Bloquee las bacterias con ácido láurico. Aunque se puede comer, el aceite de coco es más famoso por ser aplicado directamente a la piel. Es una importante fuente de ácido láurico, que actúa como antibacteriano, anti-viral, y anti-fúngico. Muchos estudios han examinado el potencial de usar ácido láurico para el acné. Los investigadores han encontrado que bloquea el crecimiento de las bacterias causantes del acné.

El aceite de coco como crema hidratante es tan efectivo y seguro como el aceite mineral. Usted puede utilizarlo como una loción o ponerlo como una máscara facial para una piel con apariencia más saludable.

Máscara facial aclaradora de coco

Para un tratamiento del acné facial para usted y un amigo, necesitará:

- 30 gotas de aceite de árbol de té

- 1 cucharada de aceite de coco

- 1 cucharada de cúrcuma molida

- 1 cucharada de miel cruda

- 1 cucharada de gel de aloe vera

Mezcle los ingredientes hasta hacer una pasta. Extienda uniformemente sobre su cara y déjela por 20 minutos. Enjuague con agua tibia y seque la piel con golpecitos.

Una palabra de la precaución - use una camisa vieja porque la cúrcuma le manchará si cae sobre su ropa.

Prevenga la pérdida del cabello con 5 súper alimentos

Usted perderá entre 50 y 100 mechones de cabello cada día, de acuerdo con los dermatólogos. Eso puede ser cierto para la mayoría de la gente, quizás usted ha notado una brisa allí arriba donde solía estar su cabello. Y, peor aún, su cepillo comienza a parecerse a un mamut lanudo.

Si éste es el caso, usted puede necesitar una intervención en el cabello. No se preocupe, no tiene que ser dolorosa. El debilitamiento del cabello podría ser una señal de que necesita más de ciertos nutrientes. Puede resolver causas comunes de pérdida de cabello simplemente comiendo más de los alimentos adecuados. Y mientras se ocupa de eso, usted agregará brillo a su pelo y más vitalidad a sus pasos, convirtiéndose en la envidia de cada salón de belleza.

Si su dieta es baja en varios nutrientes, puede perder más cabello que de costumbre. Pero esto no significa que usted tiene que conformarse con la pérdida prematura de cabello. Trate de comer más de estos fabulosos alimentos y recupere su estilo.

Promueva el crecimiento del cabello con un huevo. Obtenga el cabello sobre el que usted desea pasar sus dedos hundiendo sus dientes en una famosa comida de desayuno que puede disfrutar a cualquier hora del día. Un huevo revuelto tiene casi la mitad de la proteína que necesita cada día. Su melena se compone de una proteína llamada queratina, por lo que no es ninguna sorpresa que la proteína haga su cabello más fuerte y estimule el crecimiento.

Más de la mitad de los hombres y mujeres experimentan pérdida de cabello en algún momento durante sus vidas. Aunque la menopausia y el embarazo con frecuencia son factores para las mujeres, la falta de nutrientes es un gran culpable que puede afectar a cualquiera. Restringir su dieta, especialmente de proteínas y vitamina D, puede conducir a la caída del cabello. Afortunadamente, los huevos son una gran fuente de estos nutrientes, así como el zinc y el hierro - también importantes para un cabello saludable.

Haga brillar sus mechones con el omega-3 del salmón. Este pez nada en nutrientes que le ayudan a obtener un cabello brillante y magnífico. Para aprovechar al máximo los nutrientes del salmón, elija el enlatado.

■ El salmón enlatado es una buena fuente de calcio, siempre y cuando se coma los huesos. Bajas cantidades de calcio en la sangre pueden aumentar sus posibilidades de caída del cabello.

■ No obtener suficientes ácidos grasos poli-insaturados como omega-3 y omega-6 aumenta su probabilidad de pérdida y caída del cabello. El salmón enlatado regular con piel proporciona aproximadamente 2,000 miligramos de omega-3. Quédese con este tipo y coma una porción de 3 onzas dos veces por semana. Evite la variedad sin piel. Tiene menos ácidos grasos.

■ El salmón también contiene niacina, una vitamina B importante. No sólo es buena para la piel, también ayuda a promover el crecimiento del cabello y a mantener las células que componen sus folículos pilosos.

Preste atención a lo que estaba comiendo antes de que comenzaran sus problemas con el cabello. Es posible que no note signos de deficiencia durante dos a cuatro meses.

Mejore su cabello con las ostras. Aunque no todas las ostras le sorprenderán con perlas, le darán el regalo del hierro y el zinc. Algunos investigadores sugieren que las deficiencias de hierro están asociadas con la pérdida de cabello. Esto se debe a que el hierro transporta el oxígeno a las células, incluyendo las de su cabello. Usted ni siquiera tiene que estar anémico para que una deficiencia de hierro afecte su cuerpo.

Los signos de que usted no está recibiendo cantidades adecuadas de zinc no son siempre obvios, pero una deficiencia de este mineral puede causar pérdida del cabello. Las ostras tienen el 256 por ciento del zinc que necesita diariamente.

Mantenga el cabello fuerte con espinacas. Muchas personas asocian a las espinacas con el hierro, pero también son ricas en vitamina A. Este nutriente es vital para una buena visión, un sistema inmunológico saludable y el crecimiento celular - una clave para mantener la piel sana y el cabello. Tal vez por eso el creador de Popeye eligió la espinaca para que fuese su súper alimento más celebrado.

La espinaca también cuenta con algo de vitamina C. Obtener muy poca vitamina C podría provocar un cabello seco y quebradizo, lo que promueve la pérdida de cabello.

Avance con lentejas cargadas de nutrientes. Una hebra puede no parecer tan fuerte, pero todo un cabello combinado puede soportar el peso de dos elefantes adultos, dice el investigador Frédéric Leroy.

Para mantener un cabello a la altura, va a necesitar mucho apoyo. Las lentejas son ricas en proteínas y bajas en grasas saturadas -perfectas para los vegetarianos. Estas leguminosas también contienen fibra, hierro, riboflavina y altas cantidades de folato. La riboflavina apoya la absorción de otros nutrientes como la proteína, el folato, la niacina y el hierro para que su cuerpo pueda usar los nutrientes y así poder tener una piel y cabello más sanos.

Trucos para un cabello siempre listo para la pasarela

Los productos para peinar son caros. Antes de desembolsar su tan trabajado dinero, pruebe algunas opciones naturales que probablemente estén en su cocina ahora mismo.

Repare su cabello con un huevo.
¿Así que no le gusta mucho el sabor de los huevos? Usted no tiene que comerlos. Aunque ninguna evidencia científica reporta que los huevos hagan crecer su cabello más rápido, las personas han estado usándolos por años para humectar, reparar los daños y agregar brillo.

Después de aplicar huevo, mayonesa o aceite de oliva a su cabello, póngase un gorro de ducha o cúbralo con una envoltura de plástico. Usted puede ayudar a que la humedad se absorba cubriéndose el cabello con una toalla caliente y húmeda.

Espese su melena con mayonesa.
Noticias breves - hay una manera de usar la mayonesa que no va a terminar en sus caderas. Muchas personas dicen que poner mayonesa en su cabello hace que se vea más abundante y protege de los productos para peinar que son dañinos.

Escuche cuando su cabello dice: "Tengo sed." Usted conoce los beneficios del aceite de oliva para su piel. Pero el aceite de oliva también actúa como un acondicionador, agregando humedad a su cuero cabelludo y cabello, dejándolo suave y brillante.

Cómo lograrlo. Elija bien sea un huevo, una taza de mayonesa o una cucharada de aceite de oliva, y cubra su cabello desde el cuero cabelludo hasta las puntas, dejando actuar durante 20 minutos antes de enjuagar. Cuando use huevo, no lo enjuague con agua caliente. Sacarse huevos revueltos de su cabello no es tan divertido como comerlos.

Tres alimentos, un tratamiento. ¿Quieres un tratamiento de triple acción para el cabello? Pruebe los tres juntos. Mezcle tres cucharadas de mayonesa con un huevo crudo y una cucharadita de aceite de oliva. Coloque la mezcla en su cabello desde el cuero cabelludo a las puntas hasta cubrir completamente. Deje actuar por 20 minutos y luego enjuague.

Trastornos del sueño

Coma algo para un dulce sueño

4 aperitivos simples que seguramente le ayudarán a dormir

Así que usted desea tener una buena noche de sueño sin tomar píldoras. Pruebe estos deliciosos bocadillos. Están cargados de triptófano, melatonina y serotonina - sustancias que estimulan una noche de dulces sueños.

- Medio sándwich de pavo hecho con pan integral y un vaso de jugo de cerezas agrias. El pavo es una gran fuente de triptófano. Y los carbohidratos del pan integral aumentan la cantidad de triptófano en su cerebro. Además, el jugo de cerezas agrias es rico en melatonina, la hormona del cuerpo que desencadena la somnolencia.

- Pudín de arroz con una taza de té de manzanilla caliente. Caliente el arroz sobrante con leche, un poco de azúcar, y un toque de vainilla. El arroz promueve el buen dormir, dicen los investigadores japoneses, mientras que la manzanilla es una hierba naturalmente calmante.

Repletas de nutrientes, las semillas son conocidas por sus grandes beneficios a la salud. Pero ¿sabía usted que estos pequeños y sabrosos tentempiés también pueden ayudarle a dormir? Las semillas de calabaza, sésamo y girasol están llenas de triptófano, que desencadena la producción de serotinina - dos elementos esenciales para una noche entera de descanso. Estas semillas también ofrecen una saludable cantidad de magnesio, una "píldora de relajación" natural. Meriende un puñado de semillas antes de acostarse.

- Tazón de avena con un cálido vaso de leche. Coma este desayuno favorito en la cena, y dormirá mejor en la noche. Incluso calma el síndrome de piernas inquietas y los calambres dolorosos de las piernas. Eso es porque la avena es una rica fuente de magnesio, un mineral que relaja las piernas inquietas. La harina de avena también está llena de melatonina, y la leche contiene triptófano. Póngalos juntos y despídase de las noches sin dormir.

- Taza de kiwi con banana. ¿Noches sin dormir? Pruebe la fruta de nombre divertido. Los estudios demuestran que las personas que comen dos kiwis una hora antes de acostarse duermen más rápido, duermen más tiempo y duermen mejor. Los investigadores creen que la serotonina del kiwi desencadena el buen sueño. Agregue banana (platano) y yogur a la mezcla para un aumento de triptófano, y usted puede quedarse dormido de inmediato.

¿Están estos alimentos borrando su sueño?

Lo que está en su plato de la cena puede pasarle factura al irse a dormir. Eso es porque lo que usted come de noche afecta la manera en la que duerme.

Una sorprendente cifra entre 50 millones y 70 millones de americanos luchan con problemas crónicos del sueño. Eso es tres veces el número de personas que viven en la Florida.

Cuando da innumerables vueltas porque no puede dormir, tiene un riesgo más alto de sufrir una cantidad de problemas de salud como el cáncer, la diabetes, la obesidad y la presión arterial alta. No dormir lo suficiente hace que se sienta cansado, de mal humor e incluso puede ser peligroso. Los conductores soñolientos causan 40,000 lesiones no mortales y 1,550 muertes al año, dice el Departamento de Transporte.

Saber qué comer y qué no, podría significar la diferencia entre una buena noche de sueño y un día lleno de fatiga. Aquí está lo que debe evitar.

Evite los alimentos picantes. ¿No quiere pasar la noche luchando con la acidez? Entonces detenga el ajo, las cebollas y la salsa de tomate. La comida picante puede desencadenar la acidez estomacal, una ardiente ladrona del sueño.

Y si usted piensa que debe tomar menta para apagar ese fuego, piense de nuevo. Algunas personas usan esta hierba refrescante para calmar un malestar estomacal, pero también puede provocar acidez.

Dígale no a esa copa de la noche. Claro que ese vaso de vino puede ayudarle a dormir, pero olvídese de mantenerse dormido. El alcohol es una poderosa ayuda para el sueño, dicen los expertos, pero sólo le ayuda a dormir durante unas cuantas horas. Después de eso, usted luchará con sus almohadas por el resto de la noche. Es porque el alcohol interrumpe la homeostasis del sueño, su reloj interno del cuerpo que regula su ciclo de sueño / vigilia.

Reduzca el café por las noches. Es difícil dejar pasar una relajante taza de café o té después de la cena. Pero si tiene problemas para dormir, es posible que quiera cambiarse a una bebida descafeinada. La cafeína en su bebida puede acelerar su cuerpo por hasta siete horas, causando una noche de inquietud.

Y no es sólo la cafeína en el café y el té. Recuerde revisar las etiquetas de los analgésicos y medicamentos para la gripe en búsqueda de cafeína añadida.

Vaya con calma con en el bistec y el pollo frito. Usted puede estar tratando de caer dormido, pero su panza estará completamente despierta si come grasa o frituras en la cena. Los alimentos altos en grasas saturadas toman más tiempo para ser digeridos, haciendo que su aparato digestivo trabaje horas extras, robándole horas en las cuales usted podría estar durmiendo.

Coma ese sándwich BLT en el almuerzo, no en la cena. Amantes del tocino, estén alerta- su sándwich favorito puede ser lo que les mantiene despiertos por la noche. Eso es porque esas rebanadas saladas de cerdo contienen tiramina, una sustancia que activa su cerebro para mantenerse despierto y activo.

Y no se encuentra sólo en el tocino. La berenjena, salsa de soja, salami, tomates y quesos curados como el queso Brie y el queso cheddar también son ricas fuentes de tiramina.

¿Quién iba a saber que este arroz le daría sueño?

Coma un tazón de arroz aromático de grano largo Jasmine para la cena y puede que se quede dormido más rápido. Eso es lo que un pequeño estudio publicado en la Revista Americana de Nutrición Clínica encontró.

Los expertos creen que es porque el arroz Jasmine tiene un mayor índice glucémico (IG). Los alimentos con un alto IG impulsan los niveles de triptófano y serotonina, dos químicos cerebrales que usted necesita para un sueño saludable. En el estudio, los investigadores usaron pequeñas porciones de proteína. Ellos dicen que la proteína disminuye los niveles de triptófano, por lo que es mejor comer una comida de alto IG, baja en proteínas.

Los investigadores experimentaron con dos horas diferentes de comer y dos tipos diferentes de arroz. La gente comió arroz Jasmine una o cuatro horas antes de acostarse. Los que comieron cuatro horas antes de acostarse durmieron mejor. También probaron el arroz blanco de grano largo Mahatma, que es menor en la escala de IG. El arroz blanco de grano largo no indujo el sueño tan rápido como el arroz Jasmine.

¿No puede dormir? Deslícese en un dulce sueño con estas 5 hierbas

Dele a sus pastillas para dormir un descanso. Usted puede disfrutar de una noche de dulce sueños con un poco de ayuda de estos remedios naturales.

La valeriana le ayuda a dormir como un bebé. El uso de la valeriana como sedante data de los días del Imperio Romano. Pero incluso hoy, los estudios sugieren que la valeriana puede ayudarle a conciliar el sueño y permanecer dormido. La investigación muestra que las personas que toman de 400 a 900 miligramos (mg) de extracto de valeriana hasta dos horas antes de acostarse cosechan las mayores recompensas.

Pero no espere que la valeriana trabaje rápidamente. Podrían pasar algunas semanas antes de ver los resultados. Y debe hablar con su médico primero. Los científicos consideran la valeriana segura, pero puede interferir con algunos sedantes y medicamentos psiquiátricos.

Tome algunas siestas con manzanilla. Los herbolarios a lo largo de los siglos han dicho que la manzanilla alemana es capaz de curar cualquier cosa desde dolores musculares hasta problemas de estómago. Es también muy conocida como un suplemento calmante nocturno para cualquier persona que tenga problemas para dormir.

Los expertos sugieren tomar 400 mg a 1,600 mg de extracto estandarizado diariamente para ayudarle a relajarse. O preparar un té con flores de manzanilla fresca antes de ir a la cama.

La lavanda le ayudará a cerrar los ojos. La lavanda es más conocida por su dulce fragancia. La mayoría de las personas que la prueban por insomnio colocan unas gotas de aceite de lavanda sobre sus almohadas y el aroma los arrulla para dormir. Pero los investigadores han comenzado a experimentar con el aceite de lavanda como suplemento. Un estudio italiano encontró que una dosis 80 mg de cápsulas de aceite de lavanda diariamente calma la ansiedad y puede llevar a una mejor noche de sueño.

Otro estudio del Reino Unido encontró que los suplementos de aceite de lavanda aliviaron el nerviosismo en las personas que vieron clips de películas estresantes. Así que si usted tiene problemas para conciliar el sueño después de ver un thriller, las cápsulas de aceite de lavanda pueden venir a su rescate.

Quédese dormido con bálsamo de limón. Las abejas aman la refrescante hierba de bálsamo de limón y usted también debería. El bálsamo de limón, también conocido por su nombre botánico Melissa, alivia la ansiedad y los trastornos del sueño, dicen investigadores que realizaron un pequeño estudio publicado en la *Revista Mediterránea de Nutrición y Metabolismo*. El bálsamo de limón alivió la ansiedad en el 70 por ciento de los participantes y restauró el sueño tranquilo en el 85 por ciento.

¿Quiere dormirse con facilidad? Pruebe el té de estragón.
Algunas personas juran que el estragón es una ayuda para el
sueño aunque no haya ciencia que lo respalde. Esta hierba
aromática, cuyo nombre significa "pequeño dragón" en francés,
hace de un sabroso té una bebida perfecta para relajarse en la
noche. Use una cucharadita de estragón seco por taza de agua
hirviendo. Déjelo remojar durante 20 a 30 minutos, luego cuélelo.
Disfrute antes de acostarse.

¿Sus vitaminas (o falta de) le mantienen despierto por la noche?

¿Está obteniendo demasiada vitamina C? ¿No es suficiente
vitamina B6? Las respuestas a estas preguntas pueden ayudarle a
llegar al fondo de esas noches sin dormir.

Los expertos dicen que demasiada vitamina C puede causar
insomnio. Los hombres sólo necesitan 90 miligramos (mg) y las
mujeres 75 mg. Pero algunas personas se cargan de vitamina C
durante la temporada de resfriado y gripe, tomando cantidades
masivas todos los días.

Cuando usted toma en cuenta que un vaso de 8 oz. (*1 taza*) de
jugo de naranja contiene 120 mg de vitamina C, es fácil obtener su
dosis de los alimentos. Y los nutricionistas dicen que la vitamina C
de los alimentos siempre es segura. Las fuentes ricas incluyen:
pomelo, brócoli, camotes (*batatas*), fresas y pimientos verdes.

Por otro lado, la cantidad insuficiente de vitamina B6 puede
mantenerlo contando ovejas - toda la noche. Esta importante
vitamina ayuda a convertir el triptófano en serotonina, dos
componentes clave de una buena noche de sueño

La cantidad recomendada para adultos es de 1.3 mg de vitamina
B6 cada día. Una papa al horno, 3 oz. de pechuga de pollo y
media taza de espinaca cocida proporcionan toda la vitamina B6
que usted necesita en un día. Otras buenas fuentes incluyen
garbanzos, salmón, atún, carne de res, pavo, banana (*plátano*) y
camotes (*batatas*).

2 maneras de vencer el jet lag antes de despegar

Usted ha empacado su maleta, ha saltado al avión, y ha atravesado múltiples zonas horarias. Ahora quiere aterrizar y comenzar su aventura. Pero está tan cansado que siente que nunca saldrá de su cama. Tiene jet lag. Relájese - tomando uno de estos dos suplementos, usted puede comenzar a combatir el jet lag antes de que usted salga de casa.

Cálmese con melatonina. Usted probablemente ha oído hablar del suplemento de melatonina y sus propiedades promotoras del sueño. En resumen, la melatonina es la hormona que le dice a su reloj biológico cuándo dormir y cuándo despertar. Pero cuando usted pasa por varias zonas horarias, el ritmo natural de su cuerpo se desequilibra. Al tomar suplementos de melatonina, usted reestablece naturalmente su temporizador interno.

Algunos expertos sugieren tomar entre medio miligramo y 5 mg una hora antes de la hora de dormir en su destino final. Otros sugieren tomar 1 a 5 mg una hora antes de acostarse a partir de dos días antes de la salida y continuar dos o tres días después de llegar a su destino final.

Duerma un poco con extracto de corteza de pino. Algunos científicos dicen que volar causa una ligera hinchazón en el cerebro y el cuerpo, lo que agrava el jet lag. Un suplemento llamado Pycnogenol hecho principalmente de extracto de corteza de pino puede ayudar.

Los síntomas del jet lag duraron sólo 18 horas en personas que tomaron Pycnogenol, pero duraron unas terribles 39 horas en las personas que no lo tomaron, encontraron investigadores italianos en un estudio. En otro estudio, los científicos hicieron exploraciones cerebrales de personas después de vuelos largos y encontraron menos hinchazón en los que tomaron el suplemento que en los que no lo hicieron. Los científicos usaron tabletas de 50 mg tres veces al día durante siete días, dos días antes del despegue.

¿Cruzando varias zonas horarias?

Derrote el jet lag con este fácil plan de comidas

No puede comer cuando se supone que debe hacerlo, No puede dormir cuando se supone que debe hacerlo. Y usted está en París. Suspiro. Se llama jet lag, esa sensación de cansancio cuando atraviesa varias zonas horarias y luego no puede ajustarse. Para obtener alivio, aquí tiene una estrategia de alimentación que puede probar antes de volar.

3 días y contando ...

Haga un festín tres días antes de viajar dicen los expertos. Coma muchas proteínas durante el día, comiendo huevos y jamón en el desayuno, y pollo o salmón en el almuerzo. Luego cambie a una cena alta en carboidratos, como pasta integral o un tazón grande de frijoles rojos y arroz. Y beba su taza de café en la tarde.

2 días y contando ...

Como ligero hoy. Prefiera alimentos altos en proteínas durante el día y altos en carbohidratos para la cena. Tome su bebida con cafeína después del almuerzo.

1 día y contando ...

¡Festín! Tal como lo hizo hace dos días.

¡Hora de irse!

Reduzca el café en la mañana si se dirige al oeste y evítelo si vuela hacia el este. Coma alimentos bajos en calorías, altos en proteínas durante el día. Dígale no al alcohol y sí al agua -y bastante- para evitar la deshidratación. Y si puede, espere tomar el desayuno en la mañana del día en que llegue su destino.

Un suplemento que le ayuda a dormir si usted sufre de dolor en las piernas

Puede comenzar como dolor en las piernas y brazos durante el ejercicio. Pero a medida que empeora la claudicación intermitente, el dolor puede mantenerle despierto por la noche y robarle una buena noche de sueño.

La claudicación intermitente es causada por muy poco flujo de sangre en las extremidades. Eso es causado por la enfermedad vascular periférica ocasionada por la acumulación de placa.

El suplemento propionil-L-carnitina parece ayudar a aliviar el dolor y extender la distancia que las personas con claudicación intermitente pueden caminar. Y si ayuda a aliviar el dolor durante el ejercicio, puede mantener el dolor a raya para que pueda dormir bien.

Coma como los griegos para una buena noche de sueño

Más de 22 millones de estadounidenses sufren de apnea del sueño, y muchos de ellos ni siquiera lo saben. Sucede cuando las vías respiratorias se bloquean mientras duerme y su cerebro le despierta un poco para que pueda recuperar el aliento. En algunas personas, esto sucede cientos de veces por noche. Pero unos simples cambios, incluyendo lo que usted come, podrían evitar que pierda el sueño.

La dieta mediterránea es típicamente conocida por mantener su corazón saludable, e incluso puede proteger contra fracturas óseas. Los científicos ahora pueden agregar otro beneficio a la lista. Un pequeño estudio publicado en la *Revista Europea de Respiración* muestra que las personas obesas con apnea del sueño de moderada a severa durmieron mejor después de seis meses de seguir la dieta mediterránea.

Los participantes probaron pescado, nueces, frutas, legumbres, carne roja, papas, productos lácteos bajos en grasa, pollo y pavo, cereales sin refinar, ensaladas y vegetales, y un vaso diario de vino tinto. También disfrutaron de una cantidad moderada de aceite de oliva y crema, papas fritas, mantequilla, margarina, bebidas azucaradas, pasteles y galletas, y carnes procesadas. Es más, caminaron hasta 30 minutos al día y fueron tratados con CPAP, un dispositivo que mantiene las vías respiratorias abiertas mientras duerme.

Si no está seguro de que tiene apnea del sueño, hable con su médico. La condición de agotamiento puede conllevar a un accidente cerebrovascular, presión arterial alta, insuficiencia cardíaca crónica, depresión y diabetes tipo 2. Y las personas con apnea del sueño tienen más probabilidades de sufrir accidentes automovilísticos.

¿Quiere conocer la forma N° 1 que recomiendan los médicos para tratar la apnea del sueño? La pérdida de peso. De hecho, un pequeño estudio fuera de Brasil encontró que las personas obesas que perdieron peso no experimentaron tantos problemas de respiración durante el sueño como aquellos que mantuvieron su peso. La pérdida de peso puede proporcionarle el descanso que usted ha estado anhelando.

Accidente Cerebrovascular

Cambios en la dieta para reducir el riesgo

3 recetas saludables para el corazón que usted debe lanzar en el asador hoy

Asar a la parrilla puede ser peligroso. Y no estamos hablando sólo de las altas temperaturas y llamas.

Comer carne carbonizada de la parrilla aumenta su riesgo de cáncer de páncreas, encontró un estudio de la Universidad de Minnesota. Eso es porque cocinar la carne a altas temperaturas quema los aminoácidos y otras sustancias que crean aminas heterocíclicas, productos químicos que causan cáncer.

Pero no se preocupe - usted no tiene que renunciar a asar a la parrilla por completo. Intente las envolturas de papel de aluminio de la página siguiente. Son una manera deliciosa de cocinar el pescado y el pollo en la parrilla. Y una manera saludable de obtener proteínas extra, poderosas combatientes del derrame.

Más proteína significa menos accidentes cerebrovasculares. Puede reducir sus posibilidades en un notable 26 por ciento al tomar un suplemento de 20 gramos de proteína cada día. Eso es lo que encontraron los investigadores en China. Los científicos estudiaron detenidamente siete estudios, que incluyeron a más de 250,000

Coma pescado cinco veces por semana, y usted reducirá su probabilidad de accidente cerebrovascular en un 50 por ciento. Eso es lo que los investigadores que siguieron a casi 80,000 mujeres en edades entre 34 y 59 años encontraron. Las mujeres que comieron más pescado durante el estudio de 14 años fueron las menos propensas a sufrir un derrame cerebral.

personas de edades comprendidas entre los 30 y los 80 años para sacar sus conclusiones.

Los expertos también creen que comer más proteínas podría reducir el número de muertes relacionadas con accidentes cerebrovasculares, más de 1 millón al año en todo el mundo. Algunos científicos creen que las proteínas funcionan disminuyendo la presión arterial. Pero hay una trampa. Su proteína no puede venir de la carne roja como filetes y hamburguesas. Opte por pescado, frijoles y pollo en su lugar.

Tres maneras deliciosas de agregar más proteína a su dieta - estilo fogata. He aquí cómo hacer envolturas en papel de aluminio. Estas sabrosas comidas son fáciles de combinar. Y usted puede lanzarlas en la parrilla o en el horno - su elección. Todo lo que necesita es su carne, vegetales, condimentos y papel de aluminio de alta resistencia. Selle la comida con seguridad, doblando cada extremo del papel dos veces. Solo asegúrese de que hay espacio en su paquete para que el calor se expanda.

- Tomates cherry, cebollas moradas y trozos de pollo aderezados con curry y jengibre - ¿ya se le hace agua la boca? Este sabroso plato inspirado en la India es aún mejor con mango picado.

  Proteínas por 1 taza de pechuga de pollo en cubitos - 43 gramos.

- Usted no tiene que ir al sur de la frontera para ponerle sabor a una cena saludable. Aderece el sabor suave de la tilapia con comino y chile en polvo más maíz, frijoles negros, pimientos morrones y tomates picados. ¿Quiere un poco de calor? Añada jalapeños picados. Y capas de tortilla en la parte inferior de su envuelto.

  Proteínas por 3 onzas de tilapia - 21 gramos.

- Disfrute de la trucha. Esta sabrosa comida combina zanahorias, rodajas de limón y cebollas cortadas en anillos. En primer lugar, corte las zanahorias, póngalas en un paquete de papel de aluminio, y coloque un poco de mantequilla. Colóquelas en la parrilla. Mientras se están cocinando, rellene sus truchas con limón y cebolla. Sal y pimienta al gusto. Haga otro paquete de papel de aluminio para el pescado y la parrilla hasta que esté escamoso - y las zanahorias estén tiernas, alrededor de 20 minutos.

  Proteínas por 3 onzas de trucha - 21 gramos.

Lo que su taza de café diaria tiene que ver con el accidente cerebrovascular - ¡y todo es bueno!

¿Confundido acerca de si el café es bueno para usted? No lo esté. Los estudios demuestran que es la bebida diaria que podría estar bajando su riesgo de morir de enfermedades del corazón, accidente cerebrovascular, diabetes, y más. Y la gente que toma esta bebida caliente tiende a vivir más tiempo debido a este riesgo menor.

Los hombres que bebieron dos o tres tazas diariamente redujeron su riesgo de morir de un accidente cerebrovascular en un 16 por ciento y las mujeres en un 7 por ciento, muestra un estudio publicado en la Revista de Medicina de New England.

Los investigadores observaron a 400,000 hombres y mujeres cuyas edades oscilaban entre los 50 y 71 años al comienzo del estudio. Sus hallazgos fueron los mismos para los que bebían café con cafeína y sin cafeína. Los científicos no están seguros de por qué el beber café reduce el riesgo de muerte, pero sospechan que es por los miles de compuestos, incluyendo antioxidantes contenidos en esas tazas de infusión.

> La cúrcuma puede sanar su cerebro. Un equipo de investigadores alemanes dice que la especia, uno de los ingredientes del curry, estimuló las células nerviosas para repararse y multiplicarse en un estudio animal. Los expertos esperan que sus hallazgos conduzcan a un tratamiento para el accidente cerebrovascular y el Alzheimer en el futuro.

Y las mujeres que tomaban de dos a tres tazas al día disminuyeron sus posibilidades de incluso tener un accidente cerebrovascular en un 19 por ciento, dice un estudio publicado en *Circulation*, la revista médica de la Asociación Americana del Corazón. Los investigadores evaluaron datos de más de 80,000 mujeres. Los científicos de este estudio creen que son los antioxidantes en el café los que defienden de los accidentes cerebrovasculares.

Así que si usted se está preguntando si debe seguir bebiendo su dosis diaria de café - ¡bébala!

Y no tiene que estar caliente. Las bebidas frías de café saben muy bien, y no tienen que estar cargadas con grasa y azúcar. Aquí hay un deliciosa manera de disfrutar de un *frappuccino* de caramelo. ¡Y sólo tiene 50 calorías!

Mezcle unos cubitos de hielo en una licuadora con una taza de café frío y 1/2 taza de leche de almendras sin azúcar. Añada un poco de edulcorante sin azúcar y 1/2 cucharadita de extracto de vainilla. Licúe. A continuación, coloque crema batida baja en grasa por encima y sirup de caramelo sin azúcar. Rinde 2 porciones.

PREPÁRELO

Cómo ponerle estilo al aceite de oliva ordinario

Cambie el sabor del aceite de oliva haciendo una infusión con hierbas y especias. Simplemente agregue ramitas secas, hojas, semillas, o pélelas y colóquelas directamente en una botella de aceite de oliva, coloque la tapa firmemente, y almacene en un lugar fresco y oscuro. El aceite comenzará a tomar el sabor en unas pocas semanas. Pruebe romero, piel de pimiento rojo, albahaca, eneldo, ajo seco o comino.

La infusión funciona mejor con hierbas y especias secas. Las frescas, incluso el ajo y la cáscara de cítricos, contienen suficiente agua para que crezcan bacterias peligrosas como la que causa el botulismo. Si realmente desea utilizar hierbas frescas de su jardín, hágalo sabiamente. Mezcle sus ingredientes frescos, agréguelos al aceite de oliva, y manténgalo refrigerado. Utilice el aceite en un período de una semana.

Un plan de comida comprobado para agregar años a su vida

Usted quiere comer bien, vivir sano y combatir los problemas relacionados con el corazón como el accidente cerebrovascular. Entonces deje de comer como un americano. En su lugar, coma como un griego - y siga la dieta que mantiene su corazón sano y reduce su riesgo de accidente cerebrovascular.

Se conoce como la dieta mediterránea, que no es realmente una dieta en absoluto. Es más como un estilo de comer apetitoso predominante en Grecia y del sur de Italia, donde los lugareños favorecen las frutas y vegetales, aves, nueces y semillas, pastas, legumbres, granos enteros y aceite de oliva.

La gente que come de esta manera aplasta sus posibilidades de sufrir un accidente cerebrovascular, muestra un estudio italiano. Los investigadores siguieron a más de 14,000 residentes de Molise, una región en el centro y sur de Italia, durante cinco años. Ellos encontraron que mientras las personas comían más comida estilo mediterráneo y cuanto menos comían mantequilla, carnes rojas, refrescos y papas, mejores eran sus posibilidades de protegerse de un accidente cerebrovascular. Los alimentos más saludables como aquellos que se incluyen en la dieta mediterránea, reducen la inflamación ligada a enfermedades crónicas y accidente cerebrovascular.

El estilo de vida mediterráneo es tan saludable para el corazón, que la Asociación Americana del Corazón y la Asociación Americana de Accidente Cerebrovascular lo han adoptado como una de las principales formas de prevenir un derrame cerebral. Los investigadores junto con las asociaciones, encontraron que las personas que comían comida mediterránea, complementada con almendras, nueces, avellanas y aceite de oliva virgen extra, redujeron su riesgo de accidente cerebrovascular, mientras que las personas que comieron carnes rojas aumentaron en suyo.

Usted también puede adoptar el régimen mediterráneo haciendo algunos cambios simples.

En primer lugar, reduzca las carnes rojas, los alimentos procesados y envasados, las frituras y lácteos altos en grasa. Luego, piense en productos frescos, muchísimos productos frescos. Luego opte por el pescado, pollo y pavo como comidas principales y recuerde incluir frijoles, ajo, granos integrales, nueces y semillas cuando haga sus compras.

Así luce un día en la dieta mediterránea.

- Desayuno - Una pera de tamaño mediano o 1/2 taza de frambuesas o arándanos, 1 taza de harina de avena, un puñado de nueces, y 1 taza de leche descremada.
- Merienda - batido de piña hecho con 1/2 naranja, 1/2 taza de trozos de piña, un yogur ligero de 6 onzas, y cubos de hielo.

- Almuerzo - sándwich de pavo y palta con 3 onzas de pavo, tres rebanadas de palta, 1/3 taza de queso mozzarella rallado, 1 cucharada de mayonesa ligera, en dos rebanadas de pan integral. Disfrute de una taza de uvas como acompañante.

- Merienda - Sumerja rebanadas de pimiento en 2 cucharadas de humus.

- Cena - 2 a 3 onzas de pescado a la plancha con 2 tazas de hojas de espinaca, un aderezo ligero de vinagreta, y 1 taza de pasta de trigo integral cubierta con ajo picado y aceite de oliva.

- Postre - Yogur griego ligero cubierto con fresas.

El único mineral que usted no está consumiendo suficiente pero debe hacerlo

El sodio hace los titulares todo el tiempo. El potasio, no tanto. Sin embargo, este poderoso mineral puede salvarle de sufrir un accidente cerebrovascular. Así es como lo hace.

Las mujeres posmenopáusicas que comen más alimentos ricos en potasio son 12 por ciento menos propensas de sufrir un accidente cerebrovascular que las que comen menos, encontró un estudio publicado en la revista médica Stroke. Los científicos estudiaron a más de 90,000 mujeres de 50 a 79 años de edad durante 11 años. Las que obtuvieron más potasio fueron 10 por ciento menos propensas de morir de un accidente cerebrovascular que las que obtuvieron la menor cantidad.

Y más potasio significaba una probabilidad 16 por ciento menor de tener un accidente cerebrovascular isquémico, el tipo más común de derrame cerebral. Sucede cuando una arteria del cerebro se bloquea. Los expertos creen que el potasio funciona mejorando el flujo sanguíneo y previniendo que las arterias se vuelvan rígidas.

El Departamento de Agricultura recomienda que las mujeres consuman 4,700 miligramos (mg) de potasio al día. Y la Organización Mundial de la Salud (OMS) recomienda 3,510 mg al día para reducir el riesgo de accidente cerebrovascular.

Pero algunos expertos creen que estos objetivos son demasiado altos y no son factibles para los estadounidenses debido a la relación entre sodio y potasio en los alimentos.

Dicen que las personas que obtienen menos sodio no pueden obtener suficiente potasio, y viceversa. Las personas que consumen más potasio obtienen más sodio. También los alimentos ricos en potasio cuestan más. Por último, muchos expertos creen que las recomendaciones de la OMS están demasiado alejadas de los patrones actuales de alimentación.

Las mujeres en el estudio fueron capaces de obtener un promedio de 2,600 mg al día. No tanto como las recomendaciones. Pero aun así, los expertos dicen que obtener más potasio, aunque esté por debajo de los niveles recomendados, reducirá el riesgo de sufrir un accidente cerebrovascular en general y de sufrir un derrame isquémico en un 20 por ciento en las mujeres con presión arterial normal. Así que definitivamente vale la pena profundizar.

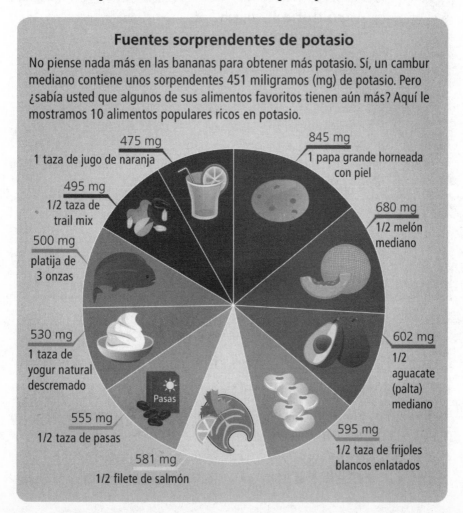

Fuentes sorprendentes de potasio

No piense nada más en las bananas para obtener más potasio. Sí, un cambur mediano contiene unos sorprendentes 451 miligramos (mg) de potasio. Pero ¿sabía usted que algunos de sus alimentos favoritos tienen aún más? Aquí le mostramos 10 alimentos populares ricos en potasio.

475 mg
1 taza de jugo de naranja

845 mg
1 papa grande horneada con piel

495 mg
1/2 taza de trail mix

680 mg
1/2 melón mediano

500 mg
platija de 3 onzas

530 mg
1 taza de yogur natural descremado

602 mg
1/2 aguacate (palta) mediano

Pasas

555 mg
1/2 taza de pasas

595 mg
1/2 taza de frijoles blancos enlatados

581 mg
1/2 filete de salmón

Diga adiós a los aguacates (paltas) marrones

Las aguacates se ponen marrones rápidamente. No pueden evitarlo. Una vez que las enzimas de su carne se exponen al aire, es una batalla perdida.

Pero usted puede actuar antes de que se dañen con estos consejos. No importa cuál intente, siempre refrigere la palta sobrante.

- Algunos probadores de alimentos defienden el empaque al vacío. Así que si usted tiene un sellador, pruébelo en sus paltas (aguacates).

- Vierta jugo de lima, jugo de limón o vinagre en la mitad expuesta.

- Colóquelo en un recipiente sellado con cebolla picada.

- No bote la semilla. Póngala en la porción que no se comió.

- Extienda una fina capa de mayonesa sobre la superficie de la mitad expuesta, luego envuelva con plástico.

- Colóquelo en agua de limón con el lado cortado hacia abajo. Su palta puede ponerse más suave y ganar un sabor un poco ácido pero, pero esto evita que se torne marrón por un par de días.

5 maneras impresionantes de comer aguacates (paltas) - y reducir su colesterol

Es increíble lo que puede hacer con una palta. Y lo que la palta puede hacer por usted.

Esta fruta con sabor de mantequilla redujo el colesterol malo en individuos obesos y con sobrepeso, encontró un pequeño estudio publicado en la *Revista de la Asociación Americana del Corazón*. Los médicos pusieron a todos los participantes en tres dietas saludables para bajar el colesterol. Aunque las tres dietas redujeron el colesterol, los participantes que comieron una aguacate hass a diario, cosecharon los mayores beneficios. Y si baja su colesterol, usted reduce el riesgo de tener un accidente cerebrovascular.

Es porque los aguacates están cargados con ácidos grasos mono insaturados - la grasa buena que su cuerpo necesita para un corazón saludable y unas arterias impecables. Además, son ricos en vitaminas, minerales, fibra y fitonutrientes. Y si usted está preocupado por las calorías, alrededor de 227 en un helado mediano, no lo esté. Simplemente cambie esa dona de 299 calorías cargada con grasas saturadas por uno de los tentempiés de aguacate que se mencionan abajo.

Probablemente haya comido su parte de guacamole a lo largo de los años. Pero hay mucho más que puedes hacer con esta versátil fruta. Eche un vistazo a estas cinco maneras fáciles de disfrutar de los aguacates todos los días sin hacer guacamole.

- Aderezo cremoso de aguacate - Mezcle una cucharada de jugo de lima, un chorrito de salsa picante, y un aguacate en un procesador de alimentos. Añada 1/2 taza de yogur griego natural, 1/4 taza de mayonesa baja en grasa o sin grasa, 1 cucharada de cebolla roja picada, 1 cucharadita de ajo picado, 1 cucharadita de cilantro picado y una pizca de sal, azúcar y pimienta. Procese hasta que el aderezo esté suave. Vierta un poco sobre su ensalada favorita.

- Delicioso pesto de aguacate - Añada un puñado de hojas de albahaca, 2 paltas, 1/3 taza de piñones, 1/2 taza de queso parmesano rallado, 2 cucharadas de jugo de limón, 1 cucharada de ajo picado y una pizca de sal en un procesador de alimentos. Una vez que sus ingredientes estén finamente picados, vierta 1/2 taza de aceite de oliva virgen extra haga un puré. Mezcle con fettuccine.

- Desayuno tipo burrito - Revuelva 1 taza de claras de huevo. Coloque los huevos revueltos, queso rallado, trozos de aguacate, frijoles negros, y una cucharada de salsa en una tortilla, y enrolle.

- Ensalada griega de aguacate (palta) - Pique un pepino y 3 aguacates y combínelos con 1/3 de taza de queso feta y 1/2 cebolla roja cortada en rodajas finas. En un tazón separado, revuelva 1/2 taza de aceite de oliva, 1/2 taza de vinagre de vino tinto o jugo de limón fresco y 2 cucharaditas de ajo picado. Vierta lentamente sobre su ensalada y mezcle suavemente. Agregue sal y pimienta al gusto. Enfríe y sirva inmediatamente.

- Aguacate (palta) con queso derretido - Ponga capas de su queso favorito rallado y rodajas de aguacate en dos rebanadas de pan integral. Añada jalapeños picados para un toque de sabor extra. Cocine como un sándwich de queso a la parrilla regular.

2 vitaminas esenciales para salvar su cerebro

¿Qué obtiene cuando coloca sobre un bol de vegetales verdes unas tiras de pimientos rojos y un puñado de cogollos de brócoli? ¡Una ensalada que combate el accidente cerebrovascular! Eso es porque su tazón está lleno de las dos vitaminas que necesita para reducir su riesgo de sufrir un derrame.

Baje su riesgo de accidente cerebrovascular con vitaminas del complejo B. Un estudio de 20,000 adultos en China encontró que las personas con presión arterial alta que tomaron suplementos de ácido fólico junto con el medicamento para la hipertensión enalapril, redujeron su riesgo de accidente cerebrovascular más que las personas que tomaron enalapril solamente. Los que combinaron los dos también redujeron sus posibilidades de tener un accidente cerebrovascular isquémico y de sufrir una combinación de accidente cerebrovascular, infarto y muerte cardiovascular.

En una revisión de estudios de China, las personas que tomaron suplementos de vitamina B redujeron su riesgo de accidente cerebrovascular en un 7 por ciento. Los investigadores analizaron 14 estudios, que incluyeron a cerca de 55,000 personas para sacar sus conclusiones.

Los científicos dicen que las vitaminas B funcionan junto con fármacos que reducen la homocisteína. La homocisteína es un aminoácido que desencadena accidentes cerebrovasculares y ataques cardíacos cuando está presente en grandes cantidades.

Aumente sus vitaminas B comiendo una variedad de alimentos, incluyendo frijoles, pescado, lechosa, melón, vegetales verde oscuro y panes y cereales fortificados.

Salve su cerebro con vitamina C. Los investigadores franceses encontraron que las personas con deficiencia de vitamina C tienen un mayor riesgo de sufrir un accidente cerebrovascular hemorrágico, un tipo que causa sangrado en el cerebro. El accidente cerebrovascular hemorrágico es menos común que el isquémico, pero mucho más mortal.

Los expertos dicen que la vitamina C funciona bajando la presión arterial y manteniendo los vasos sanguíneos sanos.

Antes de empezar a tomar suplementos de vitamina C, tome nota. Los científicos dicen que necesitan hacer más investigación para ver si la vitamina C de los suplementos podría ayudar a prevenir el sangrado en el cerebro. Mientras tanto, obtenga su vitamina C de alimentos como espinacas, fresas, piña, tomates y calabaza de invierno - así como los cítricos.

7 maneras hábiles de reducir su riesgo de derrame cerebral

La adición de fibra a su dieta es más fácil y más sabrosa de lo que usted piensa - y usted disminuye sus posibilidades de tener un accidente cerebrovascular.

Un extra de 7 gramos de fibra agregada a su dieta diaria puede reducir su riesgo de accidente cerebrovascular en un 7 por ciento. Eso es lo que dice un estudio publicado en *Stroke*, una revista de la Asociación Americana del Corazón. Y un estudio chino de 500,000 personas muestra que comer fruta fresca diariamente redujo el riesgo de derrame en un 24 por ciento.

De hecho, cualquier cantidad de fibra extra en su dieta reducirá sus posibilidades de sufrir un accidente cerebrovascular y aumentará la salud de su corazón. Los expertos piensan que es porque la fruta y la fibra bajan la presión arterial, lo que significa menos riesgo de accidente cerebrovascular. Más aún, los alimentos ricos en fibra evitan que su cuerpo absorba el colesterol.

Formas rápidas y fáciles de comer más fibra

DOMINGO		vierta un paquete de 10 oz. de guisantes verdes en su sopa	14 gramos de fibra
LUNES		rocíe 2 cucharadas de peras y albaricoques secos picados en su cereal de desayuno o ensalada de la cena	4 gramos de fibra
MARTES		unte 2 cucharadas de humus en su bagel de desayuno o sándwich de almuerzo	2 gramos de fibra
MIÉRCOLES		pruebe un grano que nunca ha comida antes como ½ taza de amaranto, quinoa, cebada perlada	2.5 to 3 gramos de fibra
JUEVES		disfrute del dulce sabor de dos kiwis	4 gramos de fibra
VIERNES		meriende con 2 cucharadas de semillas de girasol	3 gramos de fibra
SÁBADO		cambie una taza de arroz por una taza de coliflor	2 gramos de fibra

Lea esto antes de tomar otra bebida

Beber demasiado puede conducir a un accidente cerebrovascular. Dos o más bebidas alcohólicas al día durante la mediana edad pueden aumentar su riesgo de accidente cerebrovascular más que desencadenantes más conocidos como la diabetes y la hipertensión, sugiere un estudio sueco.

El estudio siguió a más de 11,000 gemelos idénticos durante 43 años. Los bebedores empedernidos aumentaron su riesgo de accidente cerebrovascular en un 34 por ciento. Aquellos que bebieron mucho en sus 50s y 60s aumentaron su probabilidad de tener un accidente cerebrovascular cinco años antes, independientemente de otros factores de riesgo. De hecho, de los gemelos idénticos en el estudio, los que sufrieron un accidente cerebrovascular bebieron más que sus hermanos que no tuvieron un derrame.

¿Pero cuánto es demasiado? La Asociación Americana del Corazón sugiere un máximo diario de dos bebidas para los hombres y una para las mujeres. Una bebida equivale a 12 onzas de cerveza, 5 onzas de vino, o 1 1/2 onzas de licor fuerte.

Y no piense que puede tomárselo con calma durante la semana, y luego hacer fiesta el fin de semana. Además del accidente cerebrovascular, las mujeres que toman cuatro o más bebidas y hombres que beben cinco o más en menos de dos horas, corren el riesgo de intoxicación por alcohol, enfermedad hepática, daño nervioso y más.

PREPÁRELO

3 cortes rápidos y fáciles de fruta

Agregar fruta a sus recetas favoritas hace que sean más sabrosas y más saludables. Eche un vistazo a estos consejos rápidos que hacen muy fácil incluir fruta en sus comidas.

- ¿Quiere fresas perfectamente cortadas? Alcance su rebanador de huevo. Quite el tallo a sus fresas primero. Luego rebánelas como si fuera un huevo duro. Mucho más fácil que usar un cuchillo. Sin mencionar, que usted utiliza su rebanadora de huevos en algo más.

- Usted no necesita un descorazonador de piña para, pues, descorazonar la piña. Utilice un cortador de galletas pequeñas en su lugar. Primero, quite la piel. Luego rebane su piña en anillos. Por último, tome su cortador de galletas y presione en el centro de cada anillo. Debería separarse completamente.

- Deje de usar un tenedor para triturar sus plátanos para hacer una receta de pan o magdalenas. Un triturador de papas hará el trabajo mucho más fácil y más rápido.

Una buena razón para seguir comiendo queso

Parece que un poco de lácteos pueden hacer mucho por prevenir el accidente cerebrovascular. La gente en Taiwán que comió productos lácteos hasta siete veces a la semana disminuyó sus probabilidades de sufrir un derrame y de morir por enfermedad cardíaca, muestra un estudio de la Universidad de Monash en Australia. Los investigadores, que siguieron a cerca de 4,000 personas de 19 a 64 años de edad por tres años, también encontraron que las personas que no comieron ningún producto lácteo tuvieron una presión arterial más alta y una mayor grasa corporal - ambos factores de riesgo para el accidente cerebrovascular.

Los científicos piensan que son los nutrientes en los alimentos lácteos, especialmente las grasas, vitamina D, calcio, magnesio y proteínas, los que actúan como combatientes del derrame. No es sorprendente que combinar leche con otros alimentos nutritivos, como los cereales fortificados, también desencadene beneficios para la salud.

Los expertos recomiendan consumir leche una vez al día o poco menos de cinco porciones a la semana. Una porción equivale a una taza de leche o alrededor de 1 1/2 onzas de queso.

Bloqueo cerebral - la impactante razón por la que debe evitar este bocadillo

Amantes de los Mars Bars - tengan cuidado. La versión frita de su barra de chocolate favorita no sólo afecta a su cintura, sino que podría causar un accidente cerebrovascular.

Los hombres tuvieron menos flujo de sangre hacia sus cerebros sólo 90 minutos después de comer una barra de Mars Bars frita, dicen investigadores escoceses. Esta caída en el flujo sanguíneo está estrechamente asociada con el accidente cerebrovascular isquémico, el tipo de derrame que provoca un bloqueo al cerebro. Y aunque la caída no fue significativa, todavía cabe la pregunta - ¿vale la pena arriesgarse por una barra de chocolate de alto contenido de grasa, alto contenido de azúcar y 1,200 calorías? Probablemente no.

En su lugar, tome un pequeño trozo de chocolate. La gente que comió chocolate con regularidad bajó su riesgo de accidente cerebrovascular en 19 por ciento sobre los que comieron muy poco, sugiere un estudio publicado en Stroke, una revista de la Asociación Americana del Corazón. Comer 2 onzas de chocolate a la semana podría reducir su riesgo de accidente cerebrovascular en un 14 por ciento.

Problemas de estómago

11 maneras de calmar las náuseas

3 maneras de calmar su estómago con jengibre

Una planta de sabor fuerte con un aroma fuerte y picante no es algo que por lo general se asocie con el alivio de un estómago con problemas. Pero esta raíz en realidad puede ayudar a aliviar una serie de problemas de estómago. Si usted encuentra la raíz ligeramente dulce, picante de jengibre demasiado fuerte por sí sola, pruebe estas deliciosas maneras de incluir el jengibre en su dieta.

Mantenga la regularidad intestinal con el té del jengibre. Su estómago se mantiene ocupado. Y cuando está funcionando correctamente, ni siquiera piensa en ello. Pero cuando su sistema digestivo comienza a portarse mal- o a no funcionar- usted tendrá que actuar rápido para solucionar el problema. Un poco de jengibre puede ayudar.

Los productos químicos de gran alcance encontrados en el jengibre se reúnen en su tracto digestivo. Es por eso que el jengibre es tan eficaz en el tratamiento de los problemas de estómago. El jengibre provoca el movimiento, manteniendo su plomería interna trabajando sin problemas.

En un estudio, los científicos encontraron que 1,200 miligramos de jengibre son suficientes para estimular el tracto digestivo. La eficacia del jengibre en la prevención de vómitos se ha atribuido a su capacidad de prevenir, descomponer y deshacerse del gas intestinal. El jengibre también protege el revestimiento de su estómago de los daños.

Hacer té de jengibre es fácil, y se puede hacer de muchas maneras diferentes. Aquí hay una - ralle una cucharada de jengibre y póngalo en dos tazas de agua hirviendo. Apague el fuego y deje reposar durante 10 minutos.

Dele un toque diferente añadiendo miel, jugo de limón, hojas de menta fresca, o una raja de canela.

Calme sus problemas de viaje con caramelos. Nunca se sabe cuándo usted o un compañero de viaje puede tener mareos. El jengibre confitado es conveniente para los trastornos inesperados. Sólo tiene que meter unos cuantos en su cartera o bolso de viaje para mayor comodidad, sin importar dónde se encuentre. Puede comprarlos en las tiendas o hacerlos usted mismo. Para una receta fácil, eche un vistazo al recuadro Caramelos de jengibre para llevar en la página siguiente.

En un estudio, el jengibre funcionó mejor que la medicina común para los mareos por movimiento –Dramamine- al aliviar los síntomas de las náuseas. Otro estudio mostró los mismos resultados en personas que tomaron una cápsula que contenía medio gramo de polvo de jengibre al día para las náuseas y vómitos durante el embarazo. Tómelo en su próximo viaje en avión, crucero o viaje en automóvil.

> Pruebe el jengibre para poner fin a las náuseas postoperatorias. Los estudios muestran que al menos 1 gramo de jengibre es eficaz para reducir las náuseas y vómitos después de una operación. Cada cirugía es diferente, así que consulte con su doctor antes de probar el jengibre.

Las cápsulas también son convenientes, así que si escoge ir por esa vía, una cápsula de 250 miligramos hasta cuatro veces al día es una recomendación de muchos médicos.

Alivie la inflamación con vinagreta y jengibre. El estrés oxidativo puede causar inflamación, que puede irritar su panza. El jengibre tiene potentes antioxidantes que ayudan a reducir el estrés oxidativo combatiendo los radicales libres.

Los estudios demostraron que el jengibre es rico en zingibereno, bisaboleno, gingeroles y shogaoles - compuestos que tienen propiedades antioxidantes, anti-inflamatorias, y propiedades contra el cáncer.

El jengibre puede actuar como un anti-inflamatorio controlando los niveles de calcio que influyen en los químicos que intervienen en la inflamación.

Aquí tiene una manera simple de incluir el jengibre en su comida. Combine los siguientes ingredientes en una licuadora para un sabroso aderezo para ensaladas.

- 1/2 de aceite de oliva

- 1/4 taza de vinagre balsámico

- 2 cucharadas de salsa de soja baja en sodio

- 3 dientes de ajo, picados

- 2 cucharadas de miel o azúcar moreno

- 2 cucharadas de raíz fresca de jengibre troceada

- 1/4 taza de agua

- 1 cucharadita de aceite de sésamo tostado

HÁGALO

Caramelos de jengibre para llevar

El jengibre confitado es perfecto para cuando esté muy ocupado. Hágalo en casa, luego lleve algunos con usted para un rápido alivio de las náuseas.

- 1/2 libra de jengibre fresco

- 2 tazas de azúcar granulada

- 2 tazas de agua

Use una cuchara para pelar el jengibre, luego corte en rodajas finas. Ponga las rebanadas en una olla con suficiente agua para cubrir y lleve a ebullición.

Reduzca el fuego y cocine a fuego lento durante 30 minutos. Reserve 1/4 taza de líquido y escurra.

Ponga el azúcar, 1/4 de taza de líquido y las rebanadas de jengibre cocidas en la olla. Lleve a ebullición, reduzca el fuego y cocine a fuego lento durante unos 20 minutos, revolviendo constantemente. El agua se evaporará, y el sirup o jarabe de azúcar se cristalizará. Extienda las rebanadas de jengibre en una rejilla de enfriamiento. Una vez que se hayan enfriado, guarde las piezas en un recipiente hermético por hasta cuatro semanas.

Coma para superar el mareo

Es difícil de predecir, pero es la forma más rápida de arruinar unas vacaciones.

Mareo por movimiento. La sensación de náuseas que viene por oleadas en su estómago.

Usted siente las náuseas del mareo por movimiento cuando su oído interno detecta el movimiento, pero sus ojos no pueden notar que usted se está moviendo. Y si su oído interno no está en buena forma, usted podría estar sufriendo incluso cuando no está viajando.

Su equilibrio está determinado por los oídos internos, los ojos, los receptores de presión y los receptores sensoriales que informan a su sistema nervioso central cómo procesar la información.

Usted podría experimentar el mareo por movimiento cuando su sistema nervioso central recibe mensajes conflictivos - imagine a su jefe, a su mamá, y a su mejor amigo, todos diciéndole que haga una cosa diferente- al mismo tiempo.

Esto es lo que puede suceder cuando lee en el automóvil. Sus ojos están mirando un objeto fijo, diciéndole a su cerebro que está sentado todavía, pero su oído interno está sintiendo movimiento.

Su oído interno está formado por pequeñas partes que regulan la presión y controlan la dirección del movimiento. Si algo está mal con cualquiera de estas partes, puede tener problemas de equilibrio que conducen a síntomas como náuseas y vómitos - así como mareos. Ciertos nutrientes pueden apoyar a su oído interno para que pueda combatir la fuente en lugar de los síntomas.

Amontone vegetales de colores. El magnesio es un mineral esencial que desempeña muchos papeles en su cuerpo. Los primeros signos de deficiencia de magnesio incluyen pérdida del apetito, náuseas, vómitos, fatiga y debilidad. Una deficiencia también puede sobre-estimular su nervio auditivo - las fibras nerviosas que llevan la información de su oído interno a su cerebro.

Los estudios muestran que una mayor ingesta de magnesio, vitamina E, vitamina C, y beta caroteno ayuda a proteger contra el estrés oxidativo y preservar las células en los oídos internos. Para obtener estos nutrientes, coma vegetales de colores como brócoli, espinacas, pimientos rojos dulces y camotes.

Tenga un poco de yogur y queso. El magnesio trabaja de la mano con otro nutriente importante - el calcio. Si usted tiene una deficiencia de magnesio, eso puede desprender canales de calcio en las células de su oído interno y sobre-estimular partes de su nervio auditivo que recibe señales.

Los científicos creen que los niveles bajos de calcio podrían ser una posible fuente de problemas del oído interno. El calcio tiene un papel importante en el oído interno, transportando información sobre el sonido, el movimiento y la gravedad. Usted puede encontrar calcio en el queso, el yogur, la leche, así como alimentos no lácteos como vegetales verdes y cereales fortificados.

Radiografía del mareo por movimiento: qué comer antes de viajar

¿Alguna vez se preguntó si es mejor para su estómago si come algo antes de un gran viaje? Resulta que puede ser lo que usted está comiendo lo que hace la diferencia.

La investigación muestra que una bebida líquida de alta proteína es mejor que una bebida líquida de alto contenido en carbohidratos para reducir las náuseas. En un estudio, la gente tomó una bebida alta en carbohidratos, una bebida de alta proteína, o nada antes de ser expuesto a un tambor giratorio para simular el mareo. Los síntomas fueron más severos en el grupo que no bebió nada y menos grave en el grupo de las proteínas.

Los expertos están de acuerdo en que es importante evitar la comida picante o con mucha grasa. En su lugar, coma alimentos ligeros, bocadillos de proteínas, como yogur descremado o *trail mix*, cuando viaja.

INTOXICACIÓN ALIMENTARIA

¿Qué comidas favoritas lo ponen en riesgo?

Las bacterias y virus dañinos podrían estar al acecho en su comida. Conocer la mayoría de las fuentes comunes de enfermedades transmitidas por los alimentos puede ayudarle a mantener a su familia a salvo.

Causas principales de intoxicación alimentaria

Salmonella
Huevos, aves, carne, leche o jugos no pasteurizados, queso, frutas y vegetales crudos contaminados

Norovirus
Productos frescos crudos, agua potable contaminada, alimentos crudos, mariscos de aguas contaminadas

Campylobacter
Aves crudas y mal cocidas, leche no pasteurizada, agua contaminada

E. coli
Carne mal cocida, leche y jugos no pasteurizados, frutas y vegetales crudos y agua contaminada

Listeria
Leche no pasteurizada, queso blando hecho con leche no pasteurizada, comidas de dieta listas para comer

Clostridium perfringens
Carnes. aves, salsas, alimentos secos o pre cocidos

Las 10 comidas más riesgosas

Vegetales con hoja

Huevos

Atún

Ostras

Papas

Queso

Helado

Tomates

Brotes

Bayas

Evite la intoxicación alimentaria con 2 hierbas mágicas

Cree que nunca le pasará a usted. Pero cada año, una de cada seis personas sufre algún tipo de enfermedad transmitida por los alimentos. Con probabilidades como esas, es importante hacer todo lo posible para mantener a su familia segura. Por suerte, los científicos han descubierto dos héroes - una especia y una hierba - que tienen el poder de detener la E. coli completamente.

Mientras que algunos tipos de *Escherichia (E.) coli* viven en el intestino de personas perfectamente sanas, las cepas - como *E. coli O157: H7* - pueden causar calambres, diarrea y vómitos. Usted puede contraer E. coli de agua o alimentos contaminados. Los vegetales crudos y carne molida poco cocidas son los culpables más comunes. Los químicos presentes en ciertas especias y hierbas, sin embargo, matan a la bacteria antes de que pueda pasar de su boca.

El ingrediente secreto de la canela. La canela tiene una larga historia en la cocina y medicina tradicional. Su corteza se utiliza para hacer polvos, cápsulas, tés y extractos líquidos. El cinamaldehído es el componente más activo en la lucha contra las bacterias en el aceite esencial de canela y es especialmente activo contra *E. coli* y *Salmonella*.

La mayoría de los estudios utilizan aceite esencial de canela de Ceilán o chino, pero la canela indonesia es más común en los Estados Unidos y más fácil de encontrar en las tiendas. Estos estudios demuestran cómo la canela daña la membrana celular de *Escherichia coli* y reduce el número de bacterias dañinas en los alimentos.

Los resultados mostraron significativamente menos bacterias al añadir canela a todo tipo de alimentos, incluyendo carne y jugos de frutas. Aunque los investigadores aún no han recomendado una cantidad de canela para mezclarla con los alimentos, dicen que el aceite de canela tiene potencial en el envasado y procesamiento de alimentos.

La poderosa mostaza al rescate. La mostaza es una de varias hierbas de la familia de las plantas de mostaza, originadas en el Mediterráneo. Los compuestos encontrados en polvo de mostaza destruyen a *E. coli*. Aunque el polvo de mostaza tarda mucho tiempo en matar las bacterias en alimentos como la carne molida, es efectiva en embutidos secos-fermentados. Y no se necesita mucho polvo de mostaza para acabar con las bacterias dañinas.

"Durante un período de dos a tres semanas", dice el Dr. Rick Holley, un Profesor de la Universidad de Manitoba que ha estado estudiando los efectos de la mostaza durante años ", esencialmente eliminar *E. coli O157: H7* y otras **E. coli** toxigénicas de las carnes que se utilizan para fabricar estos embutidos secos. "Si usted se toma con seriedad el trabajo de hacer salchichas tradicionales, el polvo de mostaza es algo en lo que debería profundizar.

5 errores mortales que está cometiendo en la cocina

La mayoría de las personas son conscientes de lo fácil que es para las bacterias contaminar los alimentos durante el procesamiento o en restaurantes, pero el 25% de las enfermedades transmitidas por los alimentos empiezan realmente en casa. Aquí están algunos de los errores más comunes de manipulación de alimentos. Mantenga sus alimentos seguros y su tracto digestivo saludable evitando estos errores en la cocina.

Cocinar a la temperatura equivocada deja material bacteriano que sobrevive. Usted no puede ver las bacterias que viven en su alimento por lo que puede ser difícil saber si su comida es segura para comer. La forma más fácil de asegurarse de que su comida se cocina adecuadamente es utilizar un termómetro. Siga estas temperaturas de cocción sugeridas por el Departamento de Agricultura de los EE.UU.

Producto	Temperatura (°F)	Tiempo de reposo
Res, cerdo, ternera, cordero	145	3 minutos
Carnes molidas	160	-
Jamón	145	3 minutos
Aves	165	-

Almacenar a la temperatura equivocada proporciona un hogar confortable para los gérmenes. Mantener los alimentos en la zona de temperatura peligrosa - entre 40 a 140 grados - fomenta el crecimiento bacteriano. Usted querrá asegurarse de que los alimentos fríos se mantengan fríos y los calientes se mantengan calientes. Fije su refrigerador en o por debajo de 40 grados F y su congelador en o por debajo de 0 grados.

Almacenar sobras incorrectamente le pone en riesgo. Puede hacer que su alimento se enfríe más rápido poniéndolo en envases poco profundos. No deje su comida fuera por más de dos horas, y asegúrese de comer sus sobras en un plazo de cuatro días.

Descongelar comida en su encimera conduce a la incertidumbre en seguridad alimentaria. Si usted descongela su comida en su mesón, no puede controlar el ambiente. Descongele los alimentos congelados en el refrigerador en lugar de hacerlo a temperatura ambiente para que sepa que estará por debajo de la zona de temperatura peligrosa en todo momento.

La reutilización de los utensilios de cocina aumenta las posibilidades de contaminación cruzada. Mantenga su carne y sus productos frescos separados, desde que los compre hasta que los almacene y los cocine. Aquí hay algunos consejos para evitar la contaminación cruzada.

- Cuando prepare su comida, use tablas de corte de colores diferentes - uno para carnes y uno para verduras.

- Nunca coloque las hamburguesas cocidas en el plato que utilizó para las hamburguesas crudas. Tampoco querrá utilizar el mismo cuchillo o plato.

- Si desea usar el adobo como una salsa después de marinar su carne, hiérvalo para matar los gérmenes.

Pollo orgánico: ¿le protegerá de las bacterias mortales?

Pollo orgánico. Carnes naturales. Aves de corral. Por todas partes, las empresas están haciendo publicidad a un pollo "más seguro, más nutritivo". Pero ¿el pollo orgánico realmente ayudará a mantener a su familia más sana?

La carne orgánica tiene algunas cosas que valen la pena. Se dice que las prácticas culturales son más favorables al medio ambiente puesto que los agricultores deben seguir ciertas reglas con respecto al uso de pesticidas y antibióticos. Debido a esto, el consumo de aves de corral orgánicas puede disminuir su exposición a ciertos plaguicidas y bacterias resistentes a los antibióticos. Pero eso no significa que esté completamente a salvo de la contaminación ambiental.

El pollo es un alimento de alto riesgo, tanto el orgánico como el convencional. En una revisión de 12 años de investigación, los científicos descubrieron que la gente alertó a los Centros para el Control de Enfermedades por más brotes bacterianos causados por el pollo que por cualquier otra carne o producto de aves de corral. Entre los brotes, *Salmonella* y *Clostridium perfringens* fueron los más comunes.

De los tres lotes probados en un estudio publicado en la *Revista de Protección Alimentaria*, el 60 por ciento de los pollos tenían Salmonella. Comer pollo orgánico tampoco reduce el riesgo de *E. coli* mortal. Los científicos advierten que usted no debe asumir que las condiciones de la granja u orgánicas evitarán que el pollo se contamine.

En conclusión - las aves crudas orgánicas no son necesariamente más seguras que otras aves de corral. Así que compre pollo orgánico si usted piensa que está obteniendo carne de mejor calidad. Pero asegúrese de tomar todas las precauciones habituales, para proteger a su familia de las bacterias dañinas que puede transportar.

Bichos malos que desea evitar a toda costa

La gripe estomacal, la diarrea del viajero, la intoxicación alimentaria - todos son nombres comunes de la gastroenteritis, una infección que ataca a su tracto digestivo. Los culpables nocivos incluyen virus, bacterias y parásitos y pueden aparecer en cualquier parte. Protéjase al ser consciente de los peores delincuentes y dónde se encuentran esperando para atacar.

Fuente	Organismo Dañino
Agua contaminada	Campylobacter jejuni, Escherichia (E.) coli, Entamoeba histolytica, virus Norwalk, Giardia, Criptosporidiosis
Alimentos contaminados	Entamoeba histolytica, virus Norwalk
Leche cruda	Campylobacter jejuni, Escherichia (E.) coli, Listeria monocitógenos, Salmonela
Carne cruda o poco cocida, aves, huevos a mariscos	Campylobacter jejuni, Escherichia (E.) coli, Listeria monocitógenos, Salmonela, Vibrio parahemolyticus, Virus Norwalk
Ajo en aceite, alimentos mal conservados, alimentos envasados al vacío y envueltos	Clostridium botulinum
Juego de manzana o sidra sin pasteurizar	Escherichia (E.) coli
Frutas y vegetales sin cocinar, vegetales frondosos crudos	Listeria monocytogenes, Escherichia (E.) coli
Queso blando, helado procesado inapropiadamente	Listeria monocitógenos
Productos lácteos	Salmonela
Alimentos dejados por largos períodos en mesas de vapor o a temperatura ambiente	Clostridium perfringens
Procesamiento o manipulación inadecuada de alimentos	Shigella, Estafilococo aureus
Manos sin lavar de personas que tienen el virus, compartir comidas, bebidas o utensilios con personas infectadas	Astrovirus, Rotavirus
Contacto de persona a persona	Virus Norwalk, Giardia, Criptosporidiosis

Elimine las molestias estomacales de forma natural

Si le empujaran a un reality show donde tiene que sobrevivir en la naturaleza, es bueno saber que podría pasar semanas sin comida - especialmente si no tiene absolutamente ninguna habilidad de supervivencia. Pero usted no duraría mucho sin agua. El agua es quizás el nutriente más esencial en su cuerpo y es particularmente importante para la buena digestión - y una panza tranquila.

El H2O mantiene todo funcionando. Su cuerpo no puede absorber todos los nutrientes que necesita si usted no tiene un sistema digestivo fuerte y funcional. El agua ayuda a transportar los alimentos a través de su tracto digestivo y también ayuda a descomponerlos para que su cuerpo pueda absorber los nutrientes.

El agua también juega un papel importante en la eliminación de los residuos. Créalo o no, usted puede perder fácilmente de dos a tres cuartos de galón de agua al día sólo a través de la respiración, la sudoración y el uso del baño. Si usted no repone eso, terminará deshidratado. Entonces su colon robará el líquido de las heces que pasan para tratar de mantener su cuerpo en equilibrio. ¿El resultado? El incómodo - tal vez incluso doloroso - estreñimiento.

Los líquidos son exactamente lo que el médico ordenó. Si usted está enfermo por intoxicación alimentaria, gripe o simplemente una indigestión, el agua debería ser parte de su plan de recuperación. El agua potable es crítica durante episodios de diarrea y vómitos, ya que ayuda a restaurar los líquidos perdidos.

Y si usted come un mal taco en el almuerzo, el agua puede ayudar aliviar su malestar estomacal eliminando los gérmenes ofensivos. Así que incluso si tiene náuseas, trate de beber líquidos claros, incluyendo el agua, tan a menudo como sea posible durante todo el día.

Úlceras

Soluciones rápidas para acabar con el sufrimiento

Cambie a un desayuno que sea amigable con su estómago

Tocino crujiente, tostadas con mantequilla, un tazón grande de su cereal favorito. El desayuno nunca había sido tan interesante - o había sabido tan bien. Pero si usted tiene una úlcera, sólo pensar en el chisporroteo del tocino o el de la leche fría puede hacerle temblar. Ciertos alimentos pueden irritar un estómago sensible. Cambie a un desayuno que combate la causa más común de las úlceras y es suave con su estómago.

Los científicos alguna vez pensaron que el estrés y los alimentos picantes causaban las úlceras. Ahora saben que la bacteria *Helicobacter pylori* (*H. pylori*) es la culpable de más de la mitad de las úlceras pépticas - úlceras que se forman en su esófago, estómago o primera parte de su intestino delgado. H. pylori debilita el revestimiento que protege el estómago y los intestinos de los ácidos, lo que puede provocar daños.

Aunque su desayuno no causará que se desarrollen las úlceras, las puede agravar. Comer alimentos probióticos como el yogur puede ahorrarle molestias y acelerar el proceso de curación.

Los probióticos eliminan las bacterias malas de su intestino. Aunque los antibióticos para el tratamiento de *H. pylori* suelen ser eficaces, también matan las bacterias buenas, y a menudo causan efectos secundarios, como diarrea. Los probióticos ayudan al equilibrar los microbios en su intestino y a reponer las bacterias buenas.

Muchos estudios coinciden en que el tratamiento con probióticos es eficaz para reducir *H. pylori* y la inflamación estomacal asociada. Los probióticos utilizados en estudios recientes incluyen cepas de *Lactobacillus* y *Bifidobacterium*, y en un estudio, *Streptococcus thermophilus*. Estas cepas también se pueden encontrar en muchos yogures.

Coma durante su viaje a un estómago más sano, un yogur parfait. Los estudios clínicos encontraron que el yogur que contiene ciertas cepas de *Lactobacillus* mejora la inflamación causada por *H. pylori*. Un estudio de casi 500 personas sanas reveló que había menos *H. pylori* en los que comían yogur más de una vez por semana en comparación con los que no comieron ninguno.

Los probióticos trabajan contra *H. pylori* produciendo agentes que combaten las bacterias y antioxidantes. Pueden cambiar el pH de su estómago, proporcionando condiciones desfavorables para las bacterias. Ellos también pueden estimulan la producción de moco, que actúa como una barrera para proteger el revestimiento de su estómago.

El yogur proporciona un desayuno destructor de úlceras con sus probióticos, pero también tiene nutrientes que ayudan a mantener su estómago fuerte. El yogur contiene los antioxidantes vitamina C y zinc, que tienen propiedades anti-úlceras y propiedades anti-inflamatorias.

Un parfait no estaría completo sin fruta y coberturas. Las fresas y los arándanos tienen fibra y vitamina C, y las almendras y la avena en copos contienen fibra y vitamina E.

La fibra ayuda a mantener su sistema digestivo funcionando sin problemas, y los estudios muestran que es eficaz en la prevención de algunas úlceras. Las vitaminas C y E ayudan a curar las úlceras, posiblemente al aumentar la efectividad de los antibióticos.

Cuando compre yogur, busque los probióticos específicos en la lista de ingredientes o el sello "Cultivos Vivos & Activos" para asegurarse de que obtendrá los beneficios de los probióticos. Este sello significa que el yogur contiene *Lactobacillus bulgaricus* y *Streptococcus thermophilus*.

PREPÁRELO

Muesli de bayas para la noche

Nadie quiere despertar por la mañana y buscar comida que sea suave para su estómago pero agradable a sus papilas gustativas. Buenas noticias - puede hacer muesli la noche antes y tener un desayuno sin problemas.

El muesli es un cereal que se originó en Suiza. Usualmente contiene avena, nueces y frutas. Esta receta utiliza yogur para ablandar la avena y hacer el plato cremoso y delicioso.

- 3/4 taza de yogur natural

- 1/2 copa de avena en copos

- 1/2 taza de arándanos rojos o fresas en rodajas

- 1 cucharada de almendras picadas

Para preparar la noche anterior, revuelva el yogur y la avena en un tazón mediano, luego cubra y refrigere durante la noche - por lo menos 8 horas.

Cuando usted esté listo para comer, mezcle las bayas y cubra con almendras.

Una manera jugosa de apagar el fuego

Usted está comiendo todos los alimentos correctos, pero su estómago todavía está en un estado de protesta. ¿Qué está haciendo mal? Quizás la respuesta está en su taza. Si no presta atención a lo que bebe, usted podría estar empeorando sus úlceras.

Las bebidas como la leche y el jugo de frutas ácidas pueden irritar su estómago. Cambie estas bebidas por el jugo de arándano para aliviar el malestar y combatir las úlceras.

La leche fue una vez un remedio popular para las úlceras porque proporciona alivio temporal recubriendo el revestimiento del estómago. Pero la leche también estimula la producción de ácidos estomacales, lo que agrava las úlceras. Los jugos ácidos como el jugo de naranja y el jugo de toronja también pueden irritar su estómago.

Los arándanos rojos son conocidos por su papel en la prevención de infecciones del tracto urinario y enfermedades de la vejiga, pero algunos estudios muestran que también combaten la bacteria *Helicobacter pylori* (*H. pylori*), una causa conocida de las úlceras. El jugo de arándano detiene las células necesarias para el crecimiento de *H. pylori* y evita que las bacterias se peguen al revestimiento del estómago.

En un estudio, las personas bebieron 8 onzas de jugo de arándanos rojos u otra bebida durante 90 días. El jugo de arándano suprimió a H. pylori en el 14 por ciento del grupo de arándanos frente al 5 por ciento en el otro grupo.

El jugo de arándanos rojos también tiene vitaminas C y E. Cuando se agregan a la terapia estándar para las úlceras, estas vitaminas aceleran el proceso de curación.

Cuando compre jugo de arándano, evite los cócteles. El cóctel de jugo de arándano es sólo de 26 a 33 por ciento jugo puro de arándano y es endulzado con fructosa o un edulcorante artificial.

Haga una fiesta de fibra para combatir las úlceras

La hora del almuerzo puede ser un punto doloroso si a usted se le forma una úlcera, pero tenerlas no significa que usted tiene que conformarse con una dieta suave. Sea creativo: una ensalada rica en fibra llena de sus frutas y verduras favoritas es una comida que sirve de defensa contra las úlceras.

Aunque la fibra no curará una úlcera, puede mantener su panza más feliz ayudando a los alimentos a moverse en su intestino. Una digestión lenta junto con *H. pylori* ayuda a que se formen las úlceras.

Un estudio canadiense mostró que la fibra tiene efectos protectores contra las úlceras en el intestino delgado superior, también conocido como úlcera duodenal.

La fibra soluble, abundante en las leguminosas, es de lo más efectiva disminuyendo su riesgo. Las legumbres incluyen frijoles secos y guisantes, cacahuetes y lentejas.

También presente en la avena, cebada, frutas y vegetales, la fibra soluble atrae el agua de su tracto digestivo. Esto ralentiza el proceso digestivo, asegurándose de que usted no obtenga demasiado de ciertos nutrientes como el almidón y el azúcar.

La fibra insoluble se encuentra en las frutas y vegetales, especialmente en la piel y en los granos enteros. Acelera la digestión, actuando como un laxante natural.

Para la salud digestiva, los médicos recomiendan 25 a 30 gramos de fibra al día, pero el estadounidense promedio recibe sólo la mitad de esto. Para dejar colar más fibra en su dieta, eche un vistazo a esta receta para una ensalada de camote (*batata*) y frijoles negros. Una taza de camote (*batata*) contiene 8 gramos de fibra, y una taza de frijoles negros tiene más de 12 gramos.

COCÍNELO

Ensalada de camote asado y frijoles negros

Es la hora del almuerzo de nuevo, lo que significa que es la segunda ronda para sus úlceras. Complazca a su estómago con una comida deliciosa cargada con fibra. También tiene el impulso adicional del aceite de oliva. Según estudios, el aceite de oliva ayuda a curar las úlceras y combate la inflamación.

- 2 camotes grandes, cortadas en trozos de 1 pulgada
- 1 lata de frijoles negros, enjuagados y escurridos
- 1 cucharada de aceite de oliva

Caliente el horno a 375 grados. Mezcle los trozos del camote con el aceite de oliva y sus condimentos favoritos. Hornee hasta que esté tierna, unos 15 minutos. Deje enfriar. En un recipiente, combine las camotes y los frijoles. Sirva encima de sus vegetales verdes favoritos. Porciones 4.

Cambie su infusión matutina para bloquear el dolor de estómago

Más de la mitad de los adultos estadounidenses toman café todos los días. Pero el café, tanto con cafeína como el descafeinado, estimula la producción de ácido y puede agravar su estómago, causando irritación e inflamación.

La gastritis es la inflamación del revestimiento del estómago, a menudo causada por una infección por Helicobacter pylori. Si no se trata, la gastritis puede producir úlceras y, en algunos casos, cáncer de estómago. Sus posibilidades de sufrir de gastritis crónica o infección por *H. pylori* aumentan a medida que envejece, pero usted puede cambiar fácilmente su café de la mañana por un té verde que combate la gastritis para reducir su riesgo.

Esto es lo que encontraron los estudios.

- Los bebedores de té verde tenían un menor riesgo de desarrollar gastritis o cáncer de estómago.

- Demasiados radicales libres en su cuerpo promueven la inflamación. Los polifenoles antioxidantes contenidos en el té verde eliminan los radicales libres, evitando la inflamación.

- Estudios en ratones muestran que beber té verde antes de tener una infección previene la inflamación y el daño al revestimiento del estómago, mientras que beberlo después de disminuye los efectos de la gastritis.

- Se asociaron altas cantidades de la bebida con la prevención de la gastritis crónica. La gente en el estudio bebió 10 tazas, pero tenga cuidado con cuánto bebe. Demasiada cafeína puede causar efectos secundarios no deseados, incluyendo ansiedad y latidos irregulares del corazón. Usted tampoco querrá beber té verde con el estómago vacío porque el ácido tánico podría causar irritación estomacal, náuseas, vómitos y daño hepático.

Planificación fácil de comidas anti-úlceras

Algunos alimentos pueden llevarle de mal en peor cuando tiene una úlcera. Alimentos muy condimentados y ricos en grasa pueden irritar su estómago, pero estos vegetales pueden sanar. Y son fáciles de recordar, sólo piense en las letras "ABC". Trocee sus vegetales, agregue un poco de sabor, y haga un salteado para unir todo. Obtendrá una gran comida que le ayudará a combatir las úlceras y evitar que regresen.

Las alcachofas sanan un intestino dolorido. Las alcachofas tienen una larga historia tratando condiciones como náuseas e indigestión. Estudios recientes confirman el potencial de lucha contra las úlceras de las alcachofas. Ellas estimulan la producción de moco estomacal, que protege el revestimiento.

Las alcachofas protegen contra las úlceras de otra manera - la fibra. Ayuda a mantener su sistema digestivo funcionando sin problemas. Media alcachofa contiene más del 40 por ciento de su valor diario recomendado de fibra.

Una vez que sabe cómo prepararlas, las alcachofas no son tan aterradoras. Las alcachofas enlatadas son la forma más fácil, pero no querrá comprar sólo corazones de alcachofa porque se perderá de todos los grandes beneficios que las hojas tienen para ofrecer.

Si desea utilizar alcachofas frescas, siga estos cuatro sencillos pasos.

- Corte los tallos y la primera pulgada del cogollo.

- Quite las hojas exteriores duras hasta que alcance las hojas suaves de color verde pálido.

- Corte las alcachofas por la mitad, longitudinalmente, y quite la parte que está por encima del corazón, de aspecto rizado.

- Revuelva las alcachofas con el resto de sus verduras.

Derrote las bacterias malas con brócoli lleno de vitamina. Los estudios muestran que el sulforafano, una sustancia química que se encuentra en el brócoli y sus brotes ayuda a destruir *H. pylori*. Agregar vitaminas C y E a su terapia para las úlceras también puede ayudar a su cuerpo a luchar contra *H. pylori*.

En un estudio reciente, las personas tomaron 500 miligramos de vitamina C y 200 UI (unidades internacionales) de vitamina E dos veces al día durante 30 días con buenos resultados.

Los científicos piensan que estas vitaminas aceleran el proceso de curación al aumentar la eficacia de los antibióticos, minimizar el daño estomacal y fortalecer su sistema inmunológico.

Las frutas son famosas por su vitamina C, pero no se olvide de los vegetales. Muchos también están cargados de vitamina C y son menos ácidos. Una taza de brócoli contiene 135 por ciento de la vitamina C que usted necesita cada día y 4 por ciento del valor diario de vitamina E. El brócoli también es una fuente de vitamina A y fibra.

> A pesar de lo que pueda haber oído, usted puede usar aceite de oliva para saltear. Solo asegúrese de que sea aceite de oliva estándar o puro - no virgen o extra-virgen. El aceite de oliva tiene propiedades antiinflamatorias y protege contra los fármacos antiinflamatorio no esteroideos (AINE) relacionados con las úlceras.

La col obtiene un A+ en la curación del estómago. En los primeros estudios, los científicos notaron una conexión entre el jugo de repollo y las úlceras pépticas. Hoy, la investigación apoya la teoría de que la col ayuda a detener el daño estomacal causado por las úlceras. Una forma de hacerlo es a través del sulforafano, que aniquila a *H. pylori*.

Los científicos también han sugerido que la vitamina A ayuda a prevenir que las úlceras se formen en su intestino delgado superior. La col cocinada tiene 20 por ciento del valor diario de vitamina A. También es una excelente fuente de vitamina C y fibra.

Haga que su barriga se sienta mejor y a sus papilas gustativas más felices. El jengibre y el ajo irritan el estómago de algunas personas, pero si a usted no le molestan, recurra a ellos para una protección extra.

- El jengibre puede espesar el revestimiento del estómago, reducir la acidez, y reducir las úlceras causadas por la aspirina. Los químicos que se encuentran en el jengibre parecen tener efectos anti-inflamatorios y propiedades antioxidantes.

- La alicina lucha contra las bacterias, incluyendo H. pylori. Se puede encontrar en el aceite o polvo de ajo, pero no en el ajo fresco hasta que es machacado. Un diente de ajo de tamaño mediano será suficiente.

Estos tres vegetales pueden hacer que algunas personas tengan gases. Para minimizar los gases y ayudar con la digestión, coma despacio y mastique los alimentos a fondo. Si es necesario, puede tomar enzimas digestivas como Beano que ayudan a que su cuerpo digiera los alimentos.

ALMACÉNELO

3 vegetales que está almacenando mal

Mantenga sus vegetales frescos conociendo la mejor manera de almacenarlos.

- Alcachofas. Puede mantener las alcachofas húmedas rociando unas gotas de agua sobre ellas antes de almacenar en una bolsa de plástico en su refrigerador. No las enjuague o recorte antes de guardarlas.

- Brócoli. El brócoli refrigerado puede durar hasta una semana, pero puede extender su vida y revivir el brócoli cortando el tallo y colocándolo en una pulgada de agua en su refrigerador durante la noche.

- Repollo. Coloque la col en una bolsa de plástico en su refrigerador. Una vez que corte la cabeza del repollo, perderá su frescura y contenido de vitamina C rápidamente, así que asegúrese de comerlo dentro de unos cuantos días después de cortarlo. Una vez cortado, puede envolverlo para conservar la vitamina C.

La miel puede curar su dolor de vientre

Tener una úlcera estomacal no significa que tenga que negarse un dulce. Usted puede endulzar sus golosinas con el alimento que tiene a los científicos hablando de él - la miel de Manuka. Una dieta rica en azúcar puede hacer que su estómago produzca más ácido que irrita a las úlceras. La miel es más suave en su estómago, y es más gruesa y más dulce así que puede usar menos. Disfrute del sabor y deje que sus nutrientes le curen de adentro hacia afuera.

Estudios muestran que la miel de Manuka es un tratamiento prometedor para las úlceras estomacales. Mata a Helicobacter pylori, la causa más común de úlceras. Los científicos creen que la miel promueve la curación, crecimiento del tejido, y actúa como un anti-inflamatorio.

La miel cruda también contiene grandes cantidades de compuestos tales como flavonoides y otros polifenoles, potentes antioxidantes. En un estudio de animales, la miel redujo el número de úlceras y protegió el revestimiento del estómago.

Cuando utilice la miel para la cicatrización de heridas, asegúrese de usar miel de calidad. Es mejor para combatir las bacterias. La miel de Manuka viene de Nueva Zelanda y es una de las mieles de mayor calidad. Es bastante cara, y se puede comprar en línea. Descubra más sobre la miel de Manuka para la curación de heridas en el capítulo *Enfermedades de la piel y pérdida de cabello*.

Problemas urinarios

Esquive los peligros con súper alimentos

3 maneras naturales de controlar una vejiga con fugas

Si tiene problemas con la incontinencia, sabe lo estresante que puede ser no saber si obtendrá más de lo que esperaba cada vez que salga de casa. Aquí hay tres maneras naturales de asegurarse de no "ir" inesperadamente cuando está en movimiento.

Dependa de la vitamina D para fortalecer los músculos. La incontinencia no es sino impredecible. Usted puede perder el control de la vejiga al doblarse para plantar flores en su jardín, al reírse de algo que sus nietos dijeron, o simplemente estornudar. El parto, la obesidad y el envejecimiento contribuyen a debilitar los músculos pélvicos. La vitamina D podría ser justo el caballero de brillante armadura para sus músculos.

La vitamina D fortalece los músculos y le da a la vejiga una mejor posibilidad de mantenerse fuerte bajo presión. Un estudio, que utilizó datos de la Encuesta Nacional de Exámenes de Salud y Nutrición (NHANES, por sus siglas en inglés), vinculó niveles más altos de vitamina D con un menor riesgo de trastornos del suelo pélvico en mujeres.

El Comité Federal de Alimentación y Nutrición recomienda 600 unidades internacionales (UI) de vitamina D para personas de hasta 70 años de edad y 800 UI para los mayores de 70 años. Una de las mejores fuentes de vitamina D es el pescado, teniendo el bagre, el arenque, el salmón, la trucha, el halibut y la caballa los más altos niveles. Por ejemplo, una porción de 3 onzas de salmón rosado enlatado contiene alrededor de 530 UI de vitamina D.

Limite la grasa saturada para mantener su vejiga bajo control. Bistec, tocino, galletas con mantequilla - ¿son estos alimentos tentadores una parte regular de su dieta? Si es así, usted es como la mayoría de la gente que come muchas grasas saturadas en comparación con la grasa poli-insaturada. Y eso podría ser uno de sus problemas.

En un estudio de 2,060 mujeres, los científicos encontraron que las mujeres que comían más de dos veces la cantidad de grasa saturada que de grasa poli-insaturada tenían más probabilidades de sufrir incontinencia urinaria. Y mientras más alimentos grasos comían, más grave era su incontinencia.

Los investigadores piensan que sobrecargar su dieta con grasas saturadas puede contribuir a la inflamación de la vejiga, una causa de incontinencia de urgencia. Alimentos como carne de res, cerdo, queso, leche entera, mantequilla y aceite de palma son altos en grasa saturada, así que trate de limitarlos. Al mismo tiempo, balancee sus comidas y aperitivos con alimentos con grasas poli-insaturadas como los pescados grasos, la linaza, las nueces y las semillas de girasol.

Beba más agua para tener menos fugas. "Si no bebo mucha agua, no tendré que correr al baño tan seguido". Esta forma de pensar parece tener sentido, pero puede empeorar sus síntomas, dicen los expertos. De hecho, usted podría terminar con constipación, irritación de la vejiga o una infección.

Beber suficiente agua hará su orina menos concentrada, lo cual reduce la irritación y la urgencia. Además, disminuirá el olor si ocurre un accidente. Trate de beber al menos seis tazas de líquidos a diario. Si usted es propenso a tener accidentes en la noche, no beba nada entre dos y cuatro horas antes de ir a la cama.

Perder peso es una manera probada de mejorar la incontinencia. El peso extra puede ejercer presión sobre su vejiga, aumentando sus posibilidades de fugas. Es por eso que los expertos recomiendan perder de 5 a 10 por ciento de su peso corporal si tiene sobrepeso.

5 bebidas que molestan su vejiga

¿Siempre tiene prisa por ir al baño en todos los sitios a dónde va? Un simple cambio dietético podría transformar la manera en que hace sus compras, cena fuera y visita a sus amigos.

Simplemente elimine estas bebidas irritantes para la vejiga que hacen que se llene rápido. Luego puede volver a tomarlas una por una para averiguar qué bebidas deben permanecer en su lista prohibida.

- El café con cafeína es un diurético, que le hace ir con más frecuencia. Si no puede vivir sin su taza diaria de café, limítese a menos de 2 tazas.

- El alcohol también actúa como diurético y puede interferir con control de la vejiga.

- Los jugos de frutas ácidas, incluido el jugo de arándano, irritan la vejiga.

- Las gaseosas contienen dióxido de carbono y endulzantes artificiales, ambos irritantes.

- Sorprendentemente, la leche también puede reducir el control de la vejiga.

Yogur — una amenaza triple contra los males urinarios

Puede que no le guste hablar de lo que sucede "allá abajo", pero lo que está ocurriendo por debajo del cinturón puede tener serias consecuencias en el resto de su cuerpo. Un crecimiento excesivo de bacterias "malas" puede conllevar a infecciones del tracto urinario e incluso al cáncer de vejiga. Pero llenar su sistema con bacterias buenas, llamadas probióticos, puede ayudarle evitar esas condiciones dañinas.

El yogur equilibra las bacterias en su tracto urinario. Si ha experimentado una infección del tracto urinario (ITU), probablemente esté familiarizado con los sentimientos de urgencia, ardor y presión. Lo crea o no, comer una taza de yogur todos los días podría ayudarle a evitar estos síntomas dolorosos.

Una revisión reciente de la investigación publicada en Urologic Nursing examinó el papel que juegan los probióticos en la lucha contra las ITU. Investigadores encontraron que los probióticos Lactobacillus, en particular, pueden ayudar a evitar que estos síntomas regresen.

Los antibióticos son el tratamiento habitual para las infecciones del tracto urinario, pero usted no puede permanecer tomándolos para siempre. Aunque los probióticos no son tan eficaces en la lucha contra las ITU recurrentes, los investigadores los consideran una alternativa segura porque no causan resistencia a los antibióticos.

Los antibióticos matan todas las bacterias, tanto buenas como malas, por lo que los expertos a menudo recomiendan tomar probióticos al mismo tiempo para reponer las buenas. Para obtener su dosis diaria de probióticos útiles, busque un yogur con el sello de "Cultivos Vivos y Activos", o revise los ingredientes en busca de *L. bulgaricus* y otras cepas de *Lactobacillus*, cepas de *Bifidobacterium* y *S. thermophilus*.

El ácido láctico destruye las células cancerosas dañinas. ¿Qué tal si comer más yogur de forma regular pudiera disminuir sus probabilidades de desarrollar cáncer de vejiga también? Según la investigación, es posible.

En un gran estudio sueco, las personas que comieron dos o más porciones de productos lácteos con cultivos disminuyeron su riesgo de cáncer de vejiga en 38 por ciento en comparación con los que no comieron ninguno. Los probióticos - incluyendo las bacterias del ácido láctico - parecen suprimir el crecimiento de bacterias dañinas que pueden dañar las células y producir sustancias cancerígenas.

Los probióticos reducen los compuestos causantes de cálculos renales. El oxalato es un compuesto que su cuerpo absorbe de alimentos como espinacas, remolachas, ruibarbo y nueces. Se excreta en la orina, y si se acumula demasiado, usted podría estar en riesgo de tener cálculos renales. Los probióticos pueden ayudar al reducir la cantidad de oxalato que su cuerpo absorbe.

HÁGALO

Maneras fáciles de aderezar el yogur natural

El yogur natural es más saludable que las variedades pre-endulzadas. Pero si sus papilas gustativas anhelan algo un poco menos agrio, pruebe estos sabrosos consejos.

- Mezcle el yogur natural en un batido de frutas.

- Mezcle bananas, fresas, arándanos rojos u otra fruta fresca en el yogur griego.

- Rocíe con coberturas sanas como granola, nueces o chocolate negro.

- Use yogur griego en lugar de crema agria en su salsa dip favorita.

La verdad sobre el jugo de arándano para las ITU

La mitad de todas las mujeres tendrán una infección del tracto urinario (ITU) durante su vida, por lo que no es ninguna sorpresa que los remedios naturales están en alta demanda. Pero con grandes demandas vienen grandes promesas. El jugo de arándanos rojos - a menudo recomendado para las ITU - se ha extendido a través de artículos de salud durante años. Pero ¿puede realmente ayudarle a decir adiós a las UTI?

Los científicos le dan luz verde al jugo de arándanos. El jugo de arándanos rojos puede ayudar a prevenir las infecciones urinarias mediante el recubrimiento de su tracto urinario y evitar que las bacterias nocivas se peguen, por lo que no pueden crecer y causar una infección.

Aunque muchos expertos aprueban el jugo de arándanos rojos, puede que no funcione igual para usted, su primo y ese tipo que vive por la calle. (Sí, ¡los hombres también tienen infecciones del tracto urinario!)

Las investigaciones muestran que los jóvenes, las mujeres y aquellas personas con ITU recurrentes tienen más probabilidades de beneficiarse del jugo de arándanos.

La fruta real es mejor que los suplementos. En algunos casos, los suplementos son más potentes que los alimentos. Este no es el caso de los arándanos rojos. De hecho, el jugo puede tener más beneficios que otras formas como cápsulas o tabletas. Los científicos no están seguros si esto es un resultado del líquido adicional, que elimina las bacterias, o de la interacción de los ingredientes en el jugo que los suplementos no pueden duplicar.

El jugo puro de arándanos rojos es extremadamente ácido, por lo que en la mayoría de los estudios utilizan una mezcla de 25 por ciento de jugo puro. El jugo de arándanos es una alternativa aceptable.

¿Un vaso al día mantendrá alejadas las ITU? Los científicos todavía no han determinado cuál es la mejor dosis para reducir el riesgo de ITU. Lo que funciona para algunos puede que no lo haga en otros.

Un estudio reciente de niños finlandeses mostró que beber 5 mililitros (ml) de jugo de arándanos por kilogramo de peso corporal, hasta 300 ml, redujo el número de ITU en un 43 por ciento. Para un adulto, esa cantidad máxima se traduciría en 1.3 tazas al día. Otra investigación sugiere que una taza diaria de cóctel de jugo de arándanos rojos puede reducir las bacterias en la orina y prevenir el 50 por ciento de las recurrencias de la ITU.

Los arándanos rojos secos son un sustituto de primera categoría. Si no es un fan del zumo, es bueno saber que los arándanos secos azucarados también pueden ayudar a prevenir las ITU. En un estudio, las mujeres con ITU recurrente comieron una porción de arándanos cada día durante dos semanas. Más de la mitad de las mujeres estaban libres de infección durante seis meses después de comer la fruta seca.

Cuándo necesita rechazar los arándanos. Hable con su médico antes de beber regularmente jugo de arándanos o comer arándanos secos si usted:

- está tomando la medicación anticoagulante warfarina (Coumadin). Puede aumentar el riesgo de sangrado.

- es alérgico a la aspirina. Los arándanos contienen ácido salicílico, el ingrediente activo de la aspirina.

- tiene antecedentes de cálculos renales. El jugo de arándanos también tiene mucho oxalato, lo que puede aumentar su riesgo de cálculos renales.

- está tomando medicamentos que se descomponen en el hígado, como Valium, Celebrex o ibuprofeno. Los arándanos pueden ralentizar el tiempo que tarda su hígado en descomponer algunos medicamentos, lo que podría aumentar los efectos secundarios.

3 razones para beber más agua este verano

Para algunas personas, el verano significa caminatas largas en la playa y salsas refrescantes en el océano. Para otros, el verano no es tan divertido. La razón número uno - la deshidratación. Si usted es propenso a sufrir problemas urinarios, el clima caliente, seco y los fluidos inadecuados se combinan para hacer una receta que termina en el desastre urinario. Asegúrese de beber suficiente agua para evitar las quejas más irritantes del verano.

Destierre las ITU con el remedio de la naturaleza. El agua ha sido el remedio al cual acudir durante siglos - después de todo, no obtuvo el apodo de "La bebida de Adán" sin razón. El agua diluye la orina, lo que ayuda a eliminar las bacterias de su tracto urinario antes de que una infección pueda comenzar.

Cuando no está bebiendo suficientes líquidos, usted no responde a la llamada de la naturaleza con tanta frecuencia. Eso puede retrasar la curación si tiene una infección, así como fomentar la propagación de la infección.

El agua es la clave para combatir los cálculos renales. Cuando usted tiene una orina menos concentrada y visita el baño con frecuencia, los minerales causantes de las piedras tienen menos oportunidades de asentarse y comprometer su tracto urinario.

"Los cálculos renales causan molestias y costos significativos, junto con un potencial para contribuir al desarrollo de la enfermedad renal" dice Kerry Willis, director científico en la Fundación

Nacional del Riñón. "El agua potable es una manera efectiva de reducir el riesgo de desarrollar cálculos renales a la mitad".

Si usted ha tenido un cálculo renal en el pasado, concéntrese en tomar de ocho a 10 vasos de agua todos los días. El Colegio Americano de Médicos dice que necesita mucho líquido para producir dos litros de orina diariamente, lo que ayudará a evitar que más piedras se desarrollen.

Una forma sencilla de eliminar el cáncer de vejiga. Beba solo un poco más, y usted puede evitar el cáncer de vejiga también. Los hombres que bebieron entre 10 y 11 tazas de agua todos los días tenían 24 por ciento menos probabilidades de desarrollar cáncer de vejiga en comparación con los que bebieron menos de 5.5 tazas, encontraron los investigadores durante un estudio de 22 años. Los científicos creen que el agua elimina las sustancias cancerígenas, limitando su contacto con el revestimiento del tracto urinario.

La sorprendente noticia sobre el calcio y los cálculos renales

La solución parece obvia - la mejor manera de prevenir los cálculos renales es comer menos lácteos. Eso es lo que los médicos solían recomendar, pero investigaciones recientes muestran que comer menos calcio no es el mejor plan.

Los cálculos de calcio-oxalato - el tipo más común de cálculos renales - se forman cuando el calcio se une con el oxalato en el tracto urinario. La investigación muestra que tener niveles anormalmente altos de calcio y oxalato en la orina le pone en un mayor riesgo de desarrollar este tipo de cálculos.

Pero eso no significa que usted tiene que limitar la cantidad de alimentos ricos en calcio que usted come. Los niveles de calcio determinan cuánto oxalato absorbe su cuerpo. Cuanto más oxalato absorba durante la digestión, menor cantidad irá a parar en la orina donde se pueden formar piedras dolorosas.

Un estudio de la *Women's Health Initiative* en más de 78,000 mujeres demostró que el aumento del calcio en la dieta disminuyó el riesgo de cálculos hasta el 28 por ciento. Otros estudios también han encontrado que las personas con un alto consumo de calcio tenían un riesgo significativamente menor de sufrir cálculos renales.

Los expertos dicen que su mejor apuesta es obtener la cantidad diaria recomendada (RDA, por sus siglas en inglés) de 1,000 a 1,200 miligramos (mg) de calcio diariamente. Un estudio de cinco años mostró que los hombres propensos a tener cálculos renales que comían sólo 400 mg de calcio al día eran 51 por ciento más propensos a tener una recurrencia en comparación con los hombres que recibieron 1,200 mg.

Así que vaya y disfrute de los productos lácteos como yogur, queso cheddar y leche. Usted obtendrá un tercio de su calcio diario simplemente por merendar una taza de yogur natural descremado. Si usted no puede tolerar los lácteos, coma más frijoles blancos, naranjas, col rizada, frijoles pintos y brócoli.

¿Tiene cálculos? Mejor revise sus huesos

Las personas que sufren cálculos renales a menudo tienen menor densidad mineral ósea. No es sorprendente entonces que también tengan un mayor riesgo de fracturas óseas. Una forma en que la gente combate los huesos debilitados es tomando suplementos de calcio y vitamina D. Pero los suplementos pueden no ser el camino a seguir.

Los estudios demuestran que los suplementos de calcio y vitamina D pueden aumentar las cantidades de calcio en la orina, aumentando su riesgo de cálculos renales. Cuando se trata de cálculos renales, la mejor manera de obtener calcio es a través de su dieta. También es la mejor manera de reforzar sus huesos.

2 soluciones dulces para los cálculos renales

Los cálculos renales pueden ser amarillos, marrones, negros, dorados, irregulares, redondos, del tamaño de una piedrita, o como una pelota de golf. Pero una vez que ha tenido uno, a usted no le importa lo que parece - sólo quiere asegurarse de no volver a tener uno de nuevo. No espere hasta que sienta una dolorosa piedra que se mueve a través de su tracto urinario para comenzar a actuar. Usted puede ayudar a prevenir ciertos tipos de cálculos renales con un rápido viaje al supermercado.

Un factor de riesgo para los cálculos renales son los bajos niveles de citrato en la orina. El citrato reduce los cálculos renales al combinarse con el calcio libre, por lo que su cuerpo tiene menos calcio para producir piedras. Por suerte, el citrato - también conocido como ácido cítrico - es fácil de encontrar.

Cuando la vida le dé cálculos renales, haga limonada. Una limonada fresca, recién exprimida puede ser el elemento básico de las ventas en la calle, pero este favorito de las multitudes también tiene una historia en la prevención de cálculos renales, particularmente en personas con niveles bajos de citrato. En un estudio, los voluntarios bebieron menos de 3 onzas de jugo de limón todos los días durante tres meses. Los niveles de citrato en la orina se duplicaron con creces.

Haga su propia limonada casera exprimiendo media taza de jugo de limón en 8 tazas de agua. Evite endulzarlo con azúcar - usted no quiere deshacer todos los beneficios para la salud acumulando calorías. Tenga en cuenta que no se limita al jugo de limón. Usted también puede probar frutas como naranjas y limas.

Coma melones para una alternativa neutral. Si tiene problemas de estómago, los cítricos altamente ácidos pueden sonar tan tortuosos como los cálculos renales. Los melones - incluyendo el melón verde, el melón cantalupo y la sandía - son un sustituto perfecto sin cítricos.

Según un estudio publicado en la *Revista de Endourología*, el melón es una fuente rica de citrato y puede ayudarle si tiene bajas cantidades en su orina. Los científicos midieron los niveles de citrato antes y después que las personas bebieron 13 onzas de jugo de naranja, melón o limón. El jugo de melón funcionaba tan bien como los zumos de naranja y lima en la elevación de los niveles de citrato.

Pérdida de la visión

Mantenga su vista clara como un cristal

2 vegetales que no está comiendo — pero debe hacerlo

Cuando usted era niño, le dijeron que comiera sus zanahorias para que tuviera ojos fuertes. Pero la salud de los ojos ya no se trata sólo de zanahorias. De hecho, los científicos han descubierto una nueva forma de evitar la pérdida de la visión. Le presentamos el nuevo súper alimento para el cuidado de los ojos - vegetales de hoja verde.

Al igual que las zanahorias, los vegetales con hojas de color verde oscuro contienen carotenoides. Pero los vegetales verdes tienen carotenoides específicos - luteína y zeaxantina - que no pueden ser encontrados en las zanahorias. Estos nutrientes pueden ayudar a proteger sus ojos contra problemas de visión como cataratas y la degeneración macular relacionada con la edad (DMRE). Eso es porque son los únicos carotenoides que se encuentran en la retina y el cristalino. Actúan como antioxidantes protegiendo las células sanas de los ojos y filtrando las ondas luminosas que pueden causar daño oxidativo.

Combata los ojos nublados con la col rizada. Una catarata es una opacidad del ojo que se desarrolla cuando las proteínas del cristalino se dañan. Usted puede tener cataratas a cualquier edad, pero es más probable que se desarrollen cuando usted sea mayor.

En un estudio de más de 1,600 personas de edad avanzada en Finlandia, los científicos aprendieron que la luteína y la zeaxantina pueden reducir sus posibilidades de sufrir de cataratas nucleares, que afectan al centro del cristalino. Los sujetos con los niveles sanguíneos más altos de estos carotenoides tuvieron hasta un 42 por ciento menos probabilidades de desarrollar cataratas nucleares que aquellos con las cantidades más bajas.

Su cuerpo no puede producir la luteína y zeaxantina que necesita, por lo que usted tiene que obtener estos nutrientes a través de su dieta. De acuerdo con los Institutos Nacionales de Salud, la col rizada puede proteger contra las cataratas así como del daño solar y la degeneración macular.

Una taza de este vegetal de hoja verde contiene alrededor de 21 a 27 miligramos de luteína y zeaxantina. Pero eso no es todo. La col rizada también tiene 134 por ciento de su valor diario de vitamina C, un antioxidante conocido por ayudar a los ojos a permanecer fuertes.

COCÍNELO

Sabrosas coles cocidas a fuego lento

Preparar col rizada en una olla de cocción lenta puede hacer que pasen de ser otro simple vegetal a ser algo que querrá comer en cada celebración. Son simples, sabrosas y fáciles de cocinar. Ingredientes

- 1 bolsa de col, picada

- 2 cucharadas de base de jamón

- 1/4 taza de vinagre de sidra de manzana

- 3/4 taza de azúcar morena, envasada

- Agua

Vierta una o dos pulgadas de agua en la olla de cocción lenta para evitar que las hojas se quemen. Añada el vinagre, luego revuelva la base de jamón hasta que se disuelva. Mezcle el azúcar moreno y las coles, quitándole los tallos centrales gruesos si lo desea. Cubra con una tapa, y cocine de 8 a 10 horas en calor bajo. Revuelva de vez en cuando para hacer circular los vegetales.

Coles: ayuda antioxidante para sus retinas. La degeneración macular relacionada con la edad es la principal causa de pérdida de la visión en los adultos mayores, afectando a más de 7 millones de estadounidenses.

Estudios de más de 3,000 individuos muestran disminuciones del riesgo de DMRE entre las personas que reciben mucha luteína y zeaxantina en sus dietas Estos nutrientes ayudan a agudizar su visión y aumentar el pigmento macular, las "gafas de sol internas" de su cuerpo que protegen su mácula de la luz azul dañina.

Es posible que no haya probado alguna vez las coles, pero en realidad pueden ayudar en la lucha contra la degeneración macular. Coma una taza de coles y obtendrá alrededor de 15 miligramos de luteína y zeaxantina. Estos vegetales también tienen 308 por ciento de su valor diario de vitamina A - una vitamina importante para la salud ocular. Además, las coles son altas en vitamina C, así como en folato, que se han estudiado para la prevención de enfermedades oculares como cataratas y glaucoma.

Dele un banquete a sus ojos en una comida saludable para los ojos

Tiene un millón y una cosas que hacer. Entre citas y todas las otras cosas en su lista de tareas pendientes, es fácil que descuide su salud ocular. Una manera simple de asegurarse que sus ojos obtengan algo de atención es tomar una comida que estimule la visión cada semana. Pruebe un delicioso plato de salmón, camotes (*batata*) y brócoli. Es un banquete para sus ojos - en más de una forma.

La comida del mar que evita los daños oculares. El salmón es un gran elemento central para su comida porque contiene gran cantidad de ácidos grasos omega-3. Sus ojos contienen altas cantidades de omega-3, que pueden ayudar a regular la supervivencia celular y la inflamación. En un estudio, las personas que tomaron alrededor de 1 gramo de omega-3 cada día tenían un 42 por ciento menos de riesgo de cataratas en el centro del cristalino. Una porción de 3 onzas de salmón contiene 1,921 miligramos (mg) de omega-3, o 1.9 gramos.

El omega-3 proporciona protección y prevención para mucho más que las cataratas. El estudio denominado *The Blue Mountains Eye* demostró que comer pescado tres veces por semana puede contribuir a un menor riesgo de degeneración macular relacionada con la edad avanzada (DMRE). Y la investigación ha encontrado que el omega-3 beneficia especialmente a las personas que sufren o están en riesgo de sufrir enfermedad cardíaca. La Asociación Americana del Corazón recomienda dos porciones de pescado por semana.

Muchos pescados contienen omega-3, pero comer demasiado de ciertos tipos puede conducir al envenenamiento por mercurio, así que no se vaya por la borda. Para más información sobre el mercurio y el pescado, vea el apartado *Peces que curan y peces que fracasan* en el capítulo *Enfermedades del Corazón*.

Camotes - una manera dulce de obtener su vitamina A. Una guarnición de camotes es el complemento perfecto para el salmón. Los camotes contienen beta caroteno, un antioxidante que protege su cuerpo de las moléculas dañinas llamadas radicales libres.

Una forma en la que su cuerpo obtiene vitamina A es convirtiéndola a partir del beta caroteno de las plantas. La vitamina A ayuda a procesar la luz en su retina y mantiene su córnea limpia y saludable. Toda esta actividad utiliza pequeñas cantidades de vitamina A, así que constantemente necesita reponerla. Un camote mediano contiene una sorprendente cantidad de 1,403 microgramos, los cuales proveen el 561 por ciento de sus necesidades diarias.

> Sorprendentemente, obtendrá 20 veces más glucosinolato de sulforafano de los brotes de brócoli que del brócoli maduro. Estas plantas con tres días de vida hacen una crujiente adición a sándwiches, salteados, salsas y dips. Vea el capítulo de *Enfermedad del Corazón* para consejos sobre cómo cultivar sus propios brotes.

La vitamina A es liposoluble, y su hígado almacena lo que usted no usa. Su cuerpo no puede tolerar más de 3,000 microgramos por día, así que si su dieta está llena de alimentos con vitamina A, además de un multivitamínico, podría estar en problemas. Recuerde que todas esas cantidades diferentes se suman.

Si tiene problemas para ver en condiciones de poca luz, eso puede significar que usted no está recibiendo suficiente vitamina A. Un signo temprano de deficiencia de vitamina A es la ceguera nocturna. Así que si tiene dificultades para ver después que oscurece o recuperarse de destellos repentinos de luz brillante, intente comer más alimentos con vitamina A.

Un superhéroe verde puede salvar su vista. Para perfilar su alimentación y mejorar la visión, termine con una porción de brócoli. Este vegetal crucífero contiene altas cantidades de vitamina C, vitamina A, vitamina E y folato - todos los cuales apoyan la salud ocular. Pero también tiene un ingrediente secreto - un súper-nutriente que estimula la visión- llamado glucosinolato de sulforafano

La investigación ha encontrado que el sulforafano protege sus ojos de los daños causados por la luz ultravioleta, lo que ayuda al desarrollo de la DMRE. Aunque su cuerpo produce antioxidantes para ayudar a reducir el daño a la retina, este proceso se vuelve menos eficiente a medida que envejece. El sulforafano es como un súper héroe para salvar el día.

Soluciones para los ojos secos que le harán agua la boca

Los ojos secos pueden dificultar el uso de su computadora o leer durante largos períodos de tiempo. Pero eso no significa que esté condenado a una vida de lágrimas artificiales. Añada estos alimentos calmantes a su dieta para un alivio natural de los ojos incómodos.

Las nueces crujientes proporcionan un alivio doble. Usted sabe que el omega-3 ayuda a combatir las cataratas y la degeneración macular, pero ¿sabía usted que es también una bendición para sus ojos secos? El omega-3 previene la inflamación y estimula la secreción lagrimal. No sólo disminuye los síntomas de los ojos secos, sino que también puede ayudar a prevenirlos.

■ Un estudio en más de 30,000 mujeres mostró que los ácidos grasos omega-3 están ligados a menos casos de síndrome del ojo seco.

■ En otro estudio, las personas con un alto consumo de omega-3 eran un 20 por ciento menos propensas a sufrir del síndrome de ojos secos en comparación con aquellos con un bajo consumo.

Los pescados grasos como el salmón y el arenque son conocidos por sus altos niveles de omega-3. Pero para un aperitivo rápido, un puñado de nueces es perfecto. Catorce mitades cuentan con 2,565 miligramos de omega-3.

Las bebidas con cafeína activan las lágrimas. Su café o té de la mañana puede ayudarle a leer su periódico un poco más de comodidad. La razón sugerida por un estudio es que la cafeína estimula la producción de lágrimas. Aunque los investigadores probaron a personas con ojos normales, piensan que la cafeína puede ayudar a las personas con el síndrome de ojos secos también. Elija su bebida con cafeína favorita, como café, té, refresco o chocolate caliente, y vea si le ayuda.

Cómo cenar con cereal puede proteger su vista

Las ostras pueden ser conocidas como las reinas del zinc, pero ¿sabía que los cereales fortificados también están llenos de este mineral que ayuda con la salud de los ojos? Mientras usted se mantenga alejado de las cosas azucaradas, puede cosechar los beneficios de un cereal lleno de nutrientes como zinc y vitaminas del complejo B para ayudar a mantener la agudeza visual.

El zinc construye ojos fuertes. Una de las tareas importantes del zinc es ayudar a liberar vitamina A de su hígado para que pueda ayudar a fortalecer los tejidos oculares. A medida que envejece, el zinc se vuelve aún más importante para sus ojos envejecidos y una deficiencia puede conducir a una rotura de la mácula.

En una revisión de más de una docena de ensayos, los investigadores encontraron que complementar con antioxidantes más 80 miligramos (mg) de zinc durante aproximadamente seis años, ayudó a las personas con degeneración macular relacionada con la edad (DMRE) a reducir su pérdida de la visión y retrasar su progresión a DMRE avanzada. El límite superior recomendado para adultos es de 40 mg, así que no tome grandes cantidades de zinc sin hablar con su médico primero.

Un buen llanto es bueno para sus ojos

Puede que se haya avergonzado la última vez que le sorprendieron llorando en el cine, pero esas lágrimas en realidad hacen algo bueno por usted.

Producidas por la glándula lagrimal, las lágrimas son necesarias para la salud ocular general y una visión clara. Eliminan el polvo y los residuos y bañan la superficie del ojo, manteniéndola húmeda. Además, las lágrimas tienen una enzima llamada lisozima que combate las bacterias, protegiendo los ojos de la infección.

Así que la próxima vez que pase por una ruptura, siga adelante y deje caer las lágrimas. Es bueno para sus ojos.

Eluda la enfermedad ocular con folato. Las vitaminas B, como B6, B12 y el folato, son importantes para mantener su cuerpo energizado y funcionando sin problemas. Los científicos dicen que la suplementación diaria con vitaminas del complejo B también puede reducir su riesgo de enfermedad ocular.

■ Las vitaminas del complejo B reducen los niveles de homocisteína, un aminoácido que causa inflamación y puede conducir a la degeneración macular. En estudios de larga duración, tomar un suplemento diario de vitamina B hizo que las personas tuvieran menos probabilidades de desarrollar DMRE después de dos años.

■ El folato se asocia con un riesgo reducido del síndrome de pseudoexfoliación, el tipo más común de glaucoma secundario. Los investigadores llegaron a esa conclusión después de revisar 20 años de datos del estudio llamado *Nurses' Health Study* y el Estudio de Seguimiento de Profesionales de la Salud. De los más de 120,000 participantes, los que tomaron la mayor cantidad de folato fueron 25 por ciento menos propensos a desarrollar glaucoma que aquellos que tomaron las menores cantidades.

Los cereales fortificados contienen más del 100 por ciento del valor diario de algunos nutrientes. Por ejemplo, el cereal Multi-Grain Cheerios de Kellogg's tiene casi 16 mg de zinc - 103 por ciento del valor diario. También cuenta con el 103 por ciento de B6, B12 y folato.

Si usted come un montón de cereal, usted debe ver su consumo de zinc de otras fuentes. Demasiado zinc puede ser tóxico y se manifestará con dolor abdominal, diarrea, náuseas y vómitos. Esta es una preocupación especial en los niños, que sólo necesitan alrededor de 5 mg de zinc al día.

Por otro lado, los adultos mayores de 50 años pueden tener problemas absorbiendo el zinc y es más probable que desarrollen una deficiencia leve. Si usted está en esa categoría, una ayuda diaria de su cereal favorito puede ser justo lo que recetó el médico.

La comida chatarra que puede salvar su vista

Según una encuesta de Domino's, el 67 por ciento de los consumidores de pizza prefieren adicionales de carne y queso en lugar de vegetales y queso. Pero aunque los adicionales de carne pueden ser deliciosos, es posible que desee cambiarlos por la salud de sus ojos. Con los ingredientes adecuados, este favorito de las fiestas puede proporcionar un apoyo total para sus ojos.

Un estudio sueco publicado en *JAMA Ophthalmology* demostró que combinar ciertos alimentos como vegetales y granos enteros puede mejorar su poder antioxidante.

Los científicos monitorearon a más de 30,000 mujeres durante ocho años para determinar si los antioxidantes tenían algún efecto sobre las cataratas relacionadas con la edad. Las mujeres que comieron una mayor cantidad de antioxidantes a través de combinaciones de alimentos, tenían un riesgo casi 13 por ciento menor de desarrollar cataratas que las mujeres con una dieta baja en antioxidantes.

Aunque la pizza no se conoce por ser particularmente saludable, usted puede añadirle sus propios adicionales ricos en nutrientes a la corteza de trigo integral para hacer una pizza magnífica y tener una visión superior.

Súper ingrediente 1: corteza de trigo rica en antioxidantes. Los granos integrales tienen antioxidantes que ayudan a proteger sus ojos. Y la forma en la que usted prepara su masa de pizza de trigo integral puede hacer una enorme diferencia en la cantidad de antioxidantes que usted absorbe.

Los estudios demuestran que permitir que la masa de trigo fermente hasta 48 horas duplica la cantidad de antioxidantes. Incrementar la temperatura de su horno de 400 a 550 grados aumenta los antioxidantes del grano tanto como un 82 por ciento. Y extender el tiempo de cocción a 14 minutos le dará 60 por ciento más de antioxidantes.

¿Cuál es el secreto? Los investigadores dicen que estos métodos aumentan los niveles de antioxidantes del trigo mediante la liberación de más nutrientes provenientes de la capa de salvado. Y es algo que puede hacer fácilmente en casa para hacer su pizza más sana.

Súper ingrediente 2: vegetales ricos en vitaminas. Usted puede escoger de una amplia variedad de vegetales para incluirlos en su pizza – e incluso algunas frutas. Los antioxidantes como el beta caroteno, vitamina C, vitamina E y selenio son abundantes en las frutas, y estudios demuestran que los alimentos ricos en antioxidantes pueden ayudar a prevenir las cataratas.

La espinaca es una buena elección porque está llena de antioxidantes como la luteína, zeaxantina y vitamina A, los cuales son críticos para la salud ocular. Los pimentones y cebollas son excelentes opciones porque ambos son ricos en vitamina C y varias vitaminas del complejo B.

> ¿Llora cada vez que corta cebollas? Pruebe enfriar su cebolla en la nevera por 30 minutos antes de cortarla. Recuerde, el extremo de la raíz tiene los compuestos más sulfúricos, así que corte esa parte de último.

Súper ingrediente 3: queso mozzarella lleno de minerales. Tradicionalmente, el queso mozzarella se hacía a partir de la leche de búfala acuática. Aunque el queso mozzarella que compra hoy en día, probablemente provenga de una vaca, todavía tiene ventajas asombrosas para sus ojos. Contiene selenio, que actúa como un antioxidante, y también tiene zinc y la vitamina A que estimulan la visión.

La riboflavina es otro nutriente que se encuentra en el queso mozzarella y que es importante para mantener los ojos sanos. Algunos estudios han vinculado una deficiencia de esta vitamina B al desarrollo de cataratas con el tiempo.

Usted querrá tomarse con calma lo del queso para mantener la grasa y las calorías en un nivel bajo, pero siéntase libre de comer vegetales a montones para cosechar los beneficios de sus súper nutrientes.

4 curas naturales para las bolsas bajo los ojos

¿Cansado de parecer que está siempre cansado? Puede ponerle fin a los ojos hinchados y hacer desaparecer las ojeras con uno de estos remedios caseros rápidos.

- Mantenga bolsas de té con cafeína frías debajo de los ojos para reducir la hinchazón. La cafeína constriñe el flujo de sangre para minimizar la apariencia de las bolsas.

- Lave su cara con leche para deshacerse de los ojos hinchados. Los ácidos grasos y el ácido láctico en la leche ayudan a reducir la hinchazón. No use leche descremada porque no tiene grasa.

- Ponga aceite de ricino debajo de cada ojo dos veces al día para hacer desaparecer las ojeras. Los ácidos grasos ayudan a mantener la humedad, por lo que los vasos azulados son menos visibles.

- Corte rebanadas gruesas de papas crudas y colóquelas sobre los ojos durante 20 minutos. Las rebanadas frescas tensan los vasos sanguíneos, mientras que el ácido alfa-lipoico y las enzimas aclaran la piel.

Verdadera protección azul para sus ojos

La oxidación e inflamación son un par de chicos malos que juegan un serio papel en todos los aspectos del envejecimiento, y la salud ocular no es una excepción. Aunque estos dos pueden hacer que usted vea doble, la naturaleza ha proporcionado un brillante dúo de bayas para ayudarle a combatir el daño celular que causan.

Desaparezca la inflamación con una sabrosa fruta azul. Un arándano europeo puede sonar como un delicioso regalo hecho en la fábrica de Willy Wonka, por su nombre en inglés bilberry, pero en realidad es una fruta azul oscura, familia del arándano.

El arándano europeo ha sido utilizado en la medicina europea por casi 1,000 años, pero es más probable que se encuentre con ellos en mermeladas y postres. Es rico en vitamina C y químicos potentes llamados antocianósidos, que dan a las bayas su color oscuro y ayuda a construir vasos sanguíneos fuertes y mejorar la circulación.

Los investigadores piensan que el arándano europeo puede ayudar a su visión protegiendo su retina y aumentando la producción de rodopsina, un pigmento que ayuda a ajustar los ojos a los cambios de luz. De hecho, los pilotos de combate británicos de la Segunda Guerra Mundial aseguraron que su visión nocturna mejoró después de comer mermelada de arándanos europeos. Algunos estudios han sugerido que los arándanos europeos ayudan a proteger contra la degeneración macular, las cataratas y el glaucoma.

El extracto de arándano europeo contiene más antocianócidos que las bayas secas u hojas. Si usted sufre de problemas de retina debido a la diabetes o presión arterial alta, es posible que desee ver si el extracto de arándano europeo puede ayudarle. Pero consulte con su médico primero ya que podría interactuar con los medicamentos para la diabetes, así como con anticoagulantes.

También puede hacer té de arándano europeo con bayas u hojas secas. Deje reposar una a dos cucharaditas en una taza de agua caliente durante cinco a 10 minutos.

Combata el daño celular con una baya súper-antioxidante. Al igual que el arándano europeo, el arándano o mora azul contiene tanto antocianósidos como resveratrol y es una buena fuente de la vitamina antioxidante C. El resveratrol es un poderoso compuesto también encontrado en uvas, vino tinto, zumo de uvas moradas y otras bayas.

Los científicos que estudian animales han encontrado que el resveratrol protege los ojos de muchas maneras. Un descubrimiento emocionante es que evita el desarrollo de los vasos sanguíneos anormales en la retina, lo que podría ayudar a prevenir enfermedades oculares como la retinopatía diabética y la degeneración macular.

Los investigadores obtuvieron buenos resultados cuando probaron un suplemento nutricional basado en el resveratrol en personas de 80 años con degeneración macular. Encontraron que mejoró mucho la estructura y función de la retina, lo que les da la esperanza de que incluso los pacientes resistentes al tratamiento puedan beneficiarse.

La desventaja de las pestañas largas

Las pestañas largas y lujosas destacan en cada revista de moda. Aunque este ícono de belleza puede ser atractivo, debe pensarlo dos veces antes de unirse a la manía de las pestañas largas.

Sus pestañas hacen algo más que simplemente lucir bonitas. Tienen un trabajo importante como sensores, sombrillas y ahora - los científicos han aprendido recientemente- filtros de aire. Las pestañas redirigen el flujo de aire, mantienen el polvo fuera de sus ojos y reducen la evaporación de las lágrimas hasta un 50 por ciento.

Según la investigación, la pestaña ideal es un tercio del ancho de su ojo. Las pestañas demasiado cortas o demasiado largas aumentan la corriente de aire alrededor de su ojo, revolviendo el polvo y causando sequedad.

Aunque las pestañas largas pueden estar asociadas con celebridades y elegancia, no hay nada glamoroso en unos ojos secos, irritados y que parpadean rápidamente.

¿Diabetes? Combata la pérdida de la visión con pescado

La diabetes puede afectar su cuerpo entero - particularmente su corazón, pies, piel, riñones y nervios. También puede cambiar la forma de ver el mundo. Literalmente. Cuanto más tiempo tenga diabetes, mayor es la posibilidad de tener problemas con la vista. La pérdida de la visión puede causar miedo, pero ciertos nutrientes pueden ayudar a reducir sus posibilidades de sufrir problemas oculares.

La retinopatía diabética es la enfermedad ocular diabética más frecuente. Es causada por el daño a los vasos sanguíneos en la retina. Las personas con diabetes tipo 1 y tipo 2 diabetes, y entre 40 al 45 por ciento de los estadounidenses con diabetes tienen alguna etapa de la condición. Es posible que no note síntomas al principio. Pero con el tiempo, los cambios en las células sanguíneas localizadas en la retina pueden comenzar a interferir con su visión.

Una de las mejores maneras de prevenir la retinopatía diabética es comer alimentos nutritivos que ayudan a controlar el azúcar en la sangre, mientras le proporciona a su cuerpo los nutrientes que ayudan a la salud de los ojos. El estudio denominado Prueba de Control y Complicaciones de la Diabetes (DCCT, por sus siglas en inglés) demostró que manejar los niveles de azúcar en la sangre ralentiza el inicio y la progresión de la retinopatía. Otras investigaciones muestran que ciertas vitaminas, minerales y ácidos también pueden ayudar a proteger sus ojos.

Afortunadamente, usted no tiene que buscar más allá de su mercado de pescado local para encontrar estos nutrientes para proteger los ojos. El arenque, el bagre, el halibut, la trucha y el salmón son excelentes fuentes de los nutrientes que usted necesita.

- El zinc protege la retina evitando la pérdida del antioxidante glutatión debido a la diabetes.

- El selenio puede disminuir la cantidad de una proteína llamada factor de crecimiento endotelial vascular (VEGF, por sus siglas en inglés) que estimula los vasos sanguíneos para que crezcan. Los estudios demuestran que demasiado VEGF está vinculado a la enfermedad vascular en la retina.

■ La vitamina D puede ayudar a combatir la retinopatía diabética debido a su papel en la lucha contra la inflamación. Los investigadores han encontrado que la vitamina D reduce la producción de citoquinas y otras células perjudiciales. Además, afecta positivamente el control glucémico y la presión arterial alta, dos factores de riesgo de retinopatía. Un estudio de la Universidad Emory demostró que las personas con diabetes tipo 2, particularmente aquellos con retinopatía, tenían menor es niveles de vitamina D que los que no tenían diabetes y eran más propensos a carecer de esta vitamina crítica.

■ Los ácidos grasos omega-3 ayudan a prevenir el crecimiento de vasos sanguíneos anormales en la retina, de acuerdo con estudios en ratones. Los investigadores esperan que estos ácidos grasos puedan eventualmente ser utilizados como tratamiento alternativo para la retinopatía diabética.

Para aprender más sobre cómo comer para combatir la diabetes, miere en el capítulo *Control del azúcar en la sangre: Soluciones nutricionales que derrotan la diabetes*.

Control de peso

Lo permitido y lo prohibido en las dietas

10 alimentos que ayudan a perder grasa del vientre más rápido

Elija los alimentos y bebidas adecuados, y usted puede engañar a su cuerpo para que le ayude a perder grasa de su cintura. Vea cómo se hace y por qué funciona.

Pierda más grasa abdominal al beber este jugo asombroso. Fortificar el jugo con vitaminas y minerales puede tener efectos sorprendentes. Un estudio de personas con sobrepeso encontró que aquellos que bebían jugo de naranja fortificado perdió tres veces más grasa del vientre que los que bebieron jugo de naranja regular - y lo hicieron en sólo cuatro meses.

El jugo que hizo la diferencia fue *Minute Maid*, un jugo de naranja fortificado con calcio y vitamina D. Cada vaso de 8 onzas (oz.) aportaba 350 miligramos (mg) de calcio y 100 unidades internacionales (UI) de vitamina D. Así que beber tres vasos diarios potenció la ingesta de calcio en 1,050 mg y la vitamina D en 300 UI.

¿Por qué esto marcaría una diferencia en su cintura? Los estudios encontraron que obtener más calcio significa menos peso corporal. Expertos dicen que el calcio puede reducir la acumulación de grasa en su cuerpo porque ayuda a quemar más grasa e incluso acaba con las células de grasa. Por otra parte, una escasez de calcio puede alentar a su cuerpo a almacenar más grasa.

Del mismo modo, los bajos niveles de vitamina D en la sangre están vinculados a mayor grasa corporal, mientras que las personas con niveles más altos de vitamina D muestran un porcentaje más bajo de grasa corporal.

Más aún, una dieta rica en calcio puede ayudar a reducir el hambre, y se ha demostrado que el calcio y la vitamina D hacen que la gente coma menos y haya más tiempo entre una comida y otra.

Adelgace con 10 alimentos para adelgazar el vientre. El zumo de naranja fortificado no es su única opción para obtener más de estos nutrientes importantes. Aquí tiene más opciones buenas que le ayudarán a agregar vitamina D y calcio a su dieta - y reducir la grasa del vientre.

- Porción de 3.5 onzas (103.5 m) de salmón enlatado

- Porción de 3 onzas (88.72g) de sardinas enlatadas en salsa de tomate

- Porción de 8 onzas (1 taza) de leche de soja sin grasa, enriquecida con calcio y vitaminas A y D

- 1/4 taza de leche en polvo descremada con vitaminas A y D añadidas

- 3/4 taza de cereal integral Total

- Porción de 8 onzas (1taza) de leche descremada con vitaminas A y D añadidas

- 1 taza de leche de almendras azucarada con sabor a vainilla

- 1 taza de cereal Total Raisin Bran

- Porción de 8 onzas (1 taza) de leche baja en grasas (menos de 1 por ciento) con vitaminas A y D añadidas

- 8 oz. (1 taza) de yogur griego descremado con fresa

El sorprendente bloqueador del apetito que realmente funciona

¿Prefiere usar el supresor del apetito de la naturaleza o alguna píldora creada en un laboratorio? Los estudios sugieren que un bloqueador del hambre basado en un alimento - la fibra - puede ayudar a fortalecer su cuerpo contra la enfermedad y ser un mejor asesino del apetito de lo que usted espera.

En un estudio reciente de 240 personas obesas, la mitad de los participantes siguieron una dieta complicada durante un año. A la otra mitad sólo se le dio una regla - comer al menos 30 gramos de fibra proveniente de vegetales cada día. Al final del estudio, los consumidores de fibra habían perdido casi tantas libras como las personas en la dieta compleja. De hecho, el grupo de la dieta perdió sólo un promedio de 1 1/3 libras más. La investigación sugiere tres razones por las que la fibra funciona tan bien.

La fibra le hace sentir más lleno más rápido. Un pequeño estudio australiano encontró que la gente que comía un desayuno rico en fibra se sentía más llena que las personas que comían otros desayunos con el mismo número de calorías - y esto duró casi la mitad del día. Los que comían fibra también comieron menos calorías durante la mañana y en el almuerzo.

Otro estudio pequeño probó tres desayunos - avena rica en fibra, hojuelas de maíz azucaradas, y 1 1/2 tazas de agua. Los participantes del estudio estaban igual de hambrientos tres horas después de comer hojuelas de maíz azucaradas como lo estaban después de beber el desayuno de agua. Pero las personas que comieron avena en el desayuno, comieron menos calorías en el almuerzo, se mantuvieron más llenos por más tiempo, y tenían menos hambre. Sus estómagos también tardaron más en vaciarse.

Estudios como estos muestran que la fibra añade volumen a su dieta para ayudarle a sentirse más lleno. En otras palabras, la fibra le ayuda a llenarse en lugar de llenarlo.

La fibra fermentable cierra el apetito. Sentirse lleno es bueno, pero ¿qué pasa si también puede reducir su apetito desde el comienzo? La fibra fermentable encontrada en algunas frutas y verduras puede desencadenar una reacción en cadena que apaga el apetito. La fibra fermentable no se puede descomponer en sus intestinos, por lo que las bacterias fermentan esta fibra, creando ácidos grasos de cadena corta como el propionato, butirato y acetato.

En un reciente estudio en animales, investigadores de Londres rastrearon el acetato producido en el colon. Descubrieron que el 3 por ciento de él viaja hacia la región del hipotálamo, la parte del cerebro que controla el hambre. Cuando llega, el acetato desencadena una reacción en cadena que hace que las neuronas que apagan el hambre disparen.

Esto puede ser el motivo por el cual estudios previos en animales sugieren que comer alimentos ricos en fibra fermentable lleva a consumir menos calorías. Para comer más fibra fermentable, disfrute de la col, frijoles, cebollas, ajo, espárragos, achicoria, remolacha y frutas dulces.

Los alimentos ricos en fibra bloquean los picos de hambre. Los alimentos con más fibra por lo general tienen un índice glucémico (IG) más bajo. Esas son buenas noticias porque los alimentos con un alto índice glucémico pueden hacer que se sienta incluso más hambriento en pocas horas.

El índice glucémico (IG) mide la capacidad de un alimento para elevar su nivel de azúcar en la sangre. Carbohidratos diferentes se descomponen en glucosa –o azúcar- a tasas diferentes, liberando un flujo de azúcar en su torrente sanguíneo. Los alimentos de bajo IG tardan más tiempo en ser digeridos, dándole un suministro más lento y más estable de azúcar.

> Los científicos dicen que este truco fácil multiplica la cantidad de almidón resistente en el arroz - y resta más de la mitad de las calorías. Solo agregue una cucharadita de aceite de coco al agua hirviendo antes de añadir el arroz y hierva a fuego lento. Luego enfríe el arroz durante 12 horas antes de comer.

Muchos factores afectan la valoración de un alimento con respecto al IG, incluyendo el contenido de grasa y fibra y la cantidad de procesamiento. Buenos ejemplos de alimentos con un IG alto incluyen el pan blanco con poca fibra y otros alimentos procesados y almidonados así como los alimentos y bebidas azucarados.

Un pequeño estudio encontró que los hombres que comieron una comida de alto IG sintieron más hambre durante cuatro horas después en comparación con los hombres que comieron alimentos de bajo IG con la misma cantidad de calorías. Los alimentos de alto IG pueden hacer que su nivel de azúcar en la sangre caiga a niveles muy bajos en pocas horas. Esto le lleva a anhelar más alimentos de alto IG porque restauran su nivel de azúcar en la sangre a niveles normales más rápidamente.

Además, recientemente se demostró que los alimentos de alto IG afectan los centros de su cerebro que influyen en los antojos, adicciones y la búsqueda de recompensas. Pero comer más alimentos ricos en fibra puede ayudar incluso a nivelar su azúcar en la sangre y controlar su hambre, dicen los expertos. También puede ayudarle a evitar los alimentos de alto IG que pueden tentarle a comer más.

Las buenas fuentes de fibra incluyen manzanas, leguminosas, bayas, higos, zanahorias, espinaca, calabaza, brócoli, palomitas de maíz, arroz integral y avena. Sólo recuerde aumentar la cantidad de fibra en su dieta gradualmente, para que no experimente hinchazón, diarrea y otros efectos secundarios digestivos.

Un aceite sorprendente corta la grasa y agrega músculo

Agregue un poco de aceite de cártamo a su dieta diaria, y podría perder libras de grasa abdominal y añadir músculo magro. Esto incluso ¡funciona para mujeres mayores de 50 años!

Después de la menopausia, las mujeres tienden a ganar grasa abdominal y perder músculo. Pero un estudio de mujeres obesas, postmenopáusicas con diabetes encontró que aquellos que tomaron 1 2/3 de cucharadita de aceite de cártamo perdieron diariamente hasta 4 libras de grasa abdominal y ganaron hasta 3 libras de masa muscular magra en sólo cuatro meses.

Los investigadores no están seguros de por qué funciona el aceite de cártamo, pero sospechan que sus aceites poli-insaturados pueden ayudarle a quemar más grasa. Si desea probar esto, mezcle el aceite de cártamo en sus aderezos para ensaladas o salsas cocidas a fuego lento.

Sólo recuerde, la mayoría de los estadounidenses ya obtienen demasiados ácidos grasos omega-6, y el aceite de cártamo es rico en estas grasas. Así que reduzca las grasas omega-6 en su dieta antes de comenzar a usar el aceite de cártamo.

La especia de cocina que dispara sus quemadores de grasa

Los investigadores dicen que una especia picante de su supermercado puede ayudarle a perder más kilos de lo que puede perder sólo reduciendo las calorías.

Los científicos pidieron a dos grupos de mujeres con sobrepeso que redujeran 500 calorías de sus dietas diarias. Un grupo también comió media cucharadita de comino con el almuerzo y cena cada día. El comino es una especia aromática, ligeramente picante, común en el polvo de curry, platos indios y cocina Tex-Mex.

Después de tres meses, las consumidoras de comino habían perdido más peso y más pulgadas de su cintura que las mujeres que no habían comido comino. También bajaron su índice de masa corporal (IMC) y masa adiposa. Algunos sugieren que esto sucede porque el comino acelera temporalmente su metabolismo, que promueve la pérdida de peso.

Para ver lo que el comino puede hacer por usted, experimente con estas ideas.

- Añada comino para hacer el chile, las sopas, los estofados o las salsas más picantes.

- Mézclelo en el arroz, o agréguelo a sus platos Tex-Mex favoritos.

- Añada una pizca de comino para condimentar el guacamole, humus, salsa de barbacoa, o mayonesa.

El truco de 5 minutos que le ayuda a comer menos todo el día

Lo que comió anoche y esta mañana podría ser la razón por la que tenía hambre con tanta frecuencia hoy. Pero usted no necesita agregar más comida y calorías. El secreto es cambiar su patrón de proteínas. Coma más en su primera comida del día en vez de en la noche, y su cuerpo cosechará enormes beneficios.

Combata el hambre reforzando su proteína matutina. La mayoría de las personas comen mucha proteína en la cena, pero ese puede que no sea el mejor momento si usted quiere perder peso. Intente cambiar las proteínas de su cena al desayuno, dice Heather Leidy, una profesora de la Universidad de Missouri, quien estudia las proteínas y la pérdida de peso.

"Comer un desayuno rico en proteínas impacta las ganas de comer más tarde durante el día, cuando las personas son más propensas a consumir meriendas altas en grasa o altas en azúcar", dice.

La investigación de Leidy muestra que comer la parte de proteína de su cena en el desayuno puede tener efectos sorprendentes, incluso si usted come la misma cantidad de calorías del desayuno como de costumbre. Ella realizó un pequeño estudio en mujeres jóvenes con sobrepeso que comparó el hecho de saltarse el desayuno con comer ya sea un desayuno regular o un desayuno rico en proteínas.

> Ese sentimiento virtuoso que siente al ir de compras con bolsas reutilizables podría ser un contratiempo cuando se trata de su cintura. Investigadores de Harvard encontraron que aquellas personas que se sentían bien por ayudar al ambiente también se sentían dignos de consentirse y eran más propensas a comprar comida chatarra como dulces, tentempiés o papas fritas.

- Tanto los desayunos regulares como los de alta proteína redujeron el hambre y aumentaron la saciedad más que saltarse el desayuno. Pero el desayuno regular sólo aumentó la saciedad hasta el almuerzo, mientras que el desayuno de alta proteína duró todo el día.

- El desayuno de alta proteína redujo las meriendas después de la cena, especialmente de alimentos ricos en grasa.

- Las exploraciones cerebrales vinculan el desayuno rico en proteínas a cambios positivos en la forma en la que el cerebro responde a la comida cerca de la hora de la cena, cuando los estadounidenses son más propensos a comer en exceso.

- Lo mejor de todo, las personas que comieron el desayuno rico en proteínas totalizaron menos calorías para el día que las personas que comieron un desayuno de proteínas normales. Esto confirma estudios anteriores, que encontraron que la gente que comió un desayuno rico en proteínas también optó por comer menos calorías en el almuerzo.

Haga que en interruptor de proteínas sea fácil de activar con un poco de planificación. Comer más proteína en el desayuno no significa que usted tiene que aumentar su cantidad de calorías en el día. En el estudio, tanto el desayuno regular como el desayuno de alta proteína tenían 350 calorías, pero el desayuno alto en proteínas contenía 35 gramos de proteínas en esas calorías.

Todo lo que se necesita para alcanzar esa cantidad es un poco de planificación. Aquí hay algunos consejos y trucos para ayudarle a empezar.

- ¿Cerdo para la cena? Leidy sugiere combinarlo con huevos para hacer una cazuela de desayuno que se puede comer en la mañana - o incluir el cerdo picado en un burrito de desayuno, tortilla, o pizza.

- Cambie su vaso de jugo de naranja matutino por un vaso de leche.

- Agregue un poco de huevos revueltos cortados un plato de arroz. Mezcle tomate picado o salsa gruesa, y pique el cerdo cocido o pollo originalmente pensado para la cena. Mezcle bien, y tendrá un delicioso tazón de arroz de desayuno lleno de proteínas.

- Disfrute del bistec y huevos como lo haría en un restaurante.

- Coma proteínas amigables para la mañana como la mantequilla de maní en una tostada integral y una taza de yogur descremado como acompañante. Otras buenas opciones incluyen un batido de desayuno hecho con leche o yogur, o huevos sancochados o revueltos cubiertos con queso bajo en grasa.

■ Haga énfasis en alimentos ricos en proteínas como la quínoa, las semillas de chía, mantequillas de frutos secos, leche de nueces y nueces, especialmente si usted es vegano o vegetariano.

¿Debería usted subir al tren de la comida libre de gluten?

Todas las personas que conoce - y sus madres - están consumiendo alimentos sin gluten. Pero los médicos dicen que sólo una pequeña fracción de los estadounidenses necesita evitar el gluten. Entonces, ¿de qué se trata todo el escándalo?

El gluten es una proteína que se encuentra en la avena, centeno, trigo y cebada. La Administración de Alimentos y Medicamentos comenzó a regular las etiquetas de los alimentos que indicaban no contener gluten en el 2007. Fue entonces cuando los empaques con sellos con la leyenda "libre de gluten" comenzaron a desfilar por los estantes de las tiendas de comestibles. Y mucha gente se subió al tren porque pensaba que era saludable.

Pero los médicos dicen que sólo las personas con enfermedad celíaca - una alergia severa al gluten - necesitan de dejar de comer gluten en sus dietas. Eso es apenas un 1 por ciento de los estadounidenses.

Muchas personas evitan el gluten porque dicen que eso les ayuda con todo tipo de condiciones de salud, así como con la pérdida de peso. Los críticos dicen que no hay pruebas. Y cuando usted deja de comer gluten, reduce al ingesta de ciertas vitaminas del complejo B y la fibra que se encuentra en los granos.

Así que antes de abandonar el gluten, consulte con su médico. Usted no querrá renunciar a los nutrientes esenciales si no necesita hacerlo.

Los expertos opinan sobre las mejores opciones de dietas

Cada dieta afirma ser el mejor plan para ayudarle a perder peso y mantenerlo, pero Weight Watchers tiene cómo probar su efectividad. Los diarios US News y World Report la nombraron la mejor dieta de pérdida del peso para 2015 en su lista anual de los mejores planes de dieta.

Cada año, la revista convoca a un panel de expertos en nutrición, pérdida de peso, dieta y salud para determinar qué dietas son las mejores. De un total de 41 dietas, Weight Watchers no sólo ganó la Mejor Dieta de Pérdida de Peso, sino que también fue nombrada la Dieta Más Fácil de Seguir y Mejor Plan Comercial. La dieta HMR (Health Management Resources) se llevó el segundo lugar en pérdida de peso, y Jenny Craig el tercero.

¿Quiere una prueba científica de que son las mejores? La revista *Annals of Internal Medicine* recientemente publicó una revisión de una investigación hecha sobre 11 populares dietas de pérdida de peso. Encontró que los programas Weight Watchers y Jenny Craig tienen el historial más probado de ayudar a la gente a perder peso y mantenerlo por al menos un año.

¡Sorpresa! Usted puede comer chocolate diariamente y aun así perder peso

Usted no tiene que abandonar el chocolate para siempre para perder libras. Descubra cómo puede comer chocolate y perder peso a la vez.

El mejor momento para disfrutar del chocolate sin estimular los antojos. Las personas que regularmente comían chocolate dos horas después de una comida - cuando tenían hambre - tendían a anhelar el chocolate aún más, encontró un estudio británico. Pero las personas que comían regularmente su chocolate justo entre 15 y 30 minutos después de una comida eran más propensas a ver cómo se reducían sus antojos de chocolate. Si usted debe comer chocolate, cómalo poco tiempo después de una comida.

Lo bueno y lo malo del chocolate. Tanto el chocolate con leche como el chocolate oscuro vienen del grano de cacao. El cacao contiene más de 300 compuestos, incluyendo potentes antioxidantes como flavanoles y flavonoides. Pero cuando otros ingredientes, como el azúcar y la leche, se añaden al cacao, el chocolate con leche resultante puede ser malo para su salud.

El chocolate negro - especialmente el que tiene un alto contenido de cacao - probablemente sea mejor para su salud. Pero no exagere. Un estudio encontró que las mujeres posmenopáusicas que comían más de cualquier tipo de chocolate aumentaron su riesgo de ganar peso con el tiempo. Otro estudio encontró que incluso el chocolate oscuro "saludable" puede aportar peso adicional.

Pero no se dé por vencido con este delicioso placer. El chocolate todavía puede animarle y ayudar con la pérdida de peso si sabe cuándo parar.

Un estudio alemán de tres semanas puso a dos grupos de participantes en una dieta baja en carbohidratos, pero al segundo grupo además se le indicó comer 42 gramos (1.5 oz.) de chocolate negro todos los días. Eso es más o menos la cantidad que contienen siete piezas de chocolate oscuro Dove.

Al principio, el grupo de chocolate ganó peso. Pero al finalizar el estudio, habían perdido un poco más de peso que el grupo de la dieta baja en carbohidratos - y se mantuvo perdiendo peso, mientras que el grupo de la dieta baja en carbohidratos recuperó algunas libras. El grupo del chocolate también se sintió mejor y experimentó menos fatiga que el grupo de bajos carbohidratos.

Tenga en cuenta que el chocolate utilizado en este estudio no sólo era oscuro sino que también contenía un enorme 81 por ciento de cacao. Aunque los investigadores no están seguros de por qué el chocolate negro ayudó con el peso, algunos expertos sugieren que los nutrientes del cacao pueden ayudar a suprimir el apetito, así como mejorar su estado de ánimo.

Cómo obtener los mejores resultados del chocolate. El azúcar del chocolate, la grasa y las calorías son una gran prohibición si usted está tratando de bajar de peso, aunque el cacao puede ayudar. Coma tan sólo una cantidad limitada de chocolate - preferiblemente después de una comida - y asegúrese de que eso reemplaza algo más en su dieta en lugar de añadirlo a su cuenta de calorías diarias.

Elija entre chocolate negro o cacao en polvo, y trate de que tenga un contenido de cacao de al menos 70 por ciento. ¿No está seguro de qué hacer con el cacao en polvo, además hacer postres horneados? Pruebe rociándolo en frutas endulzadas al natural como banana o rodajas de naranja. Coma su fruta bañada en cacao como un bocadillo, o mézclelas en yogur o avena. El polvo de cacao es también un excelente adicional de bajas calorías para sus batidos.

Éxito nocturno:
Queme más calorías mientras duerme

¿Buscando un aperitivo antes de irse a la cama? Pruebe el cremoso y delicioso yogur griego. Un ingrediente natural en este tentador antojo mantendrá su metabolismo funcionando toda la noche.

El yogur griego es rico en caseína, una proteína láctea. Otros alimentos ricos en caseína incluyen quesos, requesón y leche.

Investigadores holandeses descubrieron que una dieta más alta en caseína y más baja en grasa aumenta el número de calorías que usa para el día - sobre todo porque aumenta las calorías que usted quema mientras duerme. Piensan que la caseína extra puede hacer que su cuerpo queme más grasa durante horas después de terminar de comer.

Pero no sabotee su progreso en la pérdida de peso. Si agrega el yogur griego como su nuevo bocadillo para la hora de dormir, reste las calorías de otra parte de su dieta. Ese primer bocado delicioso - y perder calorías extras - hará que todo valga la pena.

3 bocadillos sabrosos para una cintura más delgada

¿Necesita un estimulante para ayudarle durante el bajón de la tarde? Onza por onza, estos bocadillos dulces y saludables cuestan la mitad de lo que cuestan las galletas o papas fritas y es menos probable que le hagan ganar peso, y aun así, saben fabuloso.

Re-energícese con naranjas. Las naranjas no sólo son dulces y huelen fabuloso, sino que también llenan más que las galletas y son menos propensas a producir un bajón de azúcar. Por cerca de 60 calorías, una naranja mediana es una buena fuente de energía que satisface y se mantiene. Agregue sabor extra añadiendo un poco de jengibre.

> Mantenga sus naranjas frescas y jugosas por más tiempo envolviendo cada fruta entera en papel parafinado. Luego guarde en un lugar fresco y seco o en el refrigerador. Las naranjas enteras deberían durar unas dos, incluso cuatro, semanas. Úselas tan pronto como vea que está comenzando a crecer moho.

Pruebe este cambio atractivo hacia las bananas. Una marca popular de galletas con chispas de chocolate indica que su tamaño de porción es de tres galletas. Pero si usted come esas tres galletas, acumula instantáneamente 160 calorías que van directo a su cintura. Satisfaga sus antojos de dulce y ahórrese 55 calorías comiendo una banana (platano) en su lugar. Para un impulso extra, rocíelo con un poco de canela y nuez moscada.

Cuando usted sienta que debe comer una galleta, mezcle una banana (platano) bien madura con media taza de avena en hojuelas y una pizca de canela. Coloque porciones del tamaño de una galleta en una bandeja para hornear engrasada y hornee durante 10 a 15 minutos a 350 grados. Tendrá unos bocadillos y calientes bocadillos que saben a pan de banana por sólo unas 30 calorías cada una.

Reduzca las calorías y el hambre con la sandía. Obtenga dos trucos para perder peso por el precio de uno. Los expertos dicen que comer alimentos con un alto contenido de agua ayuda a llenar y reducir la cantidad de calorías que usted come durante el día. Eso hace que la jugosa sandía sea mucho mejor que las secas papas fritas.

Es más, un trozo de sandía tiene alrededor de la mitad de las calorías de una porción de 15 papas fritas, pero aun así la sandía sabe delicioso. Aumente el factor sorpresa salpicando su sandía con jugo de lima y ají en polvo, una combinación que un nutricionista afirma que le ayudará a quemar grasa.

¿Quiere quemar grasa? ¡Añada un poco de salsa picante!

Si usted puede soportar el picante, entre a la cocina y empiece a condimentar sus recetas. ¿Por qué? Debido a que estos tres alimentos picantes quemadores de grasa pueden ayudar a que sus kilos de más ardan en llamas.

El polvo de cayena quema algo más que su boca — también quema calorías de grasa. Las personas que consumían comidas picantes menos de una vez al mes se llevaron una gran sorpresa al añadir media cucharadita de polvo de canela a la sopa de tomate. Después del picante plato, quemaron más calorías y no estaban tan hambrientos como las personas que comieron una sopa más insípida.

Investigadores de la Universidad Purdue también sugieren que el polvo de cayena ayuda a destruir la grasa y podría disminuir esos antojos por alimentos salados, azucarados y altos en grasa. Sin embargo, no se moleste en tomar cápsulas de polvo de cayena. No

La extremadamente popular salsa de sriracha puede parecer la elección perfecta para condimentar su vida, pero puedes hacer algo mejor. A diferencia de la salsa de Tabasco original, la salsa de sriracha contiene azúcares. También tiene más calorías que la salsa de Tabasco y más del doble de sodio. Quédese con la salsa de Tabasco, es una opción más saludable.

funcionan ni remotamente tan bien como lo hace mezclar el aderezo con la comida. Revise su estante de especias y póngale sabor a sus guisos, sopas, aderezos, salsas, e incluso pan de maíz.

¿Quiere otro consejo picante? Añada una pizca de polvo de cayena a un vaso de jugo de tomate y tómelo unos 30 minutos antes de una comida. En un estudio holandés, las personas que probaron esto consumieron menos calorías y menos grasa, y aun así se sintieron más satisfechas.

Salpique con una salsa impresionante para vencer las punzadas de hambre. El ají picante, que contienen el potente compuesto capsaicina, está presente prácticamente en cada receta de salsa picante conocida por el hombre. Los expertos dicen que este encendido ingrediente no sólo le hará sudar, sino que puede ayudarle a sentirse lleno, evitar que coma en exceso, e incluso reducir esa necesidad de comer después de la cena Obtenga más calor en su dieta añadiendo salsa picante a cada comida. Desde el desayuno hasta el postre, y para cada merienda entre ellas, hay una manera fácil de realzar el sabor.

Un golpe picante combate la grasa. La salsa picante y el polvo de cayena son convenientes, pero usted también puede acudir directamente a la fuente original de capsaicina - el ají picante En animales, la capsaicina de estos ajíes desencadenó la producción de una proteína especial que lucha contra el aumento de peso producido por una dieta rica en grasas.

Por lo tanto, corte ajíes para agregarlos a sándwiches, hamburguesas o añádalos a sus salteados. También son buenos en platos y salsas asiáticos, así como cocina cajún, mexicana y del suroeste.

Una última palabra de advertencia. Hable con su médico antes de incluir polvo de cayena, polvo de ají, salsa picante o ají picante a su dieta si:

- tiene acidez o úlceras.

- toma medicamentos como los inhibidores de la ECA para la hipertensión, teofilina para el asma, fármacos reductores de ácido, aspirina, medicamentos anticoagulantes como la warfarina, o medicamentos que disminuyen el nivel de azúcar en la sangre.

- usted es alérgico al látex, aguacates (paltas), kiwi o banana (platano). También puede ser alérgico a cualquier cosa que contenga ají picante rojo.

Use guantes o lave sus manos muy a fondo después de la manipulación de los pimientos frescos. La capsaicina en ellos puede quemar su piel, labios y ojos.

¿Es segura la stevia?

La stevia es un sustituto del azúcar, intensamente dulce, baja en calorías proveniente del arbusto llamado stevia. La Administración de Alimentos y Medicamentos (FDA, por sus siglas en inglés) no aprueba la stevia de hoja entera o extractos crudos de stevia como ingrediente para alimentos debido a preocupaciones acerca de posibles efectos en la función renal, recuento de espermatozoides, azúcar en la sangre y el corazón y los vasos sanguíneos.

Pero recientemente, la FDA permitió el estatus de "Generalmente Reconocido como Seguro" a los extractos especiales altamente purificados del compuesto de la stevia. Estos extractos están en productos como Truvia y PureVia.

Aunque varios estudios dicen que los extractos no aumentan el riesgo de cáncer o problemas de fertilidad, unos pocos estudios sugieren que los compuestos pueden producir cambios en el ADN que podrían conducir al cáncer.

El CSPI (Centro para la Ciencia en el Interés Público) considera que los extractos de stevia altamente purificados son seguros, pero quieren que la FDA realice estudios para confirmar que los extractos no aumentarán su riesgo de cáncer.

Alimentos fermentados divertidos que son buenos para su cintura

¿Cansado de los aburridos alimentos de dieta? Tome un consejo de Hilary White, propietaria y chef ejecutiva del restaurante The Hil cerca de Atlanta. Ella promueve regularmente el uso de alimentos fermentados en la cocina de su restaurante - y usted también puede hacerlo. Estos bocadillos sabrosos, bajos en calorías pueden engalanar hasta los platos más aburridos, además de que se beneficiará de las bacterias impulsoras de la salud, llamadas probióticos, que ellos producen.

Use vegetales caseros fermentados en sándwiches, ensaladas y más. No necesitará mucho para agregar un montón de sabor. Por ejemplo, un cuarto de taza de chucrut comercial - lo suficiente para cubrir generosamente una salchicha - tiene menos de 7 calorías. Solo muestre un poco de moderación o puede terminar comiendo una cantidad malsana de sal.

Usted puede fermentar muchos tipos de verduras, pero por razones de seguridad, elija sólo las verduras que comería crudas después del lavado. Y querrá mantener el nivel de pH de sus fermentos por debajo de 4.6 para prevenir el botulismo. Usted puede hacer esto con simples suministros que pide en línea.

Los rábanos, el brócoli, el coliflor, y todo tipo de ají dulce y picante se fermentan bien. Pero Sandor Katz, autor del bestseller del New York Times *"El Arte de la Fermentación"*, recomienda empezar con el chucrut. Aquí está su receta.

Ingredientes

- Un poco más de 2 libras de vegetales por cuarto de galón. Use cualquier variedad de col sola, o combine al menos la mitad de una col con rábanos, nabos, zanahorias, remolacha, colinabo, alcachofas de Jerusalén, cebollas, chalotes, puerros, ajo, verduras, algas marinas, pimientos u otros vegetales.

- Aproximadamente 1 cucharada de sal, de cualquier variedad. Comience con un poco menos si usa una sal de molienda gruesa.

- Otros condimentos según se desee, tales como semillas de alcaravea, bayas de enebro, eneldo, pimientos picantes, jengibre, cúrcuma, o lo que usted se pueda imaginar.

Instrucciones

1. Pique o ralle los vegetales en un recipiente para exponer el área superficial y extraer el líquido. Usted necesitará estos jugos para sumergir sus vegetales.

2. Coloque un poco de sal a los vegetales y agregue los condimentos mientras corta. El chucrut no requiere una gran cantidad de sal.

3. Exprima los vegetales salados con las manos por unos instantes o golpéelos con una herramienta contundente. Esto magulla los vegetales, descomponiendo las paredes celulares, permitiendo que el jugo salga. Siga haciendo esto hasta que pueda apretar un puñado y ver el jugo salir como si fuese una esponja húmeda.

4. Coloque las verduras saladas y exprimidas en un frasco de boca ancha o una vasija de 1 litro de capacidad. Presione las verduras con fuerza para que el jugo suba y las cubra. Llene el frasco casi hasta el tope, dejando un poco de espacio para que se expanda. Coloque y gire la tapa. Tenga en cuenta que la fermentación produce dióxido de carbono, por lo que la presión se acumulará en el frasco y necesita ser liberada diariamente, especialmente los primeros días en los que la actividad es más vigorosa.

5. Espere. Asegúrese de aflojar la tapa para aliviar la presión cada día durante los primeros días. La velocidad de fermentación será más rápida en un ambiente cálido, más lenta en uno fresco. Algunas personas prefieren su chucrut levemente fermentado por apenas algunos días; otros prefieren un sabor más fuerte, más ácido que se desarrolla durante un tiempo más largo. Pruébelo después de unos días, luego unos cuantos días más tarde, y a intervalos regulares para descubrir lo que usted prefiere. En un ambiente fresco, el chucrut puede continuar fermentándose lentamente durante meses.

6. El problema más común que la gente encuentra al fermentar vegetales es el crecimiento superficial de levadura y / o mohos, facilitada por el oxígeno. Si experimenta crecimiento superficial, simplemente raspe la capa superior y deséchela. Los vegetales fermentados de abajo se verán, olerán y sabrán bien.

7. ¡Disfrute de su chucrut! Y no olvide comenzar a hacer un nuevo lote antes de que éste se acabe.

Dietas veganas crudas: lo bueno, lo malo y lo feo

Cumplir con una dieta vegana cruda significa comer sólo a base de plantas y alimentos crudos, fermentados o deshidratados. Esta dieta incluye deliciosos jugos de frutas y vegetales, y "batidos verdes" hechos con vegetales verdes. ¿Pero es esta una dieta sana y práctica?

Un reciente estudio alemán encontró que una dieta vegana cruda reduce el colesterol y los triglicéridos. Sin embargo, el estudio también sugiere que esta dieta puede bajar el colesterol "bueno" HDL, elevar los niveles nocivos de homocisteína y aumentar el riesgo de deficiencia de vitamina a B12, así como deficiencias de selenio, zinc, hierro, vitamina a D y ácidos grasos omega-3.

Además, la falta de alimentos generadores de energía en esta dieta puede tentarle a comer en exceso nueces y frutas altas en calorías. También puede perderse de los nutrientes liberados al cocinar los alimentos.

Cuidado con el edulcorante que debilita la fuerza de voluntad

Una vez, la fructosa era sólo un azúcar natural que se encontraba en frutas, verduras, miel y azúcar de mesa. Luego en la década de 1980, se convirtió en un ingrediente clave en el jarabe o sirup de maíz de alta fructosa (HFCS, por sus siglas en inglés), un sustituto del azúcar añadido a refrescos, comida chatarra y muchos otros productos envasados.

Hoy en día, el HFCS es tan ampliamente utilizado que el estadounidense promedio obtiene aproximadamente el 10 por ciento de sus calorías a partir de la fructosa solamente. Algunos obtienen tanto como 23 por ciento, el cuádruple de la cantidad de azúcar añadido que la Asociación Americana del Corazón recomienda para la mayoría de las personas.

Una dieta tan alta en fructosa significa que usted ganará más peso y grasa corporal, incluso si usted no consume calorías adicionales. Estudios en animales sugieren que usted podría llegar a pesar un 11 por ciento más en sólo unos pocos meses. Eso significaría un extra de 16 libras para una persona de 150 libras en menos de un año. Usted podría pensar que todos los azúcares causarían iguales cantidades de aumento de peso, pero eso no es cierto.

La sobrecarga de fructosa cambia su cerebro. Compare la fructosa con otro azúcar natural, la glucosa, que también se encuentra en el azúcar de mesa. Ambos proporcionan energía, pero la fructosa puede afectar su cerebro de formas inesperadas.

Un pequeño estudio de la Universidad del Sur de California hizo que los voluntarios tomaran una bebida de alta glucosa o alta fructosa. Luego los investigadores mostraron a ambos grupos imágenes de alimentos ricos en calorías.

Las imágenes de resonancia magnética revelaron que los bebedores de fructosa tuvieron un pico en su actividad en áreas del cerebro asociadas con el procesamiento de las recompensas al ver las imágenes de alimentos. Cuando se les dio una opción, la mayoría optó de inmediato por recibir el alimento alto en calorías que acababan de ver en vez de tomar una recompensa en efectivo que llegaría en pocas semanas.

Los expertos dicen que esta reacción alarmante se debe a que la fructosa y la glucosa causan diferentes efectos en su cuerpo. La glucosa desencadena una respuesta a la insulina que, como la magia, envía una señal de "plenitud" a su cerebro, de manera que usted deje de comer. La fructosa, por el contrario, no activa esta respuesta.

¿Debería dejar de comer fruta? Absolutamente no, dicen investigadores de California. La fruta tiene mucho menos fructosa que los refrescos enlatados y los alimentos empacados, por lo que definitivamente debe mantenerlas en el menú. Pero si usted está tratando de perder peso, consulte las listas de ingredientes de sus alimentos y bebidas para verificar si contienen jarabe o sirup de maíz de alta fructosa. Eliminando este edulcorante podría detener esos misteriosos y engorrosos antojos.

¿Comer de más y perder peso? ¡Una nueva dieta dice que sí!

Imagine una dieta donde usted pierde unas pocas libras incluso aunque usted coma hasta llenarse. Eso fue lo que pasó en un reciente estudio danés. Personas obesas que siguieron la Nueva Dieta Nórdica durante seis meses perdieron muchas más libras que las personas obesas que siguieron una dieta normal. La Nueva Dieta Nórdica también ayudó a bajar la presión arterial.

Diseñada por profesionales de los alimentos de cinco países nórdicos, la Nueva Dieta Nórdica es similar a la dieta Mediterránea, pero hace énfasis en los alimentos de climas más fríos. Éstos incluyen manzanas, tubérculos, peras, granos enteros, pescado, caza silvestre, bayas, col y otros vegetales crucíferos.

Para imitar esta dieta, consuma por lo menos seis porciones de productos frescos Reduzca las grasas saturadas; disminuya las carnes rojas en un tercio; y agregue más granos integrales, pescado y aceites insaturados como el aceite de oliva.

Pierda 4 pulgadas en sólo 6 meses

¿Qué podrían tener en común su problema de peso y una erupción cutánea producida por sus accesorios de bisutería? Es extraño, pero cierto - una alergia al níquel podría estar haciéndole ganar peso.

Menos del 13 por ciento de todas las mujeres son alérgicas al níquel, un metal que muy a menudo se encuentra en la joyería, correas de relojes, hebillas de cinturón, y similares. Sin embargo, un pequeño estudio italiano encontró que casi el 60% de las mujeres con sobrepeso que participaron en su investigación tenían esta sensibilidad.

Las alergias al níquel por lo general aparecen como una erupción dentro de un par de días luego de tocar el metal. Sin embargo, el níquel también está presente en ciertos alimentos y podría generar aumento de peso, si usted es alérgico. Los expertos creen que puede causar una sobrecarga de insulina, aumentar los niveles de inflamación en su cuerpo, o cambiar el equilibrio de los microbios en sus intestinos.

Para ayudar a esclarecer esto, las mujeres alérgicas con sobrepeso siguieron una dieta baja en níquel durante seis meses, pero no redujeron las calorías. En su lugar, evitaron completamente los alimentos de alto nivel de níquel como frijoles, soja granos integrales. También restringieron otros alimentos con algún contenido de níquel, incluyendo tomates, lechuga, espinaca, zanahorias, cebollas y coliflor. Las mujeres perdieron más de cuatro pulgadas de su cintura y bajaron su IMC en cuatro puntos en sólo seis meses.

Si tiene síntomas de alergia al níquel, hable con su médico. Él puede hacer pruebas y determinar si puede intentar con seguridad seguir una dieta baja en níquel. Los profesionales de la medicina también pueden ayudarle a obtener los detalles necesarios para seguir correctamente esta dieta y proporcionar información sobre posibles efectos secundarios como estreñimiento. Aunque los médicos dicen que no están seguros de cuánto tiempo la gente puede permanecer con seguridad siguiendo un régimen bajo en níquel, incluso algunos meses pueden ayudarle a perder esas tercas pulgadas en su cintura.

¿Tiene grasa abdominal? Corrija el error que está cometiendo cada día

Usted no va a creer lo que un estudio reciente descubrió sobre los refrescos de dieta. Esto es lo que usted debe saber de inmediato.

¿Puede una bebida diaria ensanchar su cintura? Para averiguarlo, investigadores de la Universidad de Texas monitorearon a más de 400 personas de la tercera edad durante nueve años. Aquellos que bebían refrescos de dieta todos los días añadían tres pulgadas a su cintura. Eso fue más de cuatro veces el aumento de las medidas del vientre experimentado por las personas que evitaron los refrescos.

Incluso el bebedor ocasional tuvo que ampliar su cinturón por un par de pulgadas. En general, son estadísticas especialmente alarmantes puesto que esta porción creciente de la población ya tiene un mayor riesgo de sufrir graves condiciones médicas relacionadas con la grasa abdominal.

Los investigadores sugieren que los adultos mayores - y todos los demás, en este aspecto - pueden beneficiarse de beber menos bebidas azucaradas como los refrescos de dieta.

6 maneras de desterrar las bebidas dietéticas y prevenir la grasa abdominal. Si sospecha que su cintura estaría mejor sin refrescos de dieta, intente estos consejos para ayudarlos a salir de su vida.

- Cuente los refrescos que bebe cada semana o cada día, y reduzca sólo uno al principio. Reste una bebida más cada semana.

- Comience a beber su refresco con hielo, o dilúyalo con unas cuantas cucharadas de agua con gas. Añada más agua a la bebida con cada semana que pasa.

- ¿Necesita ese golpe de cafeína? Pruebe un sustituto como el café sin azúcar o té verde o negro. Añada un toque de limón o jugo de naranja a su té para realzar su sabor.

- Haga soda casera con agua de Seltz, una gota de extracto de vainilla y un poco de zumo de fruta. Comience con al menos tres veces más agua de Seltz que jugo de fruta. Reduzca gradualmente la cantidad de jugo hasta que su bebida no tenga más calorías que su refresco de dieta.

- Cuando su suministro de refresco se agote en casa o en el trabajo, no compre más. Eliminar la tentación de la disponibilidad inmediata de refresco facilita el cambio.

- Experimente con diferentes bebidas saludables y bajas en calorías. Por ejemplo, pruebe una variedad de bolsas de té a base de hierbas o aromatizados. La mayoría no contiene calorías, pero compruebe la etiqueta para estar seguro.

O experimente con opciones como frutas o agua de hierbas que puede hacer en casa. Comience con una jarra de agua, luego incluya rodajas de pepino, algunas bayas, gajos de limón o lima u hojas de menta. Dele tiempo para que el sabor se extienda y luego disfrute.

Ganadora de la guerra de las dietas: La mediterránea triunfa por ser la más baja en grasas

¿Quiere una dieta deliciosa que le pueda ayudar a perder más peso? Sorpresa - no es baja en grasa. La dieta mediterránea, que permite una modesta cantidad de grasa de los alimentos como nueces y aceite de oliva, es una excelente forma de obtener un cuerpo más delgado o incluso evitar ganar peso en primer lugar. La celebridad María Menounos, que perdió 40 libras con este delicioso plan de alimentación, está de acuerdo. Y por cierto, ella ha mantenido ese peso durante 15 años.

La dieta de la isla griega le gana a una dieta baja en grasa. Aquí hay otra increíble historia de éxito. Un estudio israelí encontró que los hombres con sobrepeso que seguían una dieta mediterránea perdieron más libras que aquellos que seguían una dieta baja en grasas, aunque sus recuentos de calorías eran iguales. Los que cumplieron la dieta mediterránea también:

- perdieron más peso al principio.

- mantuvieron más su peso después de dos años.

- perdieron más pulgadas de su cintura.

- redujeron más su IMC.

Sus comidas de inspiración mediterránea estaban llenas de vegetales, mientras que las principales fuentes de grasa eran de cinco a siete nueces al día y alrededor de tres cucharadas de aceite de oliva. También comieron pequeñas cantidades de pollo y pescado en lugar de carne de vacuno y cordero. Pero eso realmente no describe lo sabroso que puede ser esta dieta.

En la isla griega de Ikaria, un lugar famoso por la longevidad de sus residentes, los alimentos populares incluyen hortalizas, garbanzos, lentejas, papas, tés de hierbas, yogur y vegetales de la temporada. La cocina tradicional mediterránea también significa un montón de frutas y granos integrales, un poco de vino tinto con las comidas y dulces, queso y carnes procesadas en cantidades limitadas. Ya que esta dieta está llena de deliciosos alimentos que probablemente ya usted come, puede que sea más fácil de seguir que otros planes de alimentación.

CULTÍVELO

El lugar perfecto para una maceta de hierbas

¿Piensa que no puede tener hierbas frescas o tomates porque no tiene espacio para un jardín? Cultive orégano, menta y perejil dentro de su casa al lado de una ventana que dé al sur, oeste o al este. Colóquelas en potes profundos cerca del vidrio y revise regularmente para ver si necesitan riego- mantenga la menta más húmeda que las otras hierbas.

Una cesta grande es ideal para una planta colgante de tomate cherry, que puede producir cientos de frutas. Después de la última helada, colóquela al aire libre donde reciba al menos seis horas de sol. Riéguela diariamente, y luego regularmente una vez que los tomates comiencen a formarse.

2 maneras en las que usted puede estar saboteando su pérdida de peso. Cientos de bomberos fueron estudiados por investigadores de Harvard, y descubrieron que los que realmente se apegaron a la dieta mediterránea tuvieron el mayor éxito en la pérdida de peso. Pero los que hicieron un poco de trampa y tomaron bebidas azucaradas o de baja nutrición con las comidas y comieron comida rápida con frecuencia eran más propensos a ser obesos.

Estos dos hábitos hacen especialmente difícil el seguimiento de algunas de las reglas de la dieta mediterránea - como evitar los alimentos fritos o procesados, carnes rojas y lácteos altos en grasa. ¿En resumen? Patee estos malos hábitos fuera de su camino.

Si bien es fantástico que la dieta mediterránea le ayudará a perder peso y ganar buen aspecto, también puede ayudar a prevenir la enfermedad, la desdicha y la discapacidad durante las próximas décadas. Los estudios sugieren que las personas que siguen una dieta mediterránea son recompensadas con menos colesterol y presión sanguínea, azúcar en la sangre estable e incluso un menor riesgo de cáncer y Alzheimer. De hecho, los médicos estaban prescribiendo esta dieta para problemas de salud relacionados con el corazón mucho antes de que alguien se diera cuenta de que también podría ser una forma deliciosa de adelgazar.

Consejos y trucos para hacer el cambio. Si desea abandonar su dieta baja en grasa y tratar de comer a la manera mediterránea, tenga en cuenta que todavía debe limitar sus calorías -, pero pruebe también ideas como estas.

- Beba agua regularmente, pero disfrute de tés de hierbas, café y una copa ocasional de vino también. Simplemente no agregue calorías por el azúcar y edulcorantes.

- Coma grandes cantidades de una ensalada de espinacas con vegetales y frijoles, agregue un poco de queso feta o nueces picadas, y cubra con un aderezo con aceite de oliva.

- Pruebe el humus con pan integral.

- Mezcle fruta y avena con yogur.

- Mezcle vegetales como tomates, calabacín en rodajas, setas, cebollas, pimientos rojos asados y aceitunas en vinagreta balsámica. Coloque en capas entre rebanadas de pan integral con espinacas y queso feta.

- Disfrute de una pequeña porción de salmón con aceite de oliva y especias.

- En un día frío, coma sopa de lentejas y vegetales para calentarse.

- Para agregar sabor sin muchas calorías, use uno o más de estos ingredientes mediterráneos: ajo, jugo de limón, orégano, paprika, romero, albahaca, hojas de laurel, perejil, salvia o vinagre balsámico.

Forma saludable de renovar su cena

Usted probablemente recuerda la Guía de los Grupos Básicos de Alimentos de años pasados - ese ícono popular de información nutricional creado por el Departamento de Agricultura de los Estados Unidos (USDA, por sus siglas en inglés) para ayudar a los estadounidenses a equilibrar sus dietas. En 2011, el USDA lanzó un nuevo ícono, My Plate. La siguiente ilustración es una adaptación de la imagen del USDA y tiene la intención de ayudar a los adultos mayores a construir hábitos de comida saludables.

MyPlate para Adultos Mayores de 60 años

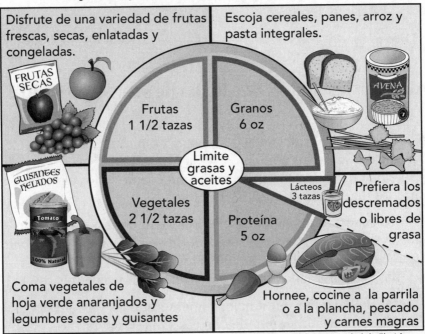

Adaptado de MyPlate del USDA y MYPlate para Adultos Mayores de la Universidad de Florida.

Cantidades de alimentos basadas en una dieta diaria de 1,800 calorías.

Un sustituto de la grasa que nunca debería pasar de su boca

Olestra, también conocido como Olean, es un sustituto de la grasa encontrado en algunos alimentos sin grasa y bajos en grasa. Conserva el sabor y textura de los alimentos, mientras que reduce la grasa y las calorías - pero no es una opción saludable.

Aun cuando Olestra no causa síntomas digestivos, puede reducir la capacidad de su cuerpo para absorber nutrientes liposolubles como el licopeno, el beta caroteno y las vitamina as A, D, E y K. Los tentempiés cargados de Olestra también sustituyen a los alimentos más nutritivos que su cuerpo necesita.

Verifique si la lista de ingredientes de sus alimentos libres o bajos en grasa favoritos contienen Olestra u Olean. Limite o evite los alimentos que contienen este nocivo sustituto de la grasa, y disfrute de alimentos ricos en nutrientes en su lugar.

Aumente los poderes de lucha de su cuerpo contra la grasa

¿No sería genial si su cuerpo de repente comenzara a absorber menos calorías de los alimentos? Una nueva investigación sugiere que la idea no es tan extravagante como suena - y los alimentos como las manzanas pueden ser la clave.

Un poco conocido domador de vientres justo debajo de su nariz. Todos hemos estado llevando alrededor de potencial de lucha contra la grasa extra con nosotros durante años, dicen los científicos. Las bacterias en su intestino pueden hacer una diferencia en su peso.

Estudios de bacterias intestinales sugieren que las personas obesas tienen una mezcla diferente de bacterias que las personas delgadas. Y los estudios en animales muestran que esos microbios pueden ayudarle a absorber más calorías, así como a acumular y almacenar grasa. Los investigadores creen que estos estudios de bacterias intestinales pueden conducir a nuevas maneras de ayudar a combatir la obesidad.

"Lo que determina el equilibrio de las bacterias en nuestro colon es la comida que consumimos", dice la científica de la Universidad Estatal de Washington, Giuliana Noratto. Ella y sus colegas estudiaron recientemente siete variedades de manzanas para determinar cuál es la más prometedora contra la obesidad.

Estaban particularmente interesados en los compuestos de las manzanas que su cuerpo no puede digerir porque afectan a sus bacterias intestinales. Estos compuestos se llaman prebióticos. Incluyen pectina y otras formas de fibra, así como los fitoquímicos llamados proantocianidinas.

La investigación anterior sugiere que estos prebióticos pueden promover la pérdida de peso por dos razones. Se han relacionado con un aumento en las bacterias que ayudan a prevenir el aumento de peso de las dietas altas en grasas. También pueden ayudar a aumentar la población de bacterias relacionadas con un menor IMC. Además, esto podría ayudar a cambiar la mezcla de bacterias intestinales en ratones obesos a una más parecida a la mezcla en ratones magros.

Entonces, ¿qué manzana es mejor? El equipo de Noratto encontró que la manzana con los mejores efectos combinaba un bajo contenido de carbohidratos con un montón de prebióticos. Los investigadores probaron Braeburn, Fuji, Granny Smith, Gala, Golden Delicious, McIntosh y Red Delicious, pero fue Granny Smith la que ganó.

Se necesita más investigación para determinar lo eficaces que pueden ser las manzanas Granny Smith, pero mientras tanto puede intentar comer más de estas frutas saludables para ver lo que pueden hacer por usted.

Demuestre su creatividad con manzanas verdes. Las manzanas Granny Smith son ácidas. Para aprovechar al máximo su sabor delicioso, pruebe estas ideas inteligentes.

- En lugar de comer un postre alto en calorías, vierta un poco de miel sobre rodajas de manzana y espolvoree con canela.

- Añada una manzana Granny Smith picada a la ensalada de pollo.

- Mezcle las manzanas Granny Smith ralladas en sus hamburguesas para reemplazar parte de la carne.

- Añada manzanas Granny picadas o ralladas a las magdalenas o al pan.

- Haga su ensalada Waldorf con dos tipos de manzanas, una dulce y una Granny Smith.

- Mezcle una manzana cortada en cuadritos por libra de ternera para reducir el picante del ají si está muy fuerte.

Índice